1850

D1142611

hp

A

L'Egypte
des Pharaons

Adolphe Erman

L'Egypte
des Pharaons

Traduit de l'allemand par Henri Wild

Payot

106, boulevard Saint-Germain 75006 Paris

Cet ouvrage a été publié en 1939 dans la « Bibliothèque Historique » des Éditions Payot.

La présente édition reproduit sans changement le texte de la version originale.

TABLE DES MATIÈRES

Introduction 9

   I : Le pays et ses habitants, autrefois et aujour-
      d'hui 13

   II : L'Égypte oubliée 20

   III : Champollion et le déchiffrement des hiéro-
      glyphes 24

   IV : L'écriture des Égyptiens 35

   V : Recherches ultérieures 46

   VI : Les dieux et leur culte 51

   VII : Légendes divines 60

   VIII : Les morts et leurs tombeaux 69

   IX : Les plus anciennes tombes royales, les pyra-
      mides et les temples solaires 76

   X : Les tombeaux des nobles sous l'Ancien-Empire 88

   XI : Les Grands sous l'Ancien-Empire 99

   XII : L'art et la littérature de l'Ancien-Empire ... 109

   XIII : La chute de l'Ancien-Empire 116

   XIV : Opinion de la postérité sur l'Ancien-Empire 120

   XV : Le Moyen-Empire 131

   XVI : La littérature du Moyen-Empire 141

   XVII : La médecine des temps anciens 160

   XVIII : Débuts du Nouvel-Empire 166

   XIX : Les enfants de Touthmosis Ier 174

   XX : La fin de la XVIIIe dynastie et la période
      hérétique 190

   XXI : Tout Ankh Amon et Hor Em Heb 207

   XXII : Ramessès II 214

   XXIII : Ramessès III 226

   XXIV : L'école et le genre épistolaire sous le Nouvel-
      Empire................................. 238

   XXV : Contes du Nouvel-Empire 252

   XXVI : Chants du Nouvel-Empire 268

   XXVII : Maximes du Nouvel-Empire 275

   XXVIII : Décadence et domination étrangère 281

INTRODUCTION

Le pays que parcourt le Nil a constitué de tout temps un monde à part. Très tôt s'y est épanouie une culture qu'aucun obstacle ne vint arrêter dans son développement et qui aboutit à une civilisation très avancée. Comme sur les bords de l'Euphrate, cet essor fut favorisé par un climat favorable et un sol fertile. Les habitants de ces régions ne connaissaient ni la faim ni le froid, tandis que ceux d'autres pays devaient s'efforcer de les combattre. A vrai dire, l'Égypte et la Babylonie n'étaient pas des pays de cocagne où les fruits mûrissent à portée de la bouche. Le paysan du Nil et de l'Euphrate devait cultiver son champ à la sueur de son front, mais le sol le lui rendait plus richement qu'en aucun autre pays. Au cours des siècles, d'autres peuples profitèrent largement de la civilisation qui s'était ainsi développée sur les bords du Nil et de l'Euphrate et ce sont avant tout les Grecs et les Romains qui nous transmirent cet héritage. Si nous écartions de notre vie quotidienne tout ce que cet héritage nous a apporté, nos maisons et nos villes offriraient un spectacle étrange. Ainsi donc, la civilisation de ces anciens pays ne nous est pas aussi étrangère que celle de la Chine et du Pérou anciens. En effet, ce que nous trouvons chez les Égyptiens et les Babyloniens, ce sont les germes de notre propre culture. Et de ces deux pays, l'un nous tient de plus près ; c'est l'Égypte. Il faut en voir la raison dans le fait que nous connaissons la manière de vivre de ses habitants beaucoup mieux que le genre d'existence que menaient les Babyloniens. Car, en Égypte, les objets les plus fragiles se sont conservés pendant des millénaires grâce au sable du désert et à la sécheresse de l'air. Si par exemple, en fermant une chambre funéraire, il y a quatre mille ans, on a jeté un chiffon de papier avec d'autres ordures, on le retrouve encore aujourd'hui à l'endroit où il est tombé. Si on l'étend, on constate, en le lisant, que ce sont d'anciennes lettres écrites par un père à son fils ; à travers quarante siècles parvient jusqu'à nous l'écho de la colère que causa à l'expéditeur de ces lettres le désordre de sa maison. Ainsi, le peuple ancien continue à vivre avec nous et nous vivons avec lui. Nous contemplons ses constructions imposantes ; nous voyons la gloire de ses rois et nous assistons à leurs hauts faits ; mais, d'un autre côté, nous lisons aussi combien de blé a manqué cette fois encore dans le tribut, quels ouvriers ne sont pas venus à leur travail et que le jeune scribe a été paresseux en classe. Nous apprenons de quels soins un prince a entouré les petites gens, avec quelle piété le peuple a adoré ses dieux, depuis les grandes divinités jusqu'aux vaches et aux chats sacrés. La longue suite de siècles que notre regard embrasse nous permet de constater aussi comment, chez le peuple, la vie de l'esprit s'est progressivement développée depuis l'époque très reculée où il s'était à peine libéré de l'emprise de la barbarie jusqu'au temps de sa plus haute culture, dont nous-mêmes pouvons encore tirer quelque enseignement. C'est dans ce monde de l'Égypte ancienne que nous allons jeter quelques regards, et si ce ne sont que des tableaux isolés que nous pouvons ainsi entrevoir, nous les enchaînerons et les compléterons facilement par l'imagination.

Ce fut la tâche des égyptologues, durant plus d'un siècle, de faire surgir ces images, comme par enchantement, de la nuit d'un passé fort lointain. Il ne sera pas question dans ce livre de tout le travail qu'ils ont fourni et nous voulons simplement nous réjouir des résultats obtenus.

Tableau succinct de l'Histoire de l'Égypte. (Voir les remarques du chapitre V, p. 48 et suiv.)

I. Ancien-Empire :
>   L'époque des pyramides.
>   IVe dynastie (2720-2560 av. J.-C. ou avant).
>   Ve dynastie (2560-2420 av. J.-C. ou avant).
>   VIe dynastie (2420-2270 av. J.-C. ou avant).

II. Moyen-Empire :
>   XIe dynastie (2100-2000 av. J.-C.).
>   XIIe dynastie (2000-1790 av. J.-C.).
>   XIIIe dynastie (1790-1700 av. J.-C.).

III. Nouvel-Empire :
>   La période des Hyksos (1700-1555 av. J.-C.).
>   XVIIIe dynastie (1555-1350 av. J.-C.).
>   XIXe dynastie (1350-1200 av. J.-C.).
>   XXe dynastie (1200-1090 av. J.-C.).

IV. La période de décadence :
>   XXIe dynastie (1090-945 av. J.-C.).
>   XXIIe dynastie (945-745 av. J.-C.).
>   XXVIe dynastie (663-525 av. J.-C.).

V. L'Égypte sous la domination perse (525-332 av. J.-C.).

VI. L'Égypte sous la domination grecque (332-31 av. J.-C.).

VII. L'Égypte sous la domination romaine (à partir de l'an 31 av. J.-C.).

VIII. L'Égypte sous la domination arabe (à partir de l'an 640 ap. J.-C.).

L'ÉGYPTE

CHAPITRE PREMIER

LE PAYS ET SES HABITANTS, AUTREFOIS
ET AUJOURD'HUI

Lorsqu'il écrivit son histoire, Hérodote déclara qu'il avait l'intention de s'étendre davantage sur l'Égypte que sur les autres pays, cette région renfermant plus de prodiges qu'aucune autre. A ses yeux, le ciel de l'Égypte et le fleuve qui parcourt tout le pays présentent quelque chose de particulier et les Égyptiens eux-mêmes se distinguent sur beaucoup de points des autres peuples. Plus de deux mille ans se sont écoulés depuis qu'Hérodote écrivit cela et, pendant ce temps, bien des choses se sont modifiées, mais le sentiment que nous éprouvons est encore aujourd'hui le même que celui de l'historien grec. Pour nous aussi, l'Égypte est un pays de merveilles ; son peuple a sans doute surpassé tous les autres par ses ouvrages, son ciel est plus fortuné que celui d'autres régions et son sol doit au fleuve miraculeux sa fertilité et sa richesse. Aujourd'hui encore les champs sont envahis chaque été par l'inondation et lorsque, l'automne venu, les eaux se retirent, elles laissent sur le sol le limon qui fait croître les semences. De même, le paysage d'Égypte n'a guère subi de changement. Comme autrefois, le grand fleuve fait rouler ses eaux jaunâtres entre les champs verts, tandis qu'en bordure de la vallée se dressent les falaises du désert : à l'est, montagnes escarpées et désolées ; à l'ouest, collines rocheuses, auxquelles succèdent peu à peu les dunes du Sahara. Au nord, à l'endroit où le Nil se ramifie, s'ouvre la vaste plaine du Delta avec ses lacs et ses marais et avec ses champs fertiles.

Le merveilleux climat du pays est demeuré le même depuis l'antiquité. Seul le Delta, pour ainsi dire, connaît les nuages et la pluie, et encore en hiver seulement ; en

Haute-Égypte, un ciel bleu immuable, sans nuages, inonde
le pays de lumière. C'est aux déserts qui l'entourent que
la vallée doit la sécheresse de son atmosphère ; la chaleur,
cependant, est tempérée par de fréquents vents du nord,
« par le doux souffle du vent du nord », comme disaient
les anciens Égyptiens. Ce qui, dans le paysage égyptien,
paraît le plus singulier, — l'absence de forêts et la rareté
des arbres —, existait certainement déjà dans l'antiquité.
Ce n'est que dans les vallées des déserts de Haute-Égypte
et de Nubie que se rencontraient quelques bois isolés d'acacias. Il fallait faire venir du Liban tout le bois de construction, car le bois des arbres indigènes, sycomores, palmiers
et acacias, ne se laissait façonner que difficilement. Par
contre, l'Égypte ancienne possédait une plante, disparue
aujourd'hui et qui, à bien des points de vue, remplaçait
pour elle le bois. C'était le papyrus, ce beau roseau haut
sur tige dont les grands fourrés avaient envahi les marais
du Delta. Il pouvait servir à toutes sortes d'usages. On en
construisait de petites embarcations ; on en tissait des
nattes, des cordes et des sandales, et avant tout on utilisait la moëlle de sa tige à faire du papier. Les langues modernes ont conservé le vieux nom de « papier » et ce n'est
qu'en parlant des Égyptiens, des Grecs et des Romains
que nous nous servons du mot « papyrus ».

De nos jours, les fourrés de papyrus n'existent plus : la
main de l'homme les a extirpés comme elle a exterminé
aussi les grands animaux qui les peuplaient et qui vivaient
dans le fleuve, crocodiles et hippopotames. Ils ont dû
céder la place à la civilisation. Lions et panthères ont subi
un sort analogue. Seuls subsistent les hyènes et les chacals.
De même ont disparu les bœufs sauvages qui vivaient
en troupeaux dans le désert avec les antilopes, les gazelles
et les autruches.

Les animaux domestiques sont les mêmes que dans les
temps anciens : bœufs et vaches, moutons, chèvres, cochons

et ânes. Cependant, leur nombre s'est accru de deux espèces, qui, à l'origine, étaient étrangères au pays et sans lesquelles on ne saurait s'imaginer aujourd'hui l'Égypte : le buffle et le chameau. On ne peut davantage se figurer les champs de l'Égypte actuelle sans le coton et la canne à sucre, richesse du pays. Ces deux plantes n'ont été introduites que de nos jours dans la vallée du Nil et, avec elles, l'agri-

Fig. 1. — Fourré de papyrus.

culture et l'irrigation si primitives à l'origine ont subi bien des transformations. Des réservoirs et des barrages règlent l'inondation ; de même, on a maintenant recours aussi aux engrais. Autrefois, lorsqu'on cultivait principalement le blé, l'orge et le trèfle, le limon de l'inondation suffisait largement ; mais aujourd'hui, beaucoup de champs doivent être enrichis artificiellement au moyen d'engrais que les *fellahîn* vont chercher dans les vieil les

cités en ruines. Cet engrais, appelé *sebbakh*, n'est autre
que les ordures des anciennes villes et c'est lui qui apporte
aux champs du *fellah* du XXe siècle leur fertilité.

L'ancienne Égypte possédait une richesse qui ne provenait ni de ses champs ni de ses marais, mais des montagnes
de ses déserts. Celles-ci lui fournissaient la pierre nécessaire
à ses grandes constructions, destinées à durer « éternellement », et qui, en effet, proclament encore aujourd'hui la
gloire du peuple d'autrefois ; sans le calcaire et le grès qui

Fig. 2. — Shadouf antique.

se laissent si aisément travailler, jamais l'art égyptien
n'aurait eu un si grand épanouissement, ni l'écriture un
tel développement. Les Égyptiens avaient encore à leur
disposition d'autres matières plus précieuses : l'albâtre
et les granits de couleurs ; ces derniers provenaient de la
frontière méridionale de l'Égypte, barrière naturelle à
travers laquelle le Nil se fraie péniblement un passage.
Cependant, au fond du désert oriental se trouvait une plus
grande source de richesse encore : l'or. L'Égypte ne passait-

elle pas précisément dans l'antiquité pour le « Pays de
l'Or » ?

Grâce à la fertilité de son sol, l'Égypte a toujours été
un pays favorisé, et elle l'est encore de nos jours ; mais
aujourd'hui pas plus que dans l'antiquité la prospérité
ne s'acquiert sans le travail de la terre. Malgré l'inondation annuelle de l'été, les champs doivent être irrigués
artificiellement, et, autant que le paysan actuel, celui

Fig. 3. — Shadouf moderne.

d'autrefois dut peiner en actionnant le *shadouf*, afin d'empêcher que les champs situés à un niveau supérieur ne
fussent privés d'eau. Sur d'autres points encore, les paysans
de l'antiquité ne doivent pas nous apparaître très différents de ceux d'aujourd'hui. Eux aussi menaient une pé-
nible existence ; toute leur vie durant, ils s'épuisaient dans
l'accomplissement de leurs durs travaux et ils supportaient patiemment toutes les corvées qu'on leur imposait.

De nos jours, il existe à côté des paysans une population citadine d'un tout autre genre. Intelligente et active de nature, elle ne considère pas sans mépris les *fellahîn*, c'est-à-dire les paysans. Il ne devait pas en aller autrement dans l'antiquité. Comme aujourd'hui, les citadins étaient sans doute d'une classe intellectuelle supérieure à celle des paysans. Et ce sont eux, vraisemblablement, qui ont créé cette civilisation qui fait encore aujourd'hui l'objet de notre admiration. C'est à eux que l'Égypte doit son écriture, son art, son administration.

Au point de vue physique, les anciens Égyptiens ne différaient assurément pas beaucoup de leurs descendants actuels. La couleur de leur peau était sensiblement la même : brun roux chez les hommes, ocre clair chez les femmes, lesquelles s'exposaient moins à l'air et au soleil. Ils attachaient de l'importance au fait qu'ils ne ressemblaient pas aux autres peuples ; c'est ce que nous montre une image d'un ancien livre religieux où « les Égyptiens » sont appelés « les hommes », tandis que les peuples de couleur différente sont nommés de leurs noms respectifs : Asiatiques, Nègres, Libyens (fig. 4). De toute antiquité, les Égyptiens considérèrent de haut tous ces étrangers.

Parmi ces peuples, ceux dont le voisinage leur était le moins agréable étaient les tribus à demi sauvages qui vivaient au désert en bordure du pays : à l'ouest, les tribus nomades des Libyens ; à l'est, les Bédouins et les peuplades que les Grecs appelaient Troglodytes. Leur gagne-pain était de conduire les voyageurs à travers le désert et de les dévaliser occasionnellement. L'Égypte fut de tout temps un objet de convoitise pour les pauvres habitants du désert et, de l'est, du nord et de l'ouest, les nomades envahirent ses champs et subjuguèrent le pays temporairement. Ce n'est pas se hasarder trop, semble-t-il, que d'admettre qu'une semblable invasion d'habitants du désert ait donné, à une époque très lointaine, au peuple égyptien, le caractère qui devait devenir le sien. En effet,

nous constatons que la langue égyptienne s'apparente
pour une bonne part aux langues sémitiques en usage dans
l'Arabie et en Syrie. De même que les Bédouins du désert
arabique avaient occupé la vallée de l'Euphrate et apporté
aux Sumériens une nouvelle langue, le babylonien, de
même les Bédouins avaient dû autrefois envahir l'Égypte

Fig. 4. — Les quatre races humaines avec le dieu Horus.

et transformer la langue du pays. Ces changements ont
certainement dû se produire en des temps immémoriaux,
et, si haut que nous pouvons remonter dans l'histoire du
peuple égyptien, celui-ci croit qu'il a de tout temps habité
le « pays noir », créé pour lui par les dieux, et non pas le
« pays rouge », c'est-à-dire les déserts où campent les barbares.

CHAPITRE II

L'ÉGYPTE OUBLIÉE

L'Égypte est aujourd'hui un pays moderne. Elle a ses chemins de fer et ses fabriques ; le commerce et l'industrie y florissent. Elle compte deux grandes villes et possède une des principales routes du trafic international : le canal de Suez. Des bateaux à vapeur remontent le Nil et des avions suivent son cours dans leur route vers le centre de l'Afrique. Sur les pistes du désert, l'automobile remplace peu à peu le chameau et, dans les villes, l'âne cède la place à des moyens de transport plus modernes. Ainsi donc, l'Égypte d'aujourd'hui nous apparaît un peu comme un pays d'Europe. Chaque hiver, ses grands hôtels se remplissent de voyageurs venus chercher le repos sous ce doux climat ; des foules de touristes avides de s'instruire viennent admirer les monuments de l'antiquité.

A considérer l'Égypte actuelle, si bien organisée, on a peine à croire que ce pays était, il y a moins de cent cinquante ans, l'un des pays où régnaient le plus de confusion et la plus grande anarchie. Ce n'est qu'avec les ports d'Alexandrie, de Rosette et de Damiette que les marchands européens entretenaient des relations commerciales suivies, auxquelles participait également la capitale, le Caire. Par contre, l'intérieur du pays n'était que rarement visité par un voyageur.

C'était une tentative téméraire que de vouloir s'aventurer au delà du Caire. Les quelques explorateurs qui risquèrent l'aventure au cours du XVIIIᵉ siècle ne purent

jeter qu'un coup d'œil furtif sur les anciens monuments.
Les bateliers en qui ils avaient mis leur confiance ne les
laissaient débarquer qu'à regret, craignant que la population n'attaquât leurs bateaux à cause de ces « Francs » (1).
Les habitants n'étaient-ils pas fermement convaincus que
les Francs venaient de leur lointain pays en Égypte dans
le seul but de lui ravir les trésors que leurs ancêtres avaient
enfouis ? Ces trésors gisaient très certainement dans les
anciennes constructions que les Francs avaient un si grand
désir de voir. Ils avaient sans doute des moyens magiques
pour retirer l'or de ces pierres. Sans aucun doute, toutes les
caisses qui se trouvaient sur le bateau étaient déjà remplies
d'or, d'or qu'il fallait enlever à ces mécréants. De nos jours
encore, cette pensée hante l'esprit du peuple égyptien.
Un prêtre copte me racontait un jour que deux Européens
étaient arrivés, portant avec eux un coq pourvu d'un pouvoir magique ; à l'endroit où ce coq se mettait à chanter
dans les ruines, ils se mettaient à creuser et trouvaient
l'or. Même un voyageur aussi expérimenté que le Danois
Norden rencontra en 1738 les plus grandes difficultés à
jeter un regard sur les ruines de Thèbes. Les pyramides
elles-mêmes, qui sont pourtant dans le voisinage du Caire,
ne pouvaient être approchées sans danger. En 1761,
Carsten Niebuhr y fut menacé et dévalisé. L'anarchie la
plus complète régnait. Cependant, depuis 1517, l'Égypte
faisait partie de l'Empire turc et un pacha siégeait au
Caire en qualité de gouverneur. Mais le pouvoir réel était
aux mains d'une troupe de soldats appelés les Mamelouks.
Leurs chefs, portant le titre de beys, gouvernaient à leur
fantaisie dans les différentes villes et ils étaient fréquemment en conflit les uns avec les autres.

Il est difficile d'imaginer à quel point l'insécurité et la
misère régnaient alors en Égypte. Le peuple était exploité

---

(1) Nom des Européens en Orient (N. d. T.).

par les Mamelouks ; il y avait partout des villages de bri-
gands dont les habitants assaillaient les bateaux sur le Nil ;
du désert, les Bédouins faisaient irruption dans la vallée.
Alexandrie elle-même fut victime de l'incursion d'une semblable horde. On comprend que, dans ces conditions,
l'Égypte soit tombée dans l'oubli en Europe. Et l'on comprend surtout qu'on eût perdu à peu près toute notion des
monuments antiques. En 1798, le pays sortit subitement
de son sommeil et celui qui l'éveilla ne fut autre que Napoléon. Sa campagne audacieuse fit rentrer l'Égypte dans
l'horizon européen ; par la même occasion, se déchira le
voile qui, jusque-là, avait couvert l'ancienne Égypte. Le
génial conquérant avait aussi en vue l'exploration scientifique. Il adjoignit à son armée une escorte de savants, dont
la mission fut d'explorer la nouvelle Égypte comme l'ancienne.

La grande tentative de Bonaparte échoua et certainement l'Égypte serait retombée sous le régime de la terreur
si un autre homme n'était survenu en libérateur. Parmi
les soldats turcs qui avaient combattu contre les Français,
un jeune Albanais de modeste origine s'était mis en vedette.
Proclamé pacha en 1805, il réussit en 1807, avec le concours
des Mamelouks, à chasser les Anglais. Cependant, en 1811,
il se débarrassa également des Mamelouks. Il les invita à
une grande fête sur la citadelle du Caire et il les fit massa-
crer au nombre de 480 par ses troupes albanaises. Si atroce
que nous apparaisse cette tuerie, elle fut cependant une
libération pour le pays durement éprouvé et ce fut le signal
du relèvement de l'Égypte. Mohammed Ali régna encore
près de quarante ans en puissant souverain. Il fit la guerre
en Arabie, au Soudan, en Syrie et en Asie Mineure, et, si
les puissances européennes ne l'en avaient pas empêché,
il se fût rendu maître également de la Turquie. Mais à
côté de ses entreprises guerrières, Mohammed Ali travailla
inlassablement au relèvement de son pays, à l'amélioration

de l'agriculture et de l'irrigation, du commerce et de l'industrie. C'est à lui, aussi bien qu'à ses successeurs, que l'Égypte doit sa prospérité actuelle. Et c'est à eux aussi que les savants sont redevables d'avoir pu explorer en toute tranquillité l'Égypte du passé. Cependant, la science n'aurait jamais pu nous faire connaître l'Égypte ancienne, si vingt ans auparavant un jeune Français de génie n'était parvenu à déchiffrer l'écriture des Égyptiens, les hiéroglyphes.

CHAPITRE III

CHAMPOLLION ET LE DÉCHIFFREMENT
DES HIÉROGLYPHES

Si les Égyptiens sont sortis bien avant d'autres peuples de l'état de barbarie, il faut en voir l'une des raisons, et non des moindres, dans leur écriture. Ils l'avaient élaborée dans des temps extrêmement reculés. Ils s'en servaient dans l'administration de leur État et elle contribuait en même temps au développement de leur esprit. Le principe de cette écriture était simple et compréhensible. Elle conserva toujours ce caractère d'une chose logique, même lorsque, au cours des millénaires, elle continua à se développer et vit le nombre de ses signes augmenter. Cependant, à l'époque gréco-romaine, lorsque les anciens Égyptiens commencèrent à avoir la réputation d'avoir été un peuple de prêtres sages, on voulut attribuer à tout ce qui était égyptien un caractère mystérieux et sacré. Et l'écriture passa aussi pour une chose pleine de mystère. Les signes très simples qui la composaient : oiseaux, plantes, hommes, animaux et objets divers, devaient assurément cacher des pensées très profondes ; c'étaient des « signes sacrés », des « hiéroglyphes », suivant l'expression grecque. De nos jours encore, cette opinion erronée touchant la nature de l'écriture égyptienne s'est maintenue, et bien des gens pensent encore à quelque chose d'énigmatique au seul mot d'hiéroglyphes. Et, lorsqu'on se mit à étudier, à Rome, au XVIᵉ siècle, différentes inscriptions hiéroglyphiques, on croyait encore que chacun des signes était un symbole. On se figurait que des prêtres érudits avaient caché une profonde sagesse dans ces inscriptions, de manière à la soustraire aux profanes. Mais si l'on s'en tenait à une telle manière de comprendre l'écriture égyptienne, la chose en était surtout imputable à un petit ouvrage d'époque gréco-romaine. Son auteur, Horapollon, possédait une liste d'hiéroglyphes, dont chaque signe était

accompagné de sa signification en grec. Mais il ne se contenta pas de ces simples indications ; il imagina des signi-
fications qui lui parussent convenir à une écriture aussi
sacrée. Ainsi, par exemple, sa liste indiquait que l'oie
signifiait « le fils », le vautour « la mère » et le chien
« le juge ». La chose s'explique, comme nous allons le
voir, par le fait que les mots « fils » et « oie », « mère » et
« vautour », « juge » et « chien » se prononçaient de la même
manière ; on pouvait ainsi remplacer dans l'écriture l'un des
mots par son homonyme. Mais Horapollon en savait plus
long. L'oie signifie « le fils », prétend-il, parce que cet oiseau
aime ses petits plus qu'aucun autre, et le vautour signifie
« la mère » parce qu'il n'existe que des vautours femelles. Si
l'on écrit « le juge » au moyen du signe figurant un chien,
cela n'a rien d'impropre, car un chien éprouve aussi peu de
crainte devant les images divines qu'un bon juge devant le
roi. Ce sont les extravagances de ce livre qui ont répandu
chez nous, depuis le XVIIe siècle, l'opinion erronée suivant
laquelle les inscriptions hiéroglyphiques ne cachent pas les
mots d'une langue, mais sont des symboles, des signes énig-
matiques, dont il serait vain de vouloir deviner le sens.
Aussi les savants raisonnables n'essayèrent-ils même pas de
lire les hiéroglyphes et ce que d'autres croyaient déchiffrer
était pur non-sens. Le Père Athanasius Kircher, autrefois
fort connu, n'avait-il pas lu « la vie des choses après la victoire remportée sur Typhon, l'humidité de la nature, par la
vigilance d'Anubis » dans les sept signes
qui, en réalité, représentent simplement les mots ḏd-mdw
in Wsir. Si quelque lecteur est curieux de savoir par quel
moyen Kircher obtenait de si belles interprétations, il peut
consulter son ouvrage intitulé « Sphinx mystagoga ».

Et pourtant, il n'était pas nécessaire de comprendre
l'écriture hiéroglyphique d'une manière aussi fausse, car

on possédait une authentique traduction grecque d'une inscription hiéroglyphique. L'empereur Constantin avait autrefois fait transporter à Rome un obélisque, et Ammien, dans son histoire, avait donné la traduction de la longue inscription figurant sur ce monument. Cette traduction ne comprenait rien de mystique ni de mystérieux ; elle ne contenait que la louange du roi qui avait fait ériger l'obélisque. Mais la croyance au caractère mystérieux des hiéroglyphes était si fortement enracinée que personne ne voulait accorder crédit à cette traduction ; c'est pourquoi personne ne s'y reporta, bien qu'elle eût pu être d'un grand secours pour la lecture des hiéroglyphes. Ainsi subsista l'idée traditionnelle du mystère impénétrable des hiéroglyphes. Deux hommes seulement du xviiie siècle s'en faisaient une idée plus juste. Ce sont les deux savants germano-danois : l'explorateur de l'Arabie Carsten Niebuhr et le grand archéologue Zoëga. Niebuhr constata que, dans les inscriptions hiéroglyphiques qu'il avait relevées au Caire, certains signes revenaient très souvent, et il se demanda si ce n'étaient pas là peut-être des signes alphabétiques. Zoëga, d'autre part, reconnut avec raison que les liens qui entourent plusieurs hiéroglyphes contiennent les noms des rois.

Le premier pas vers la solution exacte de la grande énigme ne fut accompli que plus tard, au cours de l'expédition de Bonaparte. Grâce à cette dernière, les monuments de l'Égypte devinrent enfin accessibles aux savants explorateurs, et pour la première fois le monde fut informé de l'existence des innombrables inscriptions recouvrant les parois des temples et des tombeaux. A toutes ces inscriptions vint s'ajouter encore la plus curieuse de toutes, une dalle de pierre (fig. 5) que les soldats français avaient découverte à Rosette au cours de travaux de retranchement. Cette pierre porte une triple inscription ; en haut figurent quatorze lignes d'hiéroglyphes, au milieu trente-deux lignes de signes curieux et en bas cinquante-quatre lignes en langue

Fig. 5. — La Pierre de Rosette.

grecque. Cette inscription grecque permit de reconnaître de quoi il s'agissait. En l'an 196 avant Jésus-Christ, les prêtres de toute l'Égypte avaient tenu un concile à Memphis et avaient délibéré au sujet des honneurs que l'on devait porter au jeune roi Ptolémée Epiphane en récompense de tout le bien qu'il avait fait au peuple, aux temples et au clergé. On élèverait dans chaque temple une statue du roi, à côté de laquelle serait placée une table rapportant cette décision du clergé. Cette table, d'ailleurs, porterait le décret sous trois formes, la première en hiéroglyphes comme il se devait pour les temples, une autre en langue vulgaire appelée démotique et la troisième dans la langue de la cour, le grec. C'est précisément l'une de ces tables que les soldats avaient mise au jour. Elle fut emportée à Londres avec le reste du butin et c'est pourquoi la « Pierre de Rosette » compte au nombre des objets les plus précieux du British Museum.

C'est avec raison que l'on espéra trouver, grâce à la version grecque de cette inscription, le sens des deux versions égyptiennes. A vrai dire, la besogne ne fut pas aussi aisée qu'on l'avait imaginé. De l'inscription démotique, on ne put tout d'abord lire que quelques signes alphabétiques, les lettres composant le nom grec de Ptolémée ꧁꧂. C'est au Suédois Akerblad que revient l'honneur d'avoir reconnu ces signes en 1802, mais sa lecture devait s'arrêter là. Quant aux hiéroglyphes, personne ne voulut tout d'abord s'y attaquer, car on ne pouvait se défaire de l'idée erronée qu'ils n'étaient que des signes symboliques. Ce préjugé cependant fut finalement vaincu, car les noms propres qui figuraient dans le texte grec devaient se trouver également dans l'inscription hiéroglyphique ; comment d'ailleurs aurait-on pu les écrire sans l'aide de signes phonétiques ? L'écriture hiéroglyphique devait donc contenir des signes phonétiques tout comme l'écriture démotique, et elle ne

pouvait être composée de symboles seulement. Cette cons-
tatation, qui devait aboutir au déchiffrement des hiéroglyphes, revient au médecin anglais Thomas Young, le savant à qui la science doit la théorie ondulatoire de la lumière. En 1814, il reconnut que le nom de Ptolémée devait
se cacher sous les signes ⬚⬚⬚⬚⬚⬚⬚⬚ et il lut d'une manière assez correcte les lettres ⬚ *p*, ⬚ *t*, ⬚ *ole*, ⬚ *ma*,
⬚ *i*, ⬚ *os* ; quant au signe ⬚, il le considérait comme
un signe négligeable. Néanmoins, il ne put aller plus
avant, bien qu'il réussît à deviner encore l'un ou l'autre mot
écrit en hiéroglyphes : ce n'était pas là son domaine propre
de recherches. Le succès devait couronner les efforts d'un
autre savant, le jeune Français Jean-François Champollion.

CHAMPOLLION

Champollion naquit en 1790 à Figeac en Guyenne. Tout
jeune, il manifesta un vif intérêt pour l'Égypte ancienne,
dont le nom était sur toutes les lèvres à la suite de l'expédition de Bonaparte. Son frère aîné vivait à Grenoble, où il
remplissait les fonctions de scribe du préfet Fourier, remarquable mathématicien qui avait accompagné Bonaparte
en Égypte en qualité de secrétaire. Le frère prit le petit
François auprès de lui et le jeune garçon fut autorisé un
jour, au cours de l'automne 1802, à voir la collection d'antiquités égyptiennes du préfet. A partir de ce jour, il prit
la résolution, ainsi qu'il le raconta lui-même par la suite, de
déchiffrer l'écriture égyptienne. Il se mit désormais à rassembler et à étudier tout ce qui avait quelque rapport avec
l'Égypte et il s'efforça avant tout de se familiariser avec le
copte, langue des chrétiens d'Égypte. Il se trouvait de ce
fait incomparablement mieux préparé que Young à la
grande tâche du déchiffrement des hiéroglyphes. Il est vrai

que lui aussi ne pouvait se libérer du préjugé que les hiéroglyphes étaient une écriture faite de symboles. Même lorsque, plus tard, il eut identifié, comme Young l'avait fait,
le nom de Ptolémée, il se demandait encore si le lion ⟨figure⟩
qui y figure représentait vraiment la consonne « l » ou s'il
n'était pas plutôt le symbole de « ptolemos », la guerre.
Ainsi, ses pensées erraient deci delà par des chemins dé-
tournés et sur de fausses pistes : c'était un génie, incapable
de suivre les voies communes. Il porta pendant longtemps
tous ses efforts vers la solution du problème ; le résultat
vint subitement. La même activité incessante se traduisait
aussi dans sa vie, qui, au surplus, devait s'écouler dans la
période orageuse de l'Empire et de la Restauration. Tantôt
il cherchait à créer des écoles populaires, tantôt il se lançait
dans la politique. Ce ne fut pas sans déboires, car il fut
combattu, perdit sa place et son modeste revenu. Peu de
temps avant le jour de sa grande découverte, il n'échappa
que difficilement à une accusation pour haute trahison.

Agé de trente ans, privé de place et de ressources, gra-
vement malade, il se rendit à Paris, où vivait son frère
aîné. C'était en l'année 1821. C'est précisément en cette
période de profonde misère que la grande énigme devait
enfin trouver sa solution. Déjà en décembre 1819, il avait
découvert que les signes hiéroglyphiques ne pouvaient ab-
solument pas constituer des symboles ayant un sens propre.
Le texte hiéroglyphique ne comptait-il pas trois fois plus
de signes que le texte grec ne comptait de mots ? Ainsi
donc, chaque signe hiéroglyphique ne pouvait représenter
un mot entier, et les mots devaient nécessairement s'écrire
au moyen de plus d'un signe. Un papyrus démotique lui
avait fait connaître ensuite, outre celui de Ptolémée, le nom
d'une reine Cléopâtre, sous la forme suivante : ⟨figure⟩.
Au cours de ses recherches incessantes, il avait reconnu de
quels hiéroglyphes ces signes démotiques étaient probablement dérivés. Il pouvait ainsi se représenter comment

le nom de Cléopâtre devait s'écrire en hiéroglyphes. Il savait qu'il existait en Angleterre un petit obélisque portant, ainsi qu'en faisait foi une inscription grecque correspondante, le nom de Cléopâtre. En janvier 1822, il obtint un dessin de cet obélisque, et, en effet, le nom de Cléopâtre y figurait presque exactement comme il l'avait imaginé,

Fig. 6. — J.-François Champollion (1790-1832).

Il connaissait ainsi avec certitude deux noms royaux Ptolémée et Cléopâtre, et ces deux noms lui fournissaient les lettres *p*, *t*, *o*, *l*, *m*, *i*, *s*, *k*, *e*, *a*, *r*, ainsi qu'un deuxième signe pour *t*.

Il n'y avait pas de doute possible, il avait déchiffré les hiéroglyphes, pour autant du moins qu'ils sont des signes

alphabétiques. Les progrès dès lors, ne subirent aucun
arrêt : partout où il portait ses regards, il reconnaissait des
noms de rois grecs et d'empereurs romains, dont quelques-
uns, il est vrai, étaient écrits avec encore d'autres lettres
que celles qu'il avait identifiées.

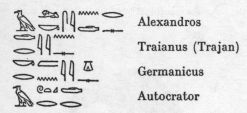

Alexandros

Traianus (Trajan)

Germanicus

Autocrator

Néanmoins, la clef de voûte manquait encore à son édifice, et lui-même ne croyait pas que l'on écrivait de cette
manière autre chose que des noms grecs et romains ; c'est
alors qu'il obtint, le 22 septembre 1822, d'un architecte
nommé Huyot, qui faisait un voyage en Égypte, des dessins
de monuments égyptiens. Il y releva un nom royal se ter-
minant par deux *s*, devant lesquels se trouvait un signe
inconnu, précédé lui-même du signe du soleil, qui, en copte,
se lit *re* : ⊙𓏠𓂝𓂝. S'agissait-il peut-être de Ramessès ?
Et il continua à parcourir les dessins de Huyot et tomba sur
un autre nom royal qui se terminait par un seul *s*, devant
lequel se trouvait de nouveau le même signe inconnu,
précédé lui-même de l'ibis sacré du dieu Thoth : 𓁟𓂝𓂝.
Etait-ce là le nom de Touthmosis ? Il ne subsistait plus
aucun doute, il avait percé le mystère. Il eut encore la
force d'aller auprès de son frère et de lui annoncer : « Je
tiens l'affaire ! » (1) Puis, vaincu par le surmenage, il perdit
connaissance et fut plongé pendant plusieurs jours dans un
état d'épuisement complet. Le 27 septembre 1822, commu-

_____

(1) En français dans le texte (N. d. T.).

nication fut faite à l'Académie des Inscriptions et Belles-
Lettres que les hiéroglyphes étaient déchiffrés.

Les interminables travaux préparatoires que Champollion
avait accomplis toutes ces années durant portaient maintenant leurs fruits : l'interdit était levé, et le déchiffrement
fit des progrès foudroyants.

Mais le bonheur du jeune savant fut troublé par toutes
sortes de soucis d'ordre matériel, car il était considéré
comme un ennemi du régime, et qui sait quel sort lui eût été
réservé s'il n'avait trouvé tout à fait inopinément un protecteur en la personne du duc de Blacas. Cet ami de l'antiquité s'intéressa au savant poursuivi et il attira l'attention
de Louis XVIII sur la grande découverte scientifique sur-
venue sous son règne.

C'est à ce bienfaiteur également que Champollion dut de
pouvoir se rendre en 1824 à Turin, où il visita et put étudier
à loisir l'importante collection d'antiquités égyptiennes
dont le roi de Sardaigne s'était rendu acquéreur. C'est là
que pour la première fois s'offraient réellement à ses yeux
des inscriptions égyptiennes, et que lui fut révélée l'existence d'une foule de papyrus couverts d'hiéroglyphes cur-
sifs appelés écriture hiératique. Quel événement pour lui,
lorsqu'il lut, sur une quantité de lambeaux de papyrus, une
liste des rois égyptiens ! Ses recherches allèrent ainsi de
succès en succès pendant les quelques années qui lui res-
tèrent à vivre. Quiconque lit aujourd'hui les lettres qu'il
adressait d'Égypte, en 1829, à son frère, constate avec un
étonnement toujours nouveau à quel point chaque inscription lui était déjà compréhensible et combien la langue lui
était déjà familière. Il « savait » l'égyptien. Il l'avait appris
dans ces quelques années à peu près comme on apprend une
langue à l'étranger, seul, et presque sans s'en rendre compte.
A vrai dire, il ne s'agissait pas et ne pouvait être question
d'une connaissance systématique de l'écriture et de la
langue ; sa mort prématurée en est la cause.

Cent ans se sont écoulés depuis lors ; le nombre des inscriptions s'est accrû dans des proportions extraordinaires
et les progrès réalisés sont tels que nous comprenons l'égyptien avec presque autant de sûreté que les autres langues
de l'antiquité. Mais nous songeons avec un respect d'autant
plus grand à l'homme qui nous a frayé la voie.

CHAPITRE IV

L'ÉCRITURE DES ÉGYPTIENS

Lorsqu'un peuple a dépassé l'état primitif de la « barbarie », il éprouve le besoin de consigner d'une manière ou d'une autre ses pensées, que ce soit pour sauver de l'oubli un événement ou faire parvenir un message à quelqu'un sans que le messager puisse en prendre connaissance. On trace alors certaines images qui suggèrent les objets dont il est question. S'il s'agit par exemple de cinq bœufs, on dessine un bœuf suivi de cinq traits 𓃒|||||, et si trois pots de lait doivent être livrés pendant deux mois, on dessine un pot de lait et une lune suivis des chiffres respectifs 𓏊||| ꩜ ||.

Les Égyptiens possédèrent aussi autrefois une écriture figurée d'une simplicité aussi grande, et nous en rencontrons parfois des traces sur des monuments très anciens. Ainsi, par exemple, à côté d'une image qui représente un roi triomphant d'un ennemi agenouillé à ses pieds, est dessinée une bande de terrain portant une tête humaine; une corde est passée entre les lèvres de celle-ci et un faucon la tient entre ses serres. Voici ce que cet ensemble signifie pour un Égyptien de très haute époque : le roi, que l'on représente volontiers en poésie sous les traits d'un faucon, a emmené captifs les gens d'un pays. Si, en outre, des feuilles de papyrus émergent de ce morceau de terrain, cela signifie qu'il s'agit de la conquête d'une partie du Delta, pays du papyrus. *Oua*, le nom du pays vaincu, peut être ajouté à la scène par simple adjonction d'un harpon ⤛, lequel s'appelle aussi *oua*. Et si l'on place encore sous le harpon un rectangle dans lequel sont tracées des lignes figurant l'eau, il devient évident que ce pays était situé au bord d'un lac.

Il a pu s'écouler un temps assez long jusqu'au moment où

cette écriture figurative (1) de l'époque primitive se fût
transformée dans l'écriture aux règles bien établies que les
Égyptiens possédèrent par la suite. Cette dernière encore
est basée sur le principe de *signes* prenant la valeur de
mots. Ainsi, par exemple, ⊏⊐ signifie « maison », ⊙« soleil », ⬭ « œil », ♀ « visage », 🪲 « scarabée », etc. Une
action peut aussi s'exprimer au moyen d'une image : ∧
signifie « aller », 🧍 « frapper » ; une oreille 𓄂 (il s'agit
d'une oreille de vache) se lit « entendre », tandis que l'attirail du scribe 𓏞 — calame, palette et godet à eau —
représente le verbe « écrire ». Cependant, quantité de mots
subsistent, qui ne peuvent être ainsi figurés. Comment
peut-on, par exemple, représenter un « fils » ou une « mère »,
ou un adjectif qualificatif comme « bon », un verbe comme
« louer », « aimer », « rester » ? On a recours, dans ce cas, à
un moyen bien simple. On écrit, au lieu du mot qui ne peut
être dessiné, un mot qui se prononce de façon analogue.
Pour un Égyptien, l'analogie existe déjà lorsque les deux
mots n'ont de semblable que les consonnes. Cela tient à la
structure particulière de sa langue, car en égyptien comme
dans les langues sémitiques apparentées, les consonnes
rendent le sens du mot, tandis que les voyelles en indiquent
la forme grammaticale. Nous n'aurions jamais l'idée de
remplacer, dans une écriture figurative une « lèvre » par un
— livre —, un « chasseur » par une — chaussure — ou la
forme verbale « parle » par une — perle — (2). L'Égyptien
sentait la chose différemment ; il écrivait par exemple sans
scrupules au moyen de la maison ⊏⊐ *pr* toutes les formes
de *pr* « sortir », si différentes que fussent les voyelles de ces
mots. De même, il ne se souciait pas davantage des diffé-

---

(1) Pour l'introduction à l'étude de l'écriture égyptienne, consulter
mon petit ouvrage « Die Hieroglyphen », Coll. Göschen, Berlin 1917. (En
français, consulter Sottas-Drioton : Introduction à l'étude des hiéroglyphes, Paris, 1922. — N. d. T.).
(2) Il va sans dire que les exemples allemands donnés par l'auteur

rentes voyelles lorsqu'il écrivait le vase ⌷ *ḥś* (1) pour *ḥs*
« louer », l'oie 🦢 *sȝ* pour *sȝ* « le fils », le vautour 🦅 *mwȋ*
pour *mwȋ* « la mère », la table d'offrande ⌂ *ḥtp* pour *ḥtp*
« se reposer » et le scarabée 🪲 *ḫpr* pour *ḫpr* « devenir ».

Il arriva ensuite que de nombreux signes ne furent plus
employés pour des mots déterminés, mais servirent finalement pour tous les mots qui avaient les mêmes consonnes.
La houe ⬎ *mr* ne sert plus seulement à écrire *mr* « aimer »,
l'échiquier ▭ *mn* à écrire *mn* « rester », le lièvre 🐇 *wn*
à écrire *wn* « être », l'hirondelle 🐦 *wr* à écrire *wr* « grand »
et le chasse-mouches ⌇ *mś* à écrire *mś* « enfanter ». Ces
signes ont acquis une valeur purement phonétique ; ils
correspondent à deux consonnes et on peut les employer
dans tous les mots où apparaissent ensemble ces deux consonnes. Les signes bilitères les plus fréquents sont ceux qui
finissent par *ȋ* et *w* et par le son faiblement aspiré ꜥ :
🐦 *bȝ*, ⌷ *kȝ*, ▦ *śȝ*, ⌐ *tȋ*, ⬭ *rw*, ⊙ *nw*, ⌇ *św*, etc.

Comme il existait des mots d'une seule consonne, —
exemples : ⬠ *r* « la bouche », ▭ *p* « le siège », ⬜ *ś* « le
lac » —, ces signes, lorsqu'ils étaient employés phonétique-
ment, n'équivalaient qu'à une seule lettre. Ils étaient de
simples signes, au même titre que nos consonnes. De cette
manière, les Égyptiens obtinrent un alphabet de vingt-
quatre consonnes. Nous le donnons ci-dessous avec la transcription admise aujourd'hui par la plupart des égyptologues :

ne pouvaient être utilisés dans une édition française. Nous les avons
donc remplacés (N. d. T.).

(1) On a coutume de transcrire les hiéroglyphes au moyen de carac-
tères italiques. Les accents ou signes particuliers indiquent des nuances
de prononciation étrangères à nos langues (cf. p. 37 et p. 38).

ꜣ — aspirée douce du *spiritus lenis* grec, *'aleph* de א l'hébreu.

i, y — sans doute le plus souvent non exprimée, en tant qu'initiale.

ˁ — son guttural étranger à notre langue, *ʿain* y de l'hébreu.

w — *w* anglais et voyelle *ou*.

b

p

f

m

n

r — aussi *l*.

h

ḥ — *h* fort.

ḫ — comme le *ch* allemand dans « Dach ».

ẖ — même son que le précédent, mais plus dur.

s — comme le *z* français (*s* doux).

š — (*s* dur).

š — *sh* anglais ; *sch* allemand.

ḳ — *ḳoph* ק de l'hébreu.

k

g

t

ṯ

d

ḏ — son voisin de *dj*.

Il faut ajouter à cette liste les signes suivants plus récents :

y et *i*

i

w (anglais) et *ou*.

A une époque plus récente encore viennent s'ajouter :

m

n

Nous avons vu au chapitre précédent (pp. 31 et 32) quels signes étaient utilisés dans la transcription des voyelles des noms grecs.

Cet alphabet est l'une des plus grandes créations de l'esprit égyptien. Il n'est pas douteux qu'il est le prototype de l'alphabet phénicien, qui sert de base à toutes les écritures du monde moderne, à l'exception de l'écriture chinoise.

Ces consonnes auraient pu suffire, à vrai dire, pour écrire n'importe quel nom égyptien. Mais les Égyptiens s'étaient habitués à leur écriture figurative et, étant donné leur esprit conservateur, ils n'ont jamais pu s'en défaire tout à fait. Un petit nombre de mots seulement, d'un usage particulièrement fréquent, s'écrivent purement à l'aide de signes alphabétiques, comme 𓀀 « tu es », 𓀀 « parmi vous », 𓀀 « ce », 𓂝 « à » (avec idée de mouvement), etc. En général, on mélange signes figuratifs et signes alphabétiques. Ce procédé présentait l'avantage d'attirer l'attention du lecteur sur la manière de lire chaque signe-mot, car, pris isolément, beaucoup de ces signes-mots pouvaient correspondre à différents mots. Si donc on ajoute au vase et à la table d'offrande les consonnes dont ces noms se composent, — exemples : 𓀀 ḥś, 𓀀 ḥtp —, il devient évident qu'il faut lire ḥś et ḥtp ; généralement, on se contente d'ajouter les consonnes finales : 𓀀 et 𓀀.

L'écriture que les Égyptiens s'étaient ainsi composée au moyen de signes-mots et de signes alphabétiques eût été suffisamment lisible par elle-même, malgré l'absence de toute voyelle. Mais, de bonne heure, on s'est efforcé de la rendre encore plus compréhensible. On plaçait, à la fin de tout mot dont le sens ne s'imposait pas, un signe déterminatif, c'est-à-dire un signe suggérant la signification du mot.

En voici quelques-uns :

détermine un homme.

»   une femme.

»   un dieu ou un roi.

»   une plante.

»   un animal.

(ou ⟨___⟩) détermine la force.

détermine l'action d'aller.

»   le soleil.

»   la ville.

»   un pays étranger.

»   un bâtiment.

»   un liquide.

Pour « manger » et « boire », on emploie le signe 🐦, qui sert aussi pour les verbes « parler » et « penser ». Un mot abstrait reçoit comme déterminatif le signe ⟨═══⟩, représentant un papyrus scellé. On écrit ainsi :

itf, père.	*hrw*, jour.
śnt, sœur.	*w³śt*, Thèbes.
mwt, mère.	*ht*, maison.
inpw, le dieu Anubis.	*pwnt*, le Pays de l'Encens.
hkt, bière.	*swr*, boire.
mrht, huile.	*mdt*, le mot.
imn, le dieu Amon.	*k³*, penser.
'k, entrer.	*śnb*, être en bonne santé.
pr, sortir.	*iht*, chose.

Si l'écriture est devenue au cours des temps toujours plus compréhensible et plus commode, elle conservait néanmoins de l'ancienne écriture figurative certains éléments qui, en réalité, ne lui convenaient plus. Ainsi, il était d'usage que les noms royaux fussent enfermés dans un cartouche. Exemple : (⟨○ ▷ ⌒ ▷⟩) *hwfw*, (Khéops, le bâtisseur de la grande pyramide). Notons également la coutume bizarre de n'écrire pas toujours les mots dans leur ordre logique, mais parfois suivant un ordre hiérarchique. Un mot désignant un dieu ou un roi passe avant un autre. Ainsi dans :

☉🐍 *ḫ'.f-R'*, « Son-éclat-est-Rê » (nom du roi Khefren),

        ḥm nṯr, serviteur du dieu, prêtre.

        ḥmt nṯr, femme du dieu, épouse divine.

        s³ nśwt, fils du roi.

— où les mots « Rê » (le soleil), « dieu » et « roi » sont placés en évidence, contrairement à l'usage.

Dans un mot comportant une idée de pluralité, on écrit le signe-mot ou le déterminatif trois fois :

        nṯrw, les dieux.

        ḥmwt, les femmes.

Par la suite, on simplifie cette graphie laborieuse en notant une seule fois le signe en question et en le faisant suivre de trois traits :   ,   .

Un trait unique a une autre signification que les trois traits du pluriel ; on l'ajoute à un signe-mot quand celui-ci est employé dans son sens premier et quand il n'est accompagné d'aucun signe phonétique. Ainsi ⊏⊐ *pr* « la maison »,

☺ *ḥr* « le visage », ⌒ *r* « la bouche ».

Extérieurement, les hiéroglyphes peuvent avoir des aspects très divers ; tantôt ils sont gravés dans la pierre en signes minuscules, tantôt ils couvrent de leur écriture monumentale les parois des temples et des tombeaux. Sous cette forme, ils sont exécutés jusque dans leurs plus petits détails et rehaussés de leurs couleurs réelles.

De telles inscriptions constituent véritablement une belle décoration et on a souvent l'impression qu'elles n'ont été exécutées que dans ce but. La chose est encore confirmée par le fait que deux inscriptions correspondantes sont tra-

cées dans des directions opposées. L'une va, comme d'ordinaire, de droite à gauche, l'autre va de gauche à droite,
sens auquel les Égyptiens n'étaient pas accoutumés, mais
que nous autres utilisons aujourd'hui pour des raisons
d'ordre pratique.

Il va de soi que les Égyptiens ne pouvaient pas former
les signes de leur écriture d'usage courant d'une manière
aussi soignée que ceux de leurs inscriptions. Lorsqu'on se
servait d'encre et d'une plume (il s'agissait en réalité d'un
calame en roseau), on ne conservait des signes que leurs
lignes caractéristiques. Ainsi :

🦉	*m* devient	彐
⌇⌇⌇	*n* »	二
🦅	ꜣ »	𝄐
𓇌	*i* »	𝄐
ᚏᚏᚏ	š »	𝄐

Le signe si fréquent 🦆 s'abrège généralement en 𝄐.

L'écriture des papyrus n'est donc qu'une forme cursive
des hiéroglyphes et elle est, par rapport à ces derniers, ce
qu'est notre cursive par rapport à l'écriture d'imprimerie.
Mais les Grecs, qui ont donné à l'écriture égyptienne le nom
impropre d'hiéroglyphes, désignaient aussi cette écriture
cursive d'une manière peu adéquate. Ils lui donnèrent le
nom d'écriture « hiératique », c'est-à-dire écriture des
prêtres.

Dans ces vieux papyrus hiératiques, il n'est question
qu'exceptionnellement de prêtres ; par contre, ils nous sont
précieux pour d'autres raisons. Ils nous révèlent, en effet,

à travers leurs documents officiels et leurs lettres, la vie des Égyptiens ; c'est à ces documents que nous devons presque tout ce que nous savons de la littérature égyptienne.

L'écriture hiératique elle-même n'avait pas toujours une forme fixe. Dans l'écriture soignée d'un livre, les signes ont

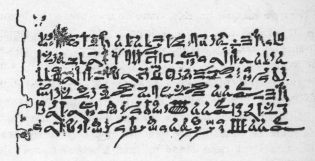

Fig. 7. — Spécimen d'écriture hiératique (extrait du papyrus Westcar, cf. p. 122)

Fig. 8. — Transcription hiéroglyphique du texte précédent.

des formes fixes et se suivent sans ligatures ; de nombreux papyrus sont des chefs-d'œuvre de calligraphie.

Mais dans les affaires courantes, le scribe ne peut pas prendre tant de soins. Il abrège encore davantage les signes et en relie sans autre plusieurs ensemble. Et lorsqu'il écrit des mots dont il admet que le lecteur pourra les reconnaître sans peine, il n'agit pas autrement que nous-mêmes, quand

nous sommes pressés. Il écrit de façon lisible les premiers
signes du mot, tandis qu'il se contente, pour les derniers,
de quelques traits et points méconnaissables. Ainsi, l'on

écrit ⌒ 🦅 𝄈𝄈 ⯐ ▭ ⌒ ⎜ « ma lettre » au moyen des

signes ﾉﾉ

Pour déchiffrer de tels griffonnages, on en est réduit aux
conjectures, et encore la chose est-elle malaisée quand on
ignore de quoi il retourne dans le document.

Cette cursive « hiératique » de caractère commercial s'est
transformée, vers le milieu du premier millénaire avant
Jésus-Christ, en une nouvelle écriture dont les signes n'ont
plus guère de ressemblance avec les anciens hiéroglyphes.

Les Grecs ont aussi donné un nom à cette écriture ; ils
l'appellent « démotique », c'est-à-dire écriture du peuple,
et en effet, c'était l'écriture dont se servait plus spécialement le peuple à l'époque gréco-romaine. En ce temps-là,
les fonctionnaires rédigeaient les actes et les décrets en
grec, mais la majorité du peuple se servait de l'écriture
démotique. Seuls les prêtres maintenaient l'usage de l'écriture hiératique et des hiéroglyphes, qu'aucun profane ne
savait plus lire.

Lorsque les Égyptiens furent devenus chrétiens et
qu'ils traduisirent la Bible en leur langue, ils se servirent
tout simplement de l'écriture grecque plus commode.
Mais comme il n'existait point d'équivalents dans l'alphabet grec pour quelques sons égyptiens, ils se servirent, pour les exprimer, des signes démotiques, et c'est
ainsi que figurent encore dans la Bible copte des signes
qui sont en réalité dérivés des anciens hiéroglyphes.

ϥ est le serpent ⟿ f,

ϩ est la feuille de lotus ⍦ $ẖ$,

et ϯ n'est autre que le signe 𓏤𓏤𓏤 $š$.

Et le prêtre copte, qui, aujourd'hui, récite ses textes
liturgiques au cours du service religieux, ne se doute guère
qu'ils contiennent de vieux signes d'origine païenne dont
l'usage remonte à bien des millénaires.

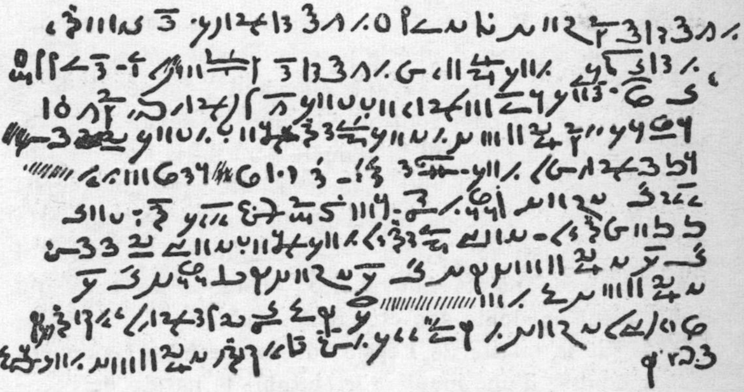

Fig. 9. — Passage tiré des fables égyptiennes
du Mythe de l'Œil d'Horus (Papyrus démotique de Leyde).

(Traduction littérale)

« Il était une fois sur la montagne un lion, qui était
grand de force et qui chassait bien. Les bêtes sauvages de
la montagne éprouvaient de la crainte et de la terreur devant lui. Un jour, il rencontra une panthère dont la peau
était écorchée (?), dont la fourrure était déchirée (?)... Le
lion dit alors : « Comment en es-tu venue à te mettre en
l'état où tu te trouves ? Qui a déchiré ta peau en écor-
chant (?) ta fourrure ? » La panthère lui dit alors : « C'est
l'homme. » Le lion lui répondit : « L'homme, qui est-ce ? » La
panthère lui dit alors : « Il n'est rien de plus (rusé) que lui,
l'homme. » Le lion se mit en colère contre l'homme (et) quitta
la panthère pour se mettre à la recherche de l'homme. »

CHAPITRE V

RECHERCHES ULTÉRIEURES

A la mort de Champollion en 1832, il n'était personne en France qui pût poursuivre son œuvre, et la jeune science à laquelle il avait donné le jour faillit s'éteindre. Le sort voulut qu'un jeune savant allemand nommé Richard Lepsius survînt pour continuer l'œuvre du savant disparu. Quelque géniale que fût la manière dont il lisait les inscriptions égyptiennes, Champollion ne s'était cependant jamais rendu compte de façon très claire de l'agencement de cette écriture. Aussi son système de déchiffrement n'offrait-il que trop de points faibles aux attaques de ceux qui mettaient en doute son étonnant succès.

Ce fut le mérite de Lepsius de comprendre clairement et d'exposer d'une manière irréfutable la nature de l'écriture hiéroglyphique. Ainsi fut jetée une base permettant d'étudier méthodiquement et de comprendre les inscriptions. Lepsius ne poursuivit pas lui-même l'œuvre ainsi commencée ; d'autres tâches devaient l'absorber par la suite.

On aurait pu s'attendre à ce que tous les savants qui s'occupaient de l'antiquité et des langues orientales dussent s'adonner avec joie à la nouvelle science. Ce ne fut pas le cas, et, pendant plus de trente ans, les historiens et les orientalistes conservèrent leur méfiance. Ils admettaient bien qu'on pût lire les noms de quelques rois égyptiens ; mais, que l'on voulût traduire les textes des monuments et des papyrus, c'était peine perdue, selon eux. Leurs doutes subsistèrent jusqu'au moment où une nouvelle découverte, faite en 1869, vint les confondre. Il s'agissait d'un pendant de la Pierre de Rosette (p. 26) : le Décret de Canope. Cette inscription était également rédigée de trois manières, en grec, en égyptien hiéroglyphique et en démo-

tique ; mais elle était beaucoup plus étendue que le texte
de la Pierre de Rosette. A vrai dire, cette seconde inscription trilingue n'apporta guère de faits nouveaux aux égyptologues, mais elle convainquit les sceptiques les plus en-
durcis.

Cette réserve de la vieille génération de savants ne causa
guère de tort à la nouvelle science, car les esprits qui se
vouèrent à cette étude avaient tout l'élan et toute la force
de la jeunesse. C'est avec enthousiasme et sans préjugés
que ces savants s'adonnèrent à leur grande tâche. En
France, le jeune juriste Emmanuel de Rougé se mit à
l'étude de l'égyptien tout par hasard. Il avait l'avantage
d'avoir fait, comme étudiant, de l'arabe, et il se donna pour
tâche de traduire suivant une méthode rigoureuse les inscriptions hiéroglyphiques. Il fut le premier également à
étudier avec autant de sens critique les papyrus hiératiques.
Deux autres savants portèrent leurs efforts sur le déchiffrement des papyrus ; ce sont François-Joseph Chabas, un
commerçant de Chalon-sur-Saône, et Charles Wycliffe
Goodwin, un avocat de Londres. Le lecteur se souviendra
avec reconnaissance de ces trois noms : Rougé, Chabas
et Goodwin, car ce sont eux qui nous ont révélé le contenu de
presque tous les papyrus dont il sera question dans ce livre.

En Allemagne, l'égyptologie trouva un disciple enthousiaste en la personne de Heinrich Brugsch. Alors qu'il n'était
encore que lycéen, il réussit à lire avec exactitude
l'écriture démotique. Et au cours de sa longue existence, il
accomplit d'un esprit perspicace et avec un zèle infatigable
une grande œuvre. Ainsi que nous l'avons signalé déjà,
Lepsius n'avait contribué que faiblement à l'étude des
textes. Il devait cueillir ses lauriers ailleurs.

Depuis que l'Égypte ancienne avait éveillé la curiosité
du monde savant, l'État prussien s'était aussi intéressé
à ce domaine de l'antiquité. Il s'était notamment rendu
acquéreur de la grande collection de l'Italien Passalacqua,

laquelle forme le fonds primitif de la collection du musée de Berlin. En 1842, Frédéric-Guillaume IV envoya, sous la direction de Lepsius, une expédition dont la mission était de faire connaître d'une manière scientifique l'ancienne Égypte. Grâce au gouvernement stable de Mohammed Ali, Lepsius et son collaborateur Erbkam purent explorer la vallée du Nil jusque bien avant dans la Nubie. Ils ne se contentèrent pas de dessiner les monuments innombrables qui se présentaient à eux et d'y copier des tableaux et des inscriptions, mais il leur fut donné de mettre au jour des monuments qui, depuis des siècles, étaient enfouis sous le sable. Pour ne citer qu'un seul exemple des heureux résultats de cette entreprise, ces fouilles ont fait surgir aux yeux du monde savant, dans la nécropole de Memphis, l'époque que nous nommons aujourd'hui l'Ancien-Empire (troisième millénaire avant Jésus-Christ) et dont on ne soupçonnait pas l'existence. Lepsius inaugura ainsi la longue série de fouilles que tous les pays ont accomplies depuis lors en Égypte en rivalisant de zèle et qui encore aujourd'hui continuent à étonner par leurs résultats. En fait, Lepsius ne prit plus part à ces fouilles par la suite. Il s'orienta vers des recherches purement scientifiques et il devint le premier historien de l'Égypte. Champollion lui-même n'était guère sorti des limites qu'avaient tracées, en demeurant dans un monde confus de légendes, les auteurs grecs. Grâce à ses travaux, Lepsius put établir avec certitude la longue liste des rois égyptiens suivant un ordre qui s'est toujours trouvé confirmé par la suite.

Le peuple égyptien a connu une longue période de haute culture. Trois mille ans environ se sont écoulés depuis le temps où furent édifiées les pyramides jusqu'à l'époque où l'Égypte devint une province romaine. Nous pouvons mesurer la durée d'une période semblable en constatant que, reportée sur l'histoire de la civilisation occidentale, elle nous ramène bien loin dans la période préhistorique.

Les Égyptiens eux-mêmes, qui ne possédaient pas de système continu pour compter les années, eurent de la diffi-
culté à s'y retrouver dans ces longs espaces de temps. Ils les
divisèrent en « dynasties », périodes au cours desquelles la
même maison régnante exerça le pouvoir. C'est exactement
comme si l'on divisait notre histoire du moyen-âge en
dynasties carolingienne, saxonne, franque et des Hohens-
taufen. C'est Manéthon, prêtre qui écrivit une histoire de
l'Égypte pour ses souverains grecs, qui numérota les dynasties égyptiennes. Nous avons conservé cette numérotation
et c'est ainsi que nous disons que la IVe dynastie a bâti
les grandes pyramides, que la XIXe a édifié la grande salle
hypostyle de Karnak et que la XXVIe a compté au nombre
de ses souverains Psammétique et Amasis. Le procédé est
pratique, mais il ne constitue qu'un pis-aller ; nous ne
pouvons, à vrai dire, établir qu'une chronologie approxi-
mative. Si, par exemple, nous disons que la XIIe dynastie
a régné de 2000 à 1790 avant Jésus-Christ et la XIXe de
1350 à 1200 avant Jésus-Christ, notre indication sera
approximativement juste, mais ne pourra prétendre à
une exactitude absolue. Aussi avons-nous pleinement
raison de maintenir la division par dynasties.

Pour des durées plus longues, nous nous contentons de
diviser l'histoire égyptienne en grandes périodes que nous
appelons « empires » :

L'Ancien-Empire, IVe à VIe dynasties (2720-2270
av. J.-C. ou avant) — époque des pyramides ;

Le Moyen-Empire, XIe à XIIIe dynasties (2100-1700
av. J.-C.) — époque classique de l'Égypte ;

Le Nouvel-Empire, XVIIIe à XXe dynasties (1555-1090
av. J.-C.) — époque de l'Égypte, première puissance mondiale.

Puis vient la longue période de décadence et de la domination étrangère, jusqu'à la conquête de l'Égypte par
Alexandre en 332 avant Jésus-Christ.

Nous aussi, nous nous servirons dans ce livre des termes
« empires » et « dynasties », car ils parlent mieux que des
dates. Signalons encore sur quoi sont basées nos datations
approximatives. Elles reposent principalement sur deux
dates que l'on peut établir astronomiquement : l'accession
au trône de Sésostris III, l'un des souverains de la XIIᵉ
dynastie, et celle d'Aménophis Iᵉʳ, l'un des rois de la
XVIIIᵉ. Grâce à ces deux dates définitivement établies,
on peut dresser avec plus ou moins de certitude la chronologie de l'histoire d'Égypte, pour autant du moins qu'il
s'agit du Moyen et du Nouvel-Empire. Malheureusement,
il en va autrement pour l'Ancien-Empire, pour lequel nous
ne possédons aucune date astronomique bien définie ; nous
risquons ici de nous tromper considérablement suivant
que nous allongeons ou raccourcissons la période intermédiaire pratiquement inconnue qui sépare la VIᵉ et la XIᵉ
dynastie (1). Nous prions, par conséquent, le lecteur d'admettre les dates qui figurent dans ce livre pour ce qu'elles
valent seulement ; nous les indiquons telles qu'elles apparaissent le plus fréquemment dans des ouvrages très répan-
dus. Et, de fait, il n'importe guère pour nous, qui voyons
l'Égypte ancienne de si loin, de savoir si un roi est monté
sur le trône quelques années ou quelques dizaines d'années
plus tôt.

(1) C'est pour cette raison que, dans ce livre, les dates de l'Ancien-
Empire sont suivies de l'expression « ou plus tôt ».

CHAPITRE VI

LES DIEUX ET LEUR CULTE

Les Grecs et les Romains considéraient les Égyptiens comme les plus pieux de tous les hommes ; mais, s'ils leur rendaient cet hommage, ils ne se faisaient pas faute cependant de plaisanter parfois aussi sur les dieux bizarres qu'ils adoraient. En fait, la religion égyptienne provoquait sur plus d'un point la raillerie ; ne comportait-elle pas l'adoration de bœufs et de boucs, de chats et de loups, de faucons et de vautours ? Ne considérait-on pas comme dieux jusqu'aux crocodiles et aux serpents ? Ce côté étonnant de la croyance égyptienne nous demeure singulier, mais il ne nous paraît pas ridicule. Nous savons en effet que ce culte des dieux-animaux comportait des idées remontant à une époque très reculée, conceptions que ce peuple si fidèle à toute tradition avait conservées pendant plusieurs milliers d'années. Leurs ancêtres, paysans comme eux, vivaient parmi leur bétail ; les bœufs tiraient leurs charrues, les vaches leur fournissaient le lait. On éprouvait à leur égard un sentiment de reconnaissance et on leur rendait hommage. Quant aux serpents et aux crocodiles, c'est de la crainte qu'ils inspiraient et l'on jugea bon, pour cette raison, de rendre également hommage à ces créatures peu rassurantes. L'idée que les Égyptiens se faisaient de l'univers et des dieux qui le régissent était tout aussi simple. Ainsi, l'on se représentait le ciel comme une vache debout sur la terre, ou sous les traits d'une femme s'arqueboutant au-dessus de Geb, dieu de la terre. On se figurait aussi le ciel bleu comme une mer et, quand le soleil le traversait, c'est sur un bateau splendide, assurément, qu'il devait le faire. C'étaient là des conceptions bien naïves et il importait peu que ces pensées fussent souvent en contradiction les unes avec les autres. Ainsi, l'on pensait aussi qu'un

faucon volait à travers le ciel et que l'œil lumineux de
l'oiseau était le soleil. Plus étrange encore est la conception
suivant laquelle un grand scarabée roulait devant lui le
soleil tout comme le bousier égyptien pousse devant lui
sa boule de fumier. Une image plus plaisante montrait le
soleil mis au monde chaque matin par la déesse du ciel, sous
forme d'un enfant lorsque l'on se représentait la divinité
comme une femme, ou d'un veau lorsqu'on la figurait sous
les traits d'une vache. Le soir, le soleil, devenu vieux, dis-
paraissait dans le monde inférieur. Ce monde inférieur est
le sombre empire où séjournent les morts ; le soleil le parcourt la nuit et il renaît au matin. Les êtres célestes dont
nous venons de parler sont également adorés à titre de
dieux et ils ont chacun leur nom particulier. La déesse du
ciel s'appelle Hathor ou Nout ; le faucon qui plane au ciel
est le dieu Horus ; le soleil du matin représenté sous l'aspect d'un scarabée est Khepri, et le soleil du soir parvenu
au terme de sa course s'appelle Atoum. Outre ces deux
noms, le soleil porte, dans une acception plus générale,
le nom de Rê. La lune aussi a son dieu, Thoth, qui est en
même temps le dieu de la sagesse ; on le représente sous
forme d'un ibis ou avec la tête d'un ibis ; ses adorateurs le
vénéraient aussi sous les traits d'un babouin pensif.
Cependant, ces grands dieux du ciel et de la terre étaient
trop éloignés des hommes pour prendre part au sort heureux
ou malheureux de ceux-ci. On s'adressait donc plus volontiers aux petites divinités dont la terre était toute peuplée
et que l'on se plaisait, ainsi que nous l'avons dit, à se
figurer sous forme animale. De tels dieux existaient partout
dans le voisinage des hommes et aucun village ni aucune
ville n'en manquait assurément. Certains d'entre eux
s'étaient montrés particulièrement secourables à l'occasion
de grandes détresses, tandis que d'autres avaient la réputation de frapper d'une manière terrible les ennemis et les
criminels. La renommée de tels dieux franchit les limites de

Fig. 10. — Le ciel sous les traits d'une vache, soutenue par Shou et d'autres dieux. Sous son ventre, les étoiles et les barques solaires.

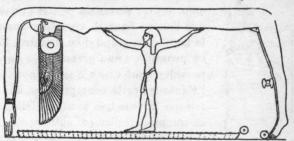

Fig. 11. — Le ciel sous l'apparence d'une femme, portée par Shou, avec le soleil représenté sous forme de disque ou de scarabée.

Fig. 12. — La barque solaire, siège du gouvernement de l'univers. Devant le dieu, assis sur un trône dans une chapelle, se tient Thoth en sa qualité de vizir, qui lui fait un discours. Le dieu a une tête de bélier, comme c'est le cas au cours de son voyage nocturne à travers l'autre monde.

leur propre patrie ; ils devinrent avec le temps des grands
dieux adorés dans le pays tout entier.

Ces croyances simples des temps primitifs se sont développées en une religion qui fut celle à laquelle les Égyptiens
se rattachèrent au temps de leur plus haute culture. Ils
avaient, en effet, conservé fidèlement l'héritage de leurs
ancêtres et ils ne se demandaient certes pas longtemps si
tout cela convenait encore à leur manière de voir plus
avancée ; une fois seulement, — nous le verrons au chapitre xx —, on essaya sérieusement de réformer l'ancienne croyance.

Fig. 13. — Thoth.

Les dieux étaient légion ; dans chaque ville, on adorait, outre un grand
dieu, toutes sortes de petites divinités
que l'on se figurait volontiers comme
la famille du grand dieu. D'autres fois,
on pensait qu'une grande ville devait
posséder neuf dieux que l'on nommait
l'Ennéade ; cette conception est due au
fait que la ville très sainte d'Héliopolis
en comptait réellement autant.

Les dieux de la période historique
dont il est question ici n'ont plus que
rarement l'apparence purement animale qu'ils revêtaient
dans les temps primitifs. Le dieu Sobek n'est plus un crocodile et la déesse Bastet n'est plus un chat. On continue
néanmoins à les considérer comme des animaux sacrés dans
les temples, et à leur mort on les enterre dans le plus grand
apparat. Cependant on s'imagine le dieu lui-même déjà
comme un être humain, dont seule la tête rappelle encore
l'ancienne nature animale. Ainsi Sobek a la tête d'un crocodile, la joyeuse Bastet celle d'un chat ; quant à Thoth,
dieu de la sagesse et de la lune, il doit s'accommoder
du long cou et du bec recourbé de l'ibis. Les grands dieux
célestes étaient figurés de la même manière : la déesse

du ciel, Hathor, porte la tête de la vache céleste ou pour le moins ses cornes ; le dieu du soleil, Horus, porte celle d'un faucon, car on n'a pas oublié l'ancienne représentation où on le voit planer au ciel sous forme d'un faucon étincelant. Cependant certains dieux ne sont pas représentés avec une tête animale et l'on peut bien admettre que l'origine de telles divinités ne remonte pas aux temps primitifs. Le grand dieu Amon de Thèbes, par exemple, qui devint sous le Nouvel-Empire le dieu suprême, a un aspect purement humain.

Fig. 14. — Sobek.

Fig. 15. Bastet.

Il en est de même pour le couple divin pour qui les Égyptiens avaient une prédilection toute particulière, Isis et Osiris, dont nous raconterons l'histoire au chapitre suivant. Pour ceux que cela intéresse, une étude plus poussée de ces différents dieux se trouve dans notre ouvrage « La Religion des Egyptiens » (1).

Fig. 16. Hathor.

Nous nous contenterons de décrire brièvement le culte que l'on rendait à ces dieux.

On se représente le dieu comme le maître de sa ville ; il habite dans son château, le temple, et les prêtres, les « serviteurs du dieu », forment le personnel qui prend soin de lui. Au petit jour, on fait des fu-

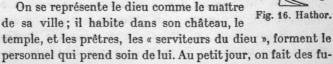

(1) Traduction française par H. Wild, un vol. in-8, Payot Paris, 1937.

migations devant lui et on le réveille. Le prêtre officiant
ouvre la chapelle dans laquelle l'image du dieu repose. Il
asperge d'eau la statue, l'oint et la farde, la revêt de bandelettes neuves de lin blanc ou de couleur. Tout cela s'accomplit
solennellement et posément durant que le prêtre récite inlassablement d'anciennes formules. Pour finir, le dieu reçoit
des aliments solides et liquides ; on dépose sur sa table d'offrandes des pains, des oies, des cuisses de bœufs et des fleurs,

Fig. 17. — Horus   Fig. 18. — Amon
en tant que roi.   de Thèbes.

sans oublier le vin et l'eau. Quand le dieu « s'est rassasié »
de ces aliments, les prêtres peuvent sans doute en disposer.
Ainsi se déroule chaque jour dans le temple le culte ordinaire. Mais il existe aussi des jours de fête où l'on sort
le dieu du temple au cours d'une solennelle procession. On le transporte, à cette occasion, dans une chapelle portative ayant la forme d'une barque, car un
Égyptien ne peut se figurer un voyage autrement que sur

le Nil. Hors du temple, le dieu reçoit une offrande plus riche en quelque endroit sacré, cérémonie à laquelle prennent part non plus seulement les prêtres, mais le peuple. La foule a le privilège alors de voir la statue divine, qui, autrement, demeure cachée dans le temple. A l'occa-

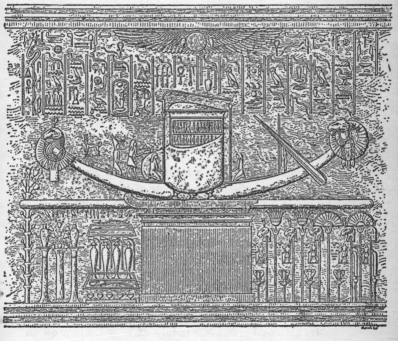

Fig. 19. — Barque de procession.

sion d'autres grandes fêtes, il arrive que le dieu se rende en bateau dans une autre ville, où habite une divinité avec laquelle il entretient des relations d'amitié. Il lui rend visite, et le peuple le reçoit ici également avec des cris de jubilation et l'honore en lui faisant des offrandes.

C'est de cette manière que se déroulait sans doute le

culte aux temps anciens ; les temples aussi étaient alors
des édifices relativement simples. Plus tard, dans la période
si florissante du Nouvel-Empire, les rois rivalisèrent de
zèle pour agrandir les temples et en faire des monuments
gigantesques ; dans le culte aussi s'étala le plus grand faste.
Les prêtres ne sont plus les simples serviteurs de leurs
dieux ; dans les grands temples, le clergé est constitué de
personnages de la plus haute considération et l'un d'entre
eux parvient même à monter sur le trône. Et pourtant, nous
aurions tort de nous représenter la religion qui, au Nouvel-
Empire, revêtit un caractère si somptueux et si brillant,
comme une religion superficielle et sécularisée. Car c'est
précisément de cette époque que nous sont parvenus des
prières et des hymnes qui, par l'esprit de piété simple qui
les anime, nous révèlent combien l'homme du peuple était
attaché à son dieu et avait confiance en lui tout en le craignant. Ainsi nous lisons quelque part : « Amon-Rê, je
t'aime, je t'ai enfermé en mon cœur et je ne m'abandonne
pas au souci qui est dans mon cœur, car ce qu'Amon a
ordonné prospère. » Et un pauvre homme, qui comparaît
tout seul devant le tribunal et qui n'a ni or ni argent pour
suborner les scribes, sait qu'il a un soutien divin en la personne d'Amon : « Il sera le vizir et il fera que j'obtienne
justice. » — Si un homme s'est rendu coupable, le dieu le
punit de maladie, mais s'il se repent, le dieu le secourt de
nouveau : « Le serviteur est-il prêt à commettre un péché,
le maître est aussi prêt à être indulgent ». — Un jour qu'un
« homme ignorant et insensé, qui ne savait pas ce qui est
bien et ce qui est mal », s'était rendu coupable à l'égard de
la déesse de sa ville, elle le punit de maladie « jour et
nuit ». Mais il promit solennellement de proclamer devant
tout le peuple sa puissance ; elle tourna alors vers lui sa
faveur et elle lui fit oublier sa maladie.

Comme nous l'avons dit, ce sont là des signes de piété de
gens qui vivaient sous le Nouvel-Empire, mais nous com-

mettrions sans doute une erreur en pensant que ce sentiment religieux ne se rencontre qu'à cette époque tardive.

Assurément, les Égyptiens de temps plus reculés éprouvaient à l'égard de leurs dieux les mêmes sentiments,
mais le hasard ne nous a pas conservé leurs prières.

CHAPITRE VII

LÉGENDES DIVINES

Les dieux dont nous avons parlé ici nous paraissent peut-être plus prosaïques que ceux d'autres peuples, mais ce n'est là aussi qu'une apparence ; nous savons bien peu de chose, en effet, de toutes les légendes dont l'imagination du peuple les avait ornés autrefois.

Voici tout d'abord une légende concernant la formation du monde. — A l'origine, le monde avait le même aspect que celui qu'offre encore aujourd'hui l'Égypte au moment de l'inondation : une grande nappe d'eau grise, l'eau primordiale, la recouvrait. Les flots s'étant écoulés peu à peu, comme cela se passe encore annuellement de nos jours, une éminence était apparue. C'est cette place que les Égyptiens nommaient « la magnifique colline des temps primordiaux » et que l'on montrait comme un lieu sacré en différents endroits. Dans le limon de cette colline se tenaient huit créatures qui convenaient bien à ce monde humide : grenouilles et serpents. Là se trouvait aussi un œuf, duquel sortit une oie, « le grand piailleur », qui se mit à survoler le ciel ; c'était Rê, le dieu du soleil. Alors prit fin l'obscurité qui jusque-là s'étendait sur la terre ; l'apparition de Rê marqua le commencement de la lumière et de la vie. C'est de lui que tous les dieux et tous les êtres vivants sont nés. Tout est sorti de lui. A vrai dire, celui à qui le monde devait tout eut encore à soutenir bien des luttes. Chaque jour, le dragon des nuages Apophis le guette lorsqu'il parcourt le ciel sur sa barque, et les dieux qui l'accompagnent doivent toujours à nouveau combattre ce monstre. Pour comble de malheur, les dieux et les hommes se soulevèrent un jour contre Rê, et, s'il sortit vainqueur de ce combat, il ne le dut qu'à son œil, « l'œil du soleil », qui consuma les enne-

mis. Cet œil du soleil était, au fond, le soleil lui-même,
mais d'autres divinités comme la déesse du ciel Hathor
et la déesse-lionne Tefnet portaient la même épithète. Cet
œil du soleil n'était cependant pas toujours une servante
fidèle de son maître et Rê avait de la peine à la maîtriser.

Légendes de l'œil du soleil

Un jour, alors que Rê était déjà vieux, les hommes com-
plotèrent contre lui. Il fit appeler les dieux à son palais
et leur demanda conseil. Ils estimèrent qu'il lui suffirait
de braquer sur eux « son œil ». Mais les hommes s'étant
enfuis de peur dans le désert, il parut préférable aux dieux
qu'il envoyât « l'œil » lui-même contre les hommes. C'est
ce qu'il fit. « L'œil » descendit sur terre sous l'aspect de la
déesse Hathor et fut pris d'une rage sanguinaire contre les
hommes. Quand la déesse retourna auprès de son maître,
elle se vanta de son exploit, mais Rê craignit qu'elle exter-
minât tout le genre humain le lendemain. Il imagina une
ruse. Il fit brasser sept mille cruches de bière à laquelle il
fit mélanger une couleur rouge, de manière que la bière
eût l'aspect du sang. Le lendemain, Rê fit répandre cette
bière à l'endroit où Hathor voulait tuer les hommes ; il y en
avait une hauteur de quatre palmes. Le matin venu, la déesse
sortit ; son visage se réfléchit joliment dans la bière. Elle
en but, y prit goût, se grisa, et ne trouva pas les hommes.
Ainsi, le dieu avait épargné la race humaine.

Une autre fois, l'« œil du soleil » avait quitté son maître
et s'était enfui. Il s'était arrêté dans le désert de Nubie
et avait pris la forme de la terrible déesse-lionne Tefnet.
Toute joie avait disparu de l'Égypte avec lui, car l' « œil
du soleil » était en même temps la joyeuse Hathor et la
gaie Bastet. Rê qui, en vérité, avait besoin de la déesse
pour l'aider à se défendre contre ses ennemis, lui envoya
un messager, en la personne de son scribe, Thoth, le sage

dieu de la lune. Celui-ci prit l'apparence sous laquelle on
avait aussi coutume de l'adorer, celle d'un singe. Il rappela
à la raison la déesse en furie en lui exposant combien elle
avait été heureuse autrefois en Égypte, où on l'adorait en
tout lieu. Et malgré la rage de la lionne, qui le menaçait de
mort, il parvint à émouvoir son cœur. Elle se mit à pleurer
et retourna avec lui en Égypte. A Philae, limite méridionale
de l'Égypte, elle rafraîchit son ardeur dans les eaux de la
cataracte et redevint une belle déesse. Dans toutes les villes
où elle fit halte au cours de son voyage, on l'adora de
nouveau comme une joyeuse déesse : à Dendéra en tant
que Hathor, à Bubastis en tant que Bastet.

LA LÉGENDE D'ISIS ET D'OSIRIS

Ces légendes pâlissent devant la belle histoire d'Osiris
et de sa fidèle épouse Isis. Cette légende fut de tout temps
celle que préférait le peuple égyptien, dont elle influença
en outre la manière de penser et de sentir. Sans cesse on y
faisait allusion ; mais du fait même qu'elle était connue de
tous, on n'estimait pas nécessaire d'en faire le récit *in
extenso*. Ce n'est que par l'écrivain grec Plutarque que nous
la connaissons intégralement.

Voici à peu près comme on racontait la légende osirienne
sous sa forme ancienne : Le dieu de la terre, Geb, et la déesse
du ciel, Nout, avaient deux fils, Osiris et Seth, et deux
filles, Isis et Nephthys. Isis devint la femme d'Osiris et
Nephthys celle de Seth. Osiris reçut en héritage, de son
père, la terre, et il la gouverna en roi excellent. Il enseigna
à ses sujets l'agriculture et mit fin à leurs combats. Il fut
néanmoins en même temps un grand conquérant. Il régnait également sur les dieux, qui tous l'aimaient. Mais
cet état de félicité fut troublé, car son propre frère Seth
nourrit à son égard des sentiments de jalousie. Celui-ci cherchait à le faire mourir. Pendant longtemps, il ne put rien

contre lui, car Isis protégeait son époux. Seth imagina alors
une ruse : il construisit, comme le raconte Plutarque, un
superbe coffre ayant exactement la longueur du corps

Fig. 20. — Osiris.

Fig. 21. — Isis portant sur
sa tête l'hiéroglyphe de son
nom.

d'Osiris. Au cours d'un festin, il promit en plaisantant de
donner le coffre à celui qui, en s'y couchant, le remplirait
exactement. Osiris s'y étendit et, au même
instant, les compagnons de Seth accou-
rurent et fermèrent le couvercle. Puis ils
jetèrent le coffre dans l'eau. Isis se trouva
seule et abandonnée, ignorant même où se
trouvait le cadavre de son époux. Elle le
chercha infatigablement en parcourant tout
le pays. Lorsqu'elle l'eut enfin retrouvé,
elle s'assit avec sa sœur Nephthys auprès
de lui et se lamenta en ces termes : « Viens
dans ta maison, beau jeune homme, afin
que tu me voies ; ne suis-je pas ta sœur
que tu as aimée ? Ne me quitte pas. Je ne
te vois pas et pourtant mon cœur soupire

Fig. 22. — Seth.

ardemment après toi et mes yeux te désirent ; viens auprès
de ta sœur, viens auprès de ta femme, toi dont le cœur ne
bat plus. Les dieux et les hommes tournent leur visage vers

toi et te pleurent. Je t'appelle et te pleure si haut qu'on
l'entend au ciel, mais tu n'entends pas ma voix, et pourtant je suis ta sœur que tu as aimée sur terre. Tu n'en as
point aimée d'autre que moi. » Rê entendit cette plainte au
ciel ; il envoya sur terre, auprès d'Isis, son fils Anubis.
Celui-ci enterra Osiris ; il réajusta le corps du défunt tombé
en décomposition ou, suivant une autre version, découpé
en morceaux par Seth, et il l'enveloppa de bandelettes
comme les Égyptiens le firent par la suite pour leurs momies.

Isis parvint, en éventant Osiris au moyen de ses ailes,
à le faire revivre : il se remit à respirer et à se mouvoir ;
mais, s'il ne put continuer à vivre sur terre comme il l'avait
fait jusque-là, il put cependant commencer une nouvelle
vie dans le royaume des morts du monde inférieur. De souverain des vivants, reconnu juste par tous les dieux, il
devint le souverain des morts. Mais même sur terre devait
triompher la cause d'Osiris : Isis lui donna un fils posthume,
Horus, dont la mission fut de venger son père. Par crainte
de Seth, Isis éleva son enfant dans les marais du Delta et,
lorsqu'il fut devenu grand, il combattit le meurtrier de son
père. Ce fut une lutte terrible ; les deux dieux furent
blessés ; Horus perdit son œil. Mais le sage dieu Thoth les
guérit. Seth fut vaincu dans le combat et Isis conduisit son
fils dans la salle de Geb, son grand-père, où les dieux le
saluèrent joyeusement : « Sois le bienvenu, toi, le fils d'Osiris,
toi, courageux, triomphant ; toi, l'héritier d'Osiris et le fils
d'Isis. » Mais Seth ne se tint pas pour vaincu ; il mit en
doute qu'Horus fût un fils légitime d'Osiris, puisqu'il n'était
né qu'après la mort d'Osiris. Les dieux siégèrent dans la
grande salle et rejetèrent l'accusation. Ainsi Horus fut
reconnu comme le souverain légitime du monde et c'est
en qualité de ses successeurs que tous les rois d'Égypte
occupent son trône. Tout comme le bien l'emporte ici sur
le mal, il continuera à en avoir raison, pour peu que les
hommes soient aussi bons qu'Osiris et aussi fidèles qu'Isis.

C'est là l'enseignement que les Égyptiens tirèrent de cette légende et quiconque espérait se justifier un jour, une fois mort, devant le tribunal du souverain des morts, Osiris, devait lui-même, durant sa vie, avoir été aussi pur et bon qu'Osiris.

Tout cela était beau et sacré et tenait au cœur du commun des mortels, et l'on ne soupçonnerait pas que le peuple, de bonne heure, eût raconté une partie de la légende sous forme de farce. C'est pourtant ce qui arriva.

LE PROCÈS DE SETH CONTRE HORUS

Cette histoire raconte les phases du procès d'Horus et de Seth et le jugement des dieux devant qui ils comparaissent. L'auteur s'est plu à l'orner de toutes sortes de traits satiriques et à représenter les dieux comme des hommes, avec toutes les faiblesses de ceux-ci. Dans ce procès, les dieux siègent depuis quatre-vingts ans déjà. Cependant, ils ne sont pas encore parvenus à trancher le débat, bien qu'ils eussent consulté d'autres dieux. Cela n'a rien d'étonnant, car la question de savoir si Horus est réellement le fils d'Osiris n'est pas facile à résoudre. Circonstance plus fâcheuse encore, le président du tribunal, le dieu du soleil, Rê-Hor·akhti (Hor·akhti signifie « Horus qui demeure à l'horizon »), n'est pas du tout impartial. Il favorise Seth, car c'est ce dieu qui lui prête assistance contre les ennemis qui menacent la barque solaire. Les deux parties n'apparaissent pas non plus sous un jour très reluisant. Seth est un personnage brutal et vulgaire, qui n'hésite pas à proposer au tribunal qu'on les laisse sortir, lui et Horus, et il déclare qu'il lui ferait bien son affaire. Une autre fois, il va jusqu'à menacer le tribunal de prendre sa grande arme et d'abattre chaque jour l'un des dieux. Quant au jeune

Horus, on ne trouve rien à lui reprocher ; par contre, sa mère Isis sait inventer toutes sortes de ruses. Le procès est favorable tantôt à l'un, tantôt à l'autre, et, à un certain moment, il est si avancé que Rê, le président, se jette à terre, de dépit. Il reste étendu tout un jour dans sa tente, triste et solitaire, jusqu'au moment où sa fille Hathor lui rend sa bonne humeur en faisant une plaisanterie vulgaire. — Une autre fois, Seth jure qu'il ne reviendra plus au tribunal tant qu'Isis y sera. Rê-Hor·akhti ne manque pas d'accéder au désir de son protégé ; il transporte le tribunal sur une île, et interdit au passeur de l'endroit de transporter sur l'autre rive aucune femme qui ressemble à Isis. Cependant, Isis n'est pas à court de stratagèmes ; elle se change en vieille femme et raconte au passeur qui ne veut la prendre sur sa barque une histoire touchante : son petit garçon garde le bétail dans l'île et il n'a rien eu à manger depuis cinq jours. Le passeur hésite, mais tous ses scrupules disparaissent lorsqu'Isis lui fait cadeau d'un petit anneau d'or. Sur l'autre rive, où les dieux sont précisément en train de prendre leur repas dans la tente, Isis se change en une jolie jeune fille qui se promène sous les arbres. Mais Seth l'épie ; il quitte le repas sans être remarqué, s'en va vers elle et lui dit : « Me voici, jolie jeune fille ! » Elle lui répondit : « Mon grand seigneur, je suis la femme d'un bouvier et j'ai mis au monde pour lui un fils, mais mon époux est mort et le garçon garde maintenant le troupeau de son père. Un étranger est venu, qui s'est installé dans mon enclos, et il a dit à mon fils : « Je te battrai et je t'enlèverai les bestiaux de ton père. » C'est ainsi qu'il parla. Et je voudrais maintenant que tu deviennes mon soutien. » Seth lui dit alors : « Donnera-t-on le bétail à un étranger tant qu'il existera un fils de l'homme ? » Isis prit la forme d'un oiseau et s'envola sur un arbre, d'où elle cria : « Honte à toi ! Tu as prononcé ta propre condamnation. » Seth l'avait fait d'une manière d'autant plus formelle que les

mots « fonction » et « bétail » sont homonymes en égyptien.
Il avait donc réellement affirmé que la fonction d'Osiris ne
devait appartenir qu'au fils de celui-ci. Seth s'en alla tout
honteux auprès de Rê-Hor·akhti et il lui annonça avec
force lamentations que la méchante femme était revenue.
Il lui raconta son aventure et Rê lui-même dut admettre
que Seth s'était jugé lui-même.

Cependant, cet épisode n'amène pas le dénouement du
procès, dont les péripéties se succèdent encore longtemps.
Ainsi Seth demande un jour qu'Horus et lui soient priés de
naviguer sur des embarcations de pierre. Horus est prudent et se construit lui-même une barque de bois qu'il
enduit de chaux. Mais le stupide Seth se taille véritablement un bateau dans un éperon rocheux. Son embarca-
tion, bien entendu, coule aussitôt, mais la chose ne profite
pas à Horus, car Seth se change en hippopotame et endom-
mage la barque d'Horus.

Enfin le procès se termine grâce à une solution à laquelle
on n'avait pas songé jusque-là : Thoth, dieu de la sagesse,
propose en effet qu'on écrive à Osiris, qui, depuis sa mort,
règne sur les défunts dans le monde inférieur. La proposition est acceptée et la réponse que donne le dieu est des
plus énergiques. Après quelques paroles ironiques, il leur
rappelle simplement qu'il a près de lui, dans le monde
inférieur, des messagers de la mort qui vont chercher les
hommes et ne craignent pas non plus les dieux et les déesses.
S'il les lâche, ils chercheront tous ceux qui font le mal, et
ajoute-t-il, ceux-ci doivent séjourner avec moi dans le
monde inférieur. Cette menace ne manque pas de produire
son effet et tous les dieux déclarent alors à l'unanimité que
seul Horus a droit à la dignité de son père.

Cette belle histoire montre que l'on n'entourait pas les
dieux d'un respect excessif. Elle n'est au fond qu'une satire
des tribunaux égyptiens, car, bien qu'on y parlât constamment de vérité et de justice, les choses devaient s'y passer

souvent de façon douteuse. Cependant, les gens qui prenaient plaisir à ces plaisanteries étaient certainement de
fidèles serviteurs de leurs dieux. Et leur piété n'en était pas
plus atteinte que les sentiments profonds des Grecs n'étaient
froissés par les récits joyeux et équivoques que l'on faisait
sur le compte des dieux de l'Olympe.

CHAPITRE VIII

LES MORTS ET LEURS TOMBEAUX

Est-il question de l'Égypte ancienne, toujours la pensée est ramenée vers les tombeaux, vers leur décoration, leurs inscriptions et tout ce qu'en dehors de cela ils peuvent encore contenir. D'ailleurs les monuments les plus imposants que nous aient laissés les Égyptiens, les pyramides, sont des tombeaux. Que de merveilles architecturales, parmi les grandes tombes rupestres et parmi les temples funéraires, n'ont-ils pas conçues ! Pendant des milliers d'années, ils ont voué à leurs disparus une sollicitude que n'ont jamais égalée les autres peuples de l'antiquité. Des conceptions très simples sont à l'origine de ce dévouement pour les morts, conceptions qui se retrouvent avec beaucoup d'analogie chez d'autres peuples. L'âme de l'homme,

Fig. 23. — Momie du Moyen-Empire.

si elle abandonnait celui-ci au moment de sa mort, pouvait néanmoins retourner auprès du cadavre à condition qu'il fût conservé intact. C'était donc le devoir le plus sacré des survivants que de préserver de la destruction le corps du défunt. Aussi ne suffisait-il pas d'ensevelir les morts dans une fosse. Il était préférable d'élever une masse de pierres sur la tombe, précaution qui rendait toute destruction du cadavre impossible. Mais le cadavre lui-même devait être garanti de la décomposition, et on avait recours pour cela à toutes sortes de procédés d'embaumement. On l'enveloppait ensuite de longues bandelettes de toile, ce qui

lui donnait la forme curieuse que nous appelons « momie ».
Ce procédé réussit : les cadavres résistèrent aux siècles, et,
aujourd'hui encore, nous pouvons, à notre étonnement,
voir les grands rois du Nouvel-Empire (cf. p. 290).

Enfin, dans la tombe, la momie était protégée par une
caisse de bois que l'on plaçait, si on en avait les moyens,
dans un sarcophage de pierre très dure. Ainsi le mort pouvait séjourner pour toujours dans sa tombe, « sa maison
d'éternité », comme l'appelait l'Égyptien. Dans cette maison, le défunt devait assurément prendre plaisir aussi à
toutes les images et à toutes les inscriptions lui rappelant
le souvenir de sa vie passée. Mais le mort avait besoin aussi
de nourriture, et c'était le devoir des survivants de la lui
assurer. On lui apporte régulièrement des aliments solides
et liquides ; il apparaît alors — sans être vu, bien entendu
— et se régale des bonnes choses que sa famille lui a apportées.

Cependant, l'âme ne demeure pas toujours dans la
tombe. Elle veut jouir aussi de l'éclat du soleil, et, comme
on se la représente sous l'aspect d'un oiseau, on admet
volontiers qu'elle se tient, parmi les oiseaux, sur les arbres
que le défunt a plantés lui-même autrefois. Mais la patrie
véritable des trépassés ne reçoit malheureusement pas la
lumière du soleil, car c'est un monde de ténèbres. De même
que le soleil descend chaque soir, au couchant, dans le
monde inférieur, on se figure que les morts y descendent
également ; ils habitent le triste et sombre royaume de
l' « Occident » et ce n'est que lorsque la barque solaire
passe auprès d'eux pendant la nuit qu'ils ont leur part
de lumière et de joie. Dans ce monde inférieur règne Osiris,
le dieu qui fut lui-même arraché autrefois à la vie. Il
gouverne là certainement comme il le faisait lorsqu'il
était vivant, et tout ce qui est mal lui est en horreur. Aussi
ses sujets doivent-ils être sans péchés. Nombreux sont les
péchés qu'un Égyptien doit n'avoir point commis s'il

veut trouver grâce devant Osiris, et outre les grands péchés que tous les peuples considèrent comme des crimes existent toutes sortes de petites fautes. Le mort doit pouvoir assurer qu'il n'a faussé ni poids ni mesures, qu'il n'a pas proféré d'injures ni prononcé de calomnies, qu'il n'a point menti ni commis d'indiscrétion. Il ne s'est point rongé le cœur, c'est-à-dire qu'il ne s'est pas abandonné à de vains regrets. Mais cette déclaration ne suffit pas ; dans la salle d'Osiris se dresse une grande balance sur laquelle le cœur de l'homme est pesé par Anubis et Horus. Lorsque Thoth, en qualité de scribe, a constaté que le mort est sans péchés, celui-ci est

Fig. 24. — L'âme sous l'aspect d'un oiseau.

un « justifié » et il reste auprès d'Osiris. Ceux qui sont reconnus coupables sont certainement punis d'une manière

Fig. 25. — La balance dans le royaume des morts.

ou d'une autre par les quarante-deux juges, aux noms terribles comme « Dévoreur-d'entrailles », Mangeur-d'ombres » ou « Briseurs-d'os ».

A ces conceptions simples de la vie d'outre-tombe sont venues se mêler par la suite d'autres idées qui ne s'accordent

pas avec elles. Ainsi, les rois et les nobles étaient choqués
à l'idée qu'eux aussi, ayant occupé un rang si élevé dans
la vie, dussent continuer après la mort, à vivre dans les
ténèbres du monde inférieur. Ils se demandaient s'il n'existait pas peut-être un meilleur royaume des morts dans le
ciel. Cette croyance se répandit ensuite peu à peu parmi
le peuple. On se représente les morts comme des étoiles :
ils se tiennent assis, la nuit, près de leurs lampes ; on
s'imagine encore un autre séjour des morts dans le ciel :
des champs magnifiques, où l'eau ne fait pas défaut et où
l'orge atteint sept coudées de haut. Là encore règne Osiris,
et en sa qualité de roi, il répartit les travaux des champs
entre ses sujets. — Cependant, Osiris n'est pas seulement
le souverain des morts, mais il est le prototype de chaque
mort en particulier. Osiris n'est-il pas mort et néanmoins
ressuscité ? C'est pourquoi l'on dit de chaque mort : « Aussi
vrai qu'Osiris est vivant, il vivra lui aussi ; aussi vrai
qu'Osiris n'est pas mort, lui non plus ne mourra pas. » On
en arrive ainsi à considérer le mort tout à fait comme un
second Osiris et l'on se met, à une époque ancienne déjà,
à faire précéder le nom de personnes défuntes de l'épithète « Osiris ». On dira ainsi par exemple pour un homme
« Osiris Djehouti·mosé » et pour une femme « Osiris Ne-
frou·rê ».

A tout cela vient s'ajouter encore la croyance suivant
laquelle on peut adoucir le sort du défunt au moyen de
formules magiques, car les dangers qui le menacent dans
l'au-delà sont nombreux. Ainsi, il peut lui arriver, pour
ne citer qu'un exemple, de ne plus savoir son propre nom.
Autre chose peut lui être pour le moins désagréable ;
lorsqu'Osiris assigne à ses sujets, sans faire de distinctions,
leur part du labourage, cette perspective n'a certes rien
d'agréable pour un homme qui fut de son vivant haut
fonctionnaire. C'est alors qu'on a recours à la magie. On
place dans le tombeau des figurines mummiformes — nous

les nommons « oushebti » — tenant des outils aratoires
et portant l'inscription : « O toi, oushebti ! Quand je sera
appelé et dénombré pour accomplir toutes sortes de travaux qui se font dans le monde inférieur, pour faire pousser
les champs et pour irriguer les rives, dis : Me voici ! » La
figurine se présentera alors à la place du mort et accomplira
pour lui les travaux grossiers.

Le lien mystérieux qui unit les vivants aux morts peut
aussi offrir un côté inquiétant. Ce n'est pas sans raison que
la mère supplie le dieu du soleil, qui voit
tout, de surveiller les morts qui aban-
donnent leurs tombes, car ils pourraient
s'introduire secrètement auprès de son
nourrisson et le rendre malade. Déjà elle
soupçonne qu'une femme morte est entrée
dans sa maison et elle s'adresse au spectre
en ces mots : « Es-tu venue pour embrasser
cet enfant ? Je ne te permets pas de l'embrasser. Es-tu venue pour apaiser cet enfant ? Je ne te permets pas de l'apaiser.
Es-tu venue pour l'emporter ? Je ne te
permets pas de l'emporter. » Et la morte
ne touche pas à l'enfant. Peut-être un
membre de la famille même garde-t-il dans
la tombe quelque rancune ; il est capable
de s'abandonner à son ressentiment en

Fig. 26.
Oushebti.

frappant les survivants de misère et de maladie.

Des lettres déposées dans la tombe afin d'apaiser le
parent irrité témoignent à quel point cette croyance était
répandue. Pour être sûr que le mort lira le message, on
l'écrit de préférence sur le récipient dans lequel on lui
présente sa nourriture. Un autre procédé plus charmant
fut employé vers l'an 1300 avant Jésus-Christ par un haut
fonctionnaire qui envoya un message à son épouse défunte.
Il plaça dans la tombe de celle-ci une figurine de bois

représentant une servante, après lui avoir fixé, comme à une messagère, le petit rouleau de papyrus contenant sa plainte.

Trois ans s'étaient écoulés depuis la mort de sa femme sans qu'il pût maîtriser son chagrin. Il se demanda si ce n'était pas peut-être sa femme qui lui en voulait, car il avait été obligé de la quitter au cours de sa dernière maladie : Il lui écrit dans ces termes :

« A l'esprit excellent Ankh·iri.

« Quel mal ai-je donc commis à ton égard pour que je sois tombé en l'état où je suis ? Que fais-je donc contre toi pour que tu portes ta main sur moi, alors que je ne fais aucun mal contre toi ? Depuis que je suis devenu ton époux jusqu'à ce jour, qu'ai-je fait contre toi que je doive cacher ? J'en appelle maintenant aux dieux de l'Occident, pour qu'ils jugent entre toi et moi.

« Je t'ai prise pour femme lorsque j'étais garçon ; je ne t'ai pas abandonnée et je ne t'ai pas affligée. Quand je revêtis les grandes dignités de Pharaon, je ne t'ai pas abandonnée et j'ai dit : « Elle a toujours été avec moi. » Mais vois : si tu ne laisses pas mon cœur se réjouir, j'intenterai une action en justice contre toi et l'on verra ce qui est juste et ce qui ne l'est pas. »

Il lui rappelle ensuite qu'il l'a toujours entourée d'égards. Une fois, lorsqu'il faisait l'instruction des officiers du roi, il les envoya auprès d'elle. Ils s'inclinèrent devant elle et lui apportèrent des présents. Et jamais il ne lui a manqué de considération comme le vulgaire en a l'habitude. Dans la haute situation où il se trouvait alors et qui ne lui permettait plus de vivre avec elle, il lui avait fidèlement donné tout ce qu'il recevait en aromates, pains et vêtements. Et « lorsque tu es tombée malade de la maladie que tu as eue, j'ai envoyé un chef-médecin et il a apprêté des remèdes pour toi et il a fait tout ce que tu ordonnais. Et lorsque j'ai suivi Pharaon quand il est allé dans le sud, j'ai passé

huit mois sans manger ni boire (certainement à cause de
l'inquiétude qui le rongeait au sujet de la mourante). Et
lorsque je suis revenu à Memphis, j'ai demandé un congé à
Pharaon ; je me suis rendu chez toi et j'ai beaucoup pleuré
avec tes gens devant ta maison. J'ai donné des vêtements
de lin fin pour te revêtir, j'ai fait faire beaucoup de vêtements et il n'existe rien de bon que je ne t'aie fait.

Et voilà, j'ai passé trois ans jusqu'aujourd'hui ; je suis
assis ici et je ne vais dans aucune maison, et pourtant un
homme tel que moi n'avait pas besoin de faire cela. C'est
pour toi seulement que je l'ai fait. Mais vois : si tu ne sais
pas ce qui est bien et ce qui est mal, on intentera une action
en justice contre toi. »

Le ton de cette lettre, qui n'était nullement destinée à
être lue par des étrangers, n'a-t-il pas quelque chose de
touchant ?

CHAPITRE IX

LES PLUS ANCIENNES TOMBES ROYALES, LES PYRAMIDES ET LES TEMPLES SOLAIRES

Le plus ancien monument d'Égypte est peut-être le tombeau de Négada en Haute-Égypte, découvert par de Morgan en 1897. Ce n'était rien moins, semble-t-il, que la sépulture du roi Ménès lui-même (environ 3200 avant Jésus-Christ ou même antérieurement), avec qui les Égyptiens firent par la suite débuter leur histoire. C'est un édifice de briques crues, mesurant cinquante mètres sur sa longueur. Au centre se trouve la chambre funéraire, où le corps du défunt était déposé. Cette salle est entourée de quatre chambres, qui contenaient sans doute les objets précieux qu'on avait déposés auprès du roi défunt. Pour protéger ces salles, on avait eu soin de les entourer d'une muraille solide, ayant des niches pour tout décor, ce qui conférait à l'ensemble de l'édifice l'aspect du palais royal.

D'autres tombes des premiers souverains ont été retrouvées à Abydos. Cet endroit, qui devait devenir par la suite le siège du plus fameux de tous les sanctuaires d'Osiris, était situé à proximité de la ville de This, résidence des anciens rois. Les tombes de ces souverains de la Ire et de la IIe dynasties (3200 av. J.-C. ou plus tôt) sont très endommagées, mais elles nous fournissent cependant bien des renseignements curieux. Dans la chambre où le roi dormait de son dernier sommeil se dresse une magnifique pierre sur laquelle ne se lit rien d'autre que son nom, sans aucune adjonction. Cette concision n'est certes pas une preuve de modestie ; elle exprime au contraire qu'un si grand souverain n'a que faire de louanges. Tout ce que l'on avait déposé auprès du roi, lits de repos aux pieds d'ivoire, vases d'albâtre, etc., était d'une magnificence royale. Mais plus encore, il avait auprès de lui dans la

tombe sa suite, laquelle était ensevelie dans les chambres
dépendantes du tombeau. De petites stèles funéraires nous
font connaître tous ceux qui sommeillent là. Voici une
femme qui, autrefois, de son vivant, a connu « Horus et
Seth », c'est-à-dire le souverain. Il s'agit peut-être de la
reine elle-même. Voici d'autres femmes, qui ne portent pas
un titre aussi beau ; voici un guerrier qui certainement
avait pour tâche de protéger le roi. On trouve là aussi des

Fig. 27.
Stèle d'une reine.

Fig. 28. — Stèle d'un nain.

nains comme il en existait au service de toutes les personnes de rang élevé.

Le roi pouvait avoir autour de lui d'autres compagnons
qui lui étaient chers, car le déterminatif (cf. p. 39) que
présentent ces noms nous apprend que « Neb » était l'un
de ses chiens. Devons-nous admettre que le roi ait dû
attendre, pour avoir sa suite auprès de lui, que chacun des
membres de sa cour fût mort ? La chose aurait pu durer

longtemps et l'on aurait au surplus, à l'occasion de chaque
décès, été obligé de troubler la paix de la sépulture royale.
Il semble bien qu'on ait fait suivre dans la tombe tout
l'entourage immédiat du roi. Cette coutume nous paraît
monstrueuse, mais qui sait si ces victimes ne considéraient
pas comme un honneur de pouvoir mourir ainsi ? N'a-
vaient-elles pas le bonheur, de cette façon, de pouvoir être
toujours auprès de leur maître dans l'au-delà ?

Sous l'Ancien-Empire (2720-2270 av. J.-C. ou plus tôt) ce
vestige de coutumes barbares disparaît. Dorénavant, les
grands de la cour se construisent eux-mêmes leur imposante
sépulture et le roi ne participe à l'entreprise qu'en embel-
lissant la tombe de ses favoris par le moyen de donations.

La tombe royale elle-même prend alors un autre aspect.
La simple construction de briques est remplacée par le
monument qui symbolise pour nous l'ancienne Égypte, la
pyramide. On avait bien remarqué que le mur le plus épais
ne pouvait assurer à la longue aucune protection à la
dépouille royale, car les trésors que l'on avait déposés
auprès du roi présentaient une trop grande tentation aux
pilleurs de tombeaux, qui ne manquaient certes pas en
Égypte. Il fallait donc construire une tombe si gigantesque
et en matériaux si solides que les voleurs ne pussent, à
vues humaines, la violer. La pyramide n'est donc rien
d'autre qu'une masse de pierres dont le seul but est de
protéger le corps du roi, soit que celui-ci fût enterré dans
le sous-sol rocheux, soit qu'il fût enseveli dans une chambre
funéraire ménagée à l'intérieur de la maçonnerie. C'est le
roi Djeser (vers 2800 av. J.-C. ou plus tôt) qui, semble-t-il,
a élevé la première construction de ce genre, la Pyramide
à degrés. Nous savons qui en fut le constructeur : c'est
le vizir I·m·hotep, vénéré par les générations suivantes
comme un grand architecte et également comme un sage.
A l'époque grecque, il eut même le privilège de passer pour
un dieu guérisseur au même titre qu'Asclépios. Il n'ima-

ginait certainement pas, en élevant la pyramide de son
roi, que, trente siècles plus tard, il serait l'objet d'une telle
vénération.

Comme on fermait, au moyen de blocs de granit, après
les funérailles, les chambres étroites dans lesquelles repo-
saient les dépouilles royales, il était impossible d'apporter
aux rois des offrandes solides et liquides, dont ils avaient
autant besoin que les autres morts. On construisait donc
devant chaque pyramide un grand édifice que nous appelons aujourd'hui le temple funé-
raire. C'est là que l'on présentait
au roi les offrandes alimentaires,
et c'est là également que se déroulaient les cérémonies tradition-
nelles que l'on croyait profitables
au salut du défunt.

Environ un siècle après Djeser
régnèrent les trois rois qui édi-
fièrent les grandes pyramides
de Gizeh : Khéops, Khephren et
Mykérinos, ainsi que les appellent les Grecs. Les deux plus
grandes, celle de Khéops et celle
de Khephren, dépassaient cent
quarante mètres de haut et leur
base carrée mesurait deux cent

Fig. 29. — Le sage
I·m·hotep.

trente mètres de côté. Il faut donc se représenter une
surface de plus de cinquante mille mètres carrés, sur
laquelle s'élève un édifice qui rivalise de hauteur avec nos
cathédrales les plus élevées. On a calculé que les blocs de
pierre qui ont servi à la construction de la pyramide de
Khéops ne mesurent pas moins de deux millions de mètres
cubes. Cette masse énorme de pierre a été taillée et ame-
née sur place par la main de l'homme. Le seul moyen dont
on disposât pour mettre chaque bloc à l'endroit qui lui

était destiné était la rampe en briques crues que l'on
exhaussait et étendait à mesure que l'édifice s'élevait.

Mais comment une construction aussi gigantesque, dont
l'érection durait plusieurs dizaines d'années, pouvait-elle
être achevée, telle que son bâtisseur l'avait projetée ?
Aucun roi ne pouvait compter sur une existence assez
longue pour voir la fin d'une telle entreprise. Et s'il la
laissait inachevée, pouvait-il supposer que son successeur, obéissant à un sentiment de piété, la terminerait ?
En effet, celui-ci n'avait-il pas à s'occuper de sa propre
pyramide ? L'énigme se résout très simplement. Chaque
souverain commençait par élever une pyramide de petites
dimensions, dont les proportions lui permettaient d'espérer en voir l'achèvement de son vivant. Au cours du
règne le projet pouvait être amplifié ; et s'il était accordé
au roi d'avoir une longue existence, le projet pouvait être
amplifié encore une fois. Ainsi, l'on peut distinguer encore
trois projets dans la pyramide de Khéops. Dans le premier,
la chambre funéraire se trouvait dans le sous-sol rocheux ;
dans le deuxième, la chambre se trouvait déjà dans la
maçonnerie de la pyramide ; dans le troisième et définitif,
elle se trouvait encore plus haut. Devant chaque pyramide,
il y avait, comme nous l'avons déjà dit, son temple
funéraire, autre bâtiment imposant. En montant de
la vallée vers la pyramide de Khephren, on commençait par traverser une entrée monumentale, de plan carré,
ne mesurant pas moins de quarante-sept mètres de côté
et construite dans les matériaux les plus précieux : granit
rose et albâtre. Cet édifice était dépourvu de tout ornement, statues du roi mises à part. De là partait une longue
chaussée ascendante conduisant au plateau désertique
où se dressait le temple funéraire proprement dit, lui
aussi orné seulement de statues du roi. Dans sa cour
se rassemblait sans doute, aux jours de fête, la foule
montée par la chaussée en cortège solennel. Cette foule ne

prenait sans doute pas part aux cérémonies et aux sacrifices, qu'accomplissaient les prêtres funéraires du roi dans
la partie du temple adossée à la pyramide. A côté des
grandes pyramides et de leurs temples funéraires se dresse
encore dans la nécropole de Gizeh un quatrième monument imposant, le Sphinx, dont la célébrité ne le cède
guère à celle des autres. Le Sphinx n'a en réalité aucun
rapport avec les pyramides; ce n'est d'ailleurs pas un
monument fait de main d'homme; c'est un rocher naturel, comme il s'en rencontre fréquemment dans cette
région du désert. Le roi Khephren ou son architecte se
seront dit que ce rocher informe, situé à proximité de
l'entrée monumentale et de la chaussée, gênait à l'har-
monie de l'ensemble architectural. Il y avait moyen d'y
remédier en taillant dans la pointe du rocher une tête
royale et en ajoutant devant le rocher deux pattes de lion
en maçonnerie. On obtiendrait ainsi un lion à tête royale,
autrement dit la figure symbolisant aux yeux des Égyptiens la dignité royale.

C'est ainsi que vit le jour ce merveilleux monument, qui,
par ses dimensions énormes — il a soixante-treize mètres
de long et vingt mètres de haut, — et par sa situation
dans le désert, laisse une profonde impression malgré le
voisinage des pyramides.

Les rois bâtisseurs des grandes pyramides furent suivis
d'une douzaine de pharaons constituant la Ve et la VIe dynasties (2560-2270 av. J.-C. ou plus tôt). Parmi eux se
trouvaient certainement des souverains puissants, mais
aucun d'entre eux n'a construit dans ce style gigantesque,
où toute ornementation était évitée et qui s'imposait par
la masse seule. Assurément, on devait être las d'une exagération aussi excessive. Par la suite, les plus grandes
pyramides ne dépassent pas cinquante mètres de hauteur
et les murs des temples funéraires s'ornent de bas-reliefs.
Que n'a-t-on représenté dans ces vastes ensembles, dans

le temple funéraire lui-même, dans son entrée monumentale et dans le long couloir ascendant qui les réunit ! Nous
voyons, par exemple, dans le temple funéraire du roi
Sahou·rê (env. 2550 av. J.-C.) des dieux et des déesses
gratifiant de vie le souverain, et la déesse Nekhbet présentant le sein au jeune roi qui se tient debout devant elle.
De longues files de sujets lui apportent des offrandes sous
la conduite des dieux de leurs nomes. La flotte maritime
du souverain se rend dans un pays d'Asie et en rapporte
toute sorte de butin, parmi lequel on vòit également des
ours et des prisonniers. L'équipage salue le roi qui les
attend sur le rivage et les-prisonniers doivent en faire
autant (fig. 30). Une autre expédition fut envoyée, semble-
t-il, contre les Libyens habitant à l'ouest de l'Égypte ;
nous voyons le roi assommant leur prince en présence des
dieux qui, suivant la croyance égyptienne, gouvernent les
Libyens. Le tableau montre aussi de nombreux prisonniers
se lamentant ; le butin rapporté par l'armée de Sahou·rê
est prodigieux :

      123.440 pièces de gros bétail
      223.400 ânes
      232.413 chèvres
      243.688 moutons.

Ce sont là des nombres impressionnants, mais les Libyens étaient un peuple nomade dont la richesse consis-
tait en bestiaux. D'autres tableaux représentent la vie
privée du roi, la remise de précieux ornements en or à ses
fidèles ; d'autres nous montrent la splendide barque officielle sur laquelle le roi parcourt le pays. Ailleurs, nous le
voyons dans les marécages, monté sur un frêle esquif et se
livrant parmi les fourrés de papyrus à la chasse aux oiseaux
et à la pêche. Nous assistons également à une chasse dans
le désert ; l'endroit est entouré de filets et les rabatteurs
traquent le gibier au moyen de gourdins et de lassos et le
poussent à l'intérieur de cette enceinte. Le roi se tient

Fig. 30. — Navire rentrant d'une expédition (Temple funéraire de Sahou-rê).

Fig. 31. — Fragment d'une scène de chasse (Temple funéraire de Sahou-rê).

au dehors, accompagné des plus hauts personnages de sa
cour et lance sans arrêt ses traits contre les animaux qui
cherchent en vain à s'enfuir (fig. 31). Le calme ne règne
plus qu'à un seul endroit : là, une gazelle dort paisiblement
et une gerboise disparaît dans son trou.

Outre leurs temples funéraires, les rois de la Ve dynastie (2560-2420 av. J.-C. ou avant) élevèrent d'autres
temples sur le même territoire désertique. Ces souverains
descendaient, ainsi que le raconte la légende (cf. p. 125),
d'un grand prêtre du dieu du soleil et chacun d'eux tint
à édifier non loin de sa résidence un temple particulier en
l'honneur de ce dieu. Ces sanctuaires reçurent de beaux
noms comme « Siège-favori-de-Rê », « Joie-de-Rê », « Satis-
faction-de-Rê », et les nobles de la cour avaient le droit
d'y remplir les fonctions de prêtres. Ces sanctuaires étaient
construits sur le modèle du temple solaire d'Héliopolis ;
au fond d'une cour s'élevait une construction ressemblant
à un obélisque. Pareillement aux temples funéraires, les
temples solaires étaient ornés de nombreux bas-reliefs.
Si certains tableaux figuraient toutes sortes de cérémonies
à la représentation desquelles ne pouvaient prendre plaisir
que des Égyptiens pieux, d'autres réjouissent d'autant
mieux nos regards. Nous y voyons représenté tout ce qui,
grâce au gouvernement bienfaisant du dieu du soleil, prospère sur terre. Les scènes se succèdent dans l'ordre des
saisons et celles-ci, personnifiées par une déesse, apportent
en offrande au dieu du soleil l'ensemble de leurs produits.
Voici toutes les espèces de céréales, toutes les variétés
d'arbres et de plantes : ailleurs les oiseaux voltigent ou
couvent leurs œufs dans le nid, les poissons nagent dans
l'eau, les bêtes s'accouplent et mettent bas. Quant aux
hommes, ils se livrent à leurs occupations ; ils sèment et
fauchent, ils cueillent des figues, ils pêchent au filet et à
la nasse, prennent des oiseaux, construisent des bateaux,
brassent la bière, recueillent le miel, font paître les trou-

peaux et chassent le gibier. Bref, c'est toute la création du
dieu suprême que font défiler devant nous ces tableaux
charmants.

La plupart des temples funéraires et des temples solaires sont aujourd'hui entièrement détruits. N'offraient-
ils pas aux chaufourniers de la ville voisine de Memphis
d'excellents matériaux pour leur travail ? Comme ces constructions de rois oubliés depuis longtemps ne revêtaient
plus aucun caractère sacré qui pût les protéger, ils prirent
bloc par bloc, au cours des siècles qui suivirent, le chemin
des fours à chaux. Subsiste-t-il de l'un ou de l'autre de ces
temples encore tant de fragments, ils le doivent à des circonstances fortuites. Ainsi, sous le Nouvel-Empire, une
statue de la déesse léontocéphale de la guerre, Sekhmet,
avait acquis parmi les gens du voisinage le renom d'opérer
des miracles. On se rendait auprès d'elle en pèlerinage
et de petites tablettes votives nous sont parvenues, témoignant que Sekhmet de Sahou·rê avait exaucé les prières
de ceux qui lui avaient demandé secours. C'est à cette
croyance que nous devons de posséder du moins quelques
vestiges de ce splendide édifice.

Textes des Pyramides

Avec le dernier roi de la Ve dynastie apparaît quelque
chose de nouveau dans les pyramides de Memphis. Si l'on
avait soigneusement évité jusque-là de mettre des inscriptions dans les pyramides elles-mêmes, il en fut tout
autrement à partir du roi Ounas (Onnos). Désormais,
toutes les parois de leurs couloirs et de leurs chambres sont
couvertes d'inscriptions, parfois fort longues. Toutefois,
si quelqu'un s'avise de chercher dans ces « Textes des Pyramides », ainsi qu'on les appelle, des détails sur l'existence
et le sort des souverains par qui et pour qui elles ont été
élevées, il sera profondément déçu. S'il ignore qui fut le

roi Ounas et le roi Pepi (Phiops), il ne l'apprendra pas en déchiffrant ces inscriptions. En effet, celles-ci ne contiennent rien sinon d'interminables formules qui, lorsque le souverain défunt les récitait, devaient contribuer à son salut. Aussi prenait-on la précaution de les lui graver dans sa pyramide. Ces Textes des Pyramides ont cependant une valeur toute particulière à nos yeux ; car, s'ils ne nous apprennent rien sur l'Égypte de l'Ancien-Empire, ils nous informent en revanche d'autant mieux sur des temps bien antérieurs à l'Ancien-Empire. Lorsque ces formules furent écrites dans les pyramides, elles appartenaient déjà depuis fort longtemps au patrimoine populaire et depuis des générations leurs rois défunts en furent sans doute gratifiés.

Dans la plupart de ces formules, il est fait allusion au fait que le roi défunt ne doit pas séjourner comme les autres mortels dans le sombre monde inférieur ; il lui est accordé de monter au ciel et de demeurer auprès du dieu du soleil, que ce soit sur la barque de celui-ci ou dans le champ des bienheureux. On lit par exemple : « Celui qui vole, il vole ! Il s'envole loin de vous, ô humains ! Il n'est plus sur la terre, il est au ciel... Il s'est élancé au ciel sous forme de héron, il a baisé le ciel sous forme de faucon, il a sauté au ciel sous forme de sauterelle. » Ou bien on s'adresse en ces termes aux dieux du ciel : « Éveillez-vous, vous qui dormez, éveillez-vous... devant le grand oiseau qui s'élève du Nil et devant le dieu chacal qui surgit des tamarisques. » L'oiseau et le chacal sont évidemment le roi défunt qui effraie les dieux lorsqu'il apparaît au ciel. Et ce n'est pas sans raison que les dieux s'effraient, car leur nouveau compagnon est plus puissant qu'eux : « Il conquiert le ciel et il en fend l'airain. » Il peut arriver quelque chose de plus terrible encore : le nouveau dieu est capable d'engloutir les anciens dieux. « Le ciel se couvre de nuages, il pleut des étoiles..., les os du dieu de la terre tremblent... lorsqu'ils le voient, ce dieu, qui vit de ses pères et dévore ses mères. Il est aussi splendide au ciel et aussi fort à l'horizon que son père, le dieu du soleil Atoum, qui l'a engendré plus fort que lui-même. Il est celui qui dévore les hommes et se nourrit des dieux. » D'ailleurs, il ne manque pas de serviteurs divins pour lui apporter et pour lui apprêter cette nourriture de cannibale. « Le dieu du pressoir les lui dépèce et lui en apprête une partie dans ses chaudières du soir. C'est lui qui mange leur pouvoir magique et qui avale leur gloire. Les grands d'entre eux forment son repas du matin, les moyens son goûter et les petits son repas du soir. Les vieux et les vieilles parmi eux, il s'en sert pour rôtir... » Ici, nous plongeons vraiment notre regard dans les temps les plus reculés de l'Égypte, époque où le cannibalisme des peuples primitifs n'était pas encore oublié.

Mais le nouveau dieu se nourrit aussi d'aliments moins sauvages : « Eh bien, où vas-tu donc, mon fils ? — Il se rend auprès des dieux qui sont au ciel et il partage leur pain. » « Eh bien, où vas-tu donc, mon fils, toi, le roi ? — Il se rend auprès de ces deux mères à lui, les deux déesses vautours, aux longs cheveux et aux seins gonflés, qui se trouvent sur la montagne Sehseh. Elles portent leur sein à sa bouche et elles ne le sèvreront jamais. »

On compare aussi le roi à Osiris, le dieu mort et res-suscité, et on lui affirme qu'il ne manque rien à son corps : « Tu as ton cœur, Osiris ; tu as tes bras, Osiris. » Il possède son propre cœur, ses propres pieds, il a ses propres bras. Des ennemis voudraient-ils ravir au roi défunt son souffle et ses aliments, il est plus fort qu'eux et il leur infligera un châtiment terrible. « Leurs cœurs s'effondrent à l'approche de ses doigts, leurs entrailles appartiennent (aux oiseaux) du ciel, leur sang (aux animaux) de la terre. Leurs héritiers tombent dans la misère, leurs maisons dans le délabrement. » Et si des serpents, à juste titre fort redoutés en Égypte, venaient à menacer le mort, les Textes des Pyramides opposent à leurs tentatives toutes sortes de formules magiques.

CHAPITRE X

LES TOMBEAUX DES NOBLES
SOUS L'ANCIEN-EMPIRE

Les rois de la plus haute époque entraînaient avec eux dans la mort — nous l'avons vu au chapitre ix — leur entourage, leurs femmes, leurs serviteurs, leurs nains et leurs chiens. La période plus civilisée de l'Ancien-Empire avait certainement aboli cette coutume barbare et, si le souverain désirait avoir autour de lui ses fidèles, il leur donnait la permission de s'aménager eux-mêmes leurs tombeaux non loin de sa pyramide. Ainsi donc, chaque pyramide se trouve entourée des tombeaux des nobles, constructions elles aussi d'une grandeur souvent considérable, mais minuscules à côté de la sépulture gigantesque du roi. Ce sont là les tombes que nous désignons du nom arabe de « mastaba » (banc). Grâce aux bas-reliefs et aux inscriptions qu'elles contiennent, publiés pour la première fois par Lepsius et Mariette, nous avons aujourd'hui devant les yeux un tableau extrêmement vivant de l'Ancien-Empire.

En fait, le mastaba n'est lui aussi qu'un amas de pierres, que l'on a rassemblées au-dessus de la tombe proprement dite. Le cadavre repose dans une petite chambre creusée dans le rocher et à laquelle conduit un puits. Après l'enterrement, on comble ce puits avec des cailloux de tout acabit et l'on élève par-dessus le tas de pierre. On revêt celui-ci de pierre de taille et le tombeau prend ainsi l'aspect d'un édifice régulier. Ces sépultures, souvent d'une grandeur remarquable, n'ont d'autre but que de protéger le cadavre. Mais cette protection ne suffit pas à assurer le bien-être du disparu ; il doit recevoir aussi des aliments et des boissons et il faut accomplir pour lui les usages qu'exige la tradition. A cet effet doit être prévu sur le

lieu de la sépulture un endroit spécial, soit en dehors du
tombeau, soit dans une chambre ménagée à l'intérieur de
celui-ci. C'est là que se place la table d'offrandes en pierre
sur laquelle seront déposés les aliments. Derrière elle
se dresse, encastrée dans le mur, une dalle de pierre
ayant la forme d'une porte. On croit que c'est par cette
porte (nous l'appelons « fausse-porte ») que le mort « sor-
tira à la voix » de ses survivants. A l'abri des regards, il se ré-
galera ensuite des aliments qui auront été déposés pour
lui, il prendra plaisir aux rites accomplis et aux paroles
prononcées pour lui dans un esprit de profonde piété.

Telle est la destination proprement dite de la chambre
funéraire ; mais ce ne fut pas toujours la seule et nous
avons tout lieu de nous en réjouir. Des tableaux et des
inscriptions qui n'ont que très peu de rapports avec cette
destination en décorent les murs. Voici, par exemple, la
chambre funéraire du premier capitaine des chasses Meten,
l'un des trésors du Musée de Berlin. Meten vivait sous le
règne du roi Snefrou (vers 2750 av. J.-C. ou avant), prédécesseur de Khéops ; aussi les tableaux de la chambre
funéraire ont-ils quelque chose de simple et d'archaïque.
Ils nous montrent des paysans et des paysannes apportant des présents provenant des domaines du défunt. Des
serviteurs apportent de la toile, des sandales, de l'huile,
des coffrets et de l'eau, toutes choses dont le mort a besoin.
Sur l'un des bas-reliefs, nous voyons Meten assister à la
chasse en qualité d' « intendant du désert ». Ses lévriers
saisissent des gazelles et des bouquetins, sans toucher
aux petits animaux du désert, hérissons, gerboises et
lièvres. L'existence de Meten se passa vraisemblablement
sous le signe du succès : il nous raconte comment il se distingua au cours de sa carrière de fonctionnaire. Il administra plusieurs nomes dans le Delta et fut aussi grand-
prêtre de la ville de Létopolis, située dans la même région.
Ce n'est pas sans fierté qu'il nous parle de sa maison, lon-

gue de deux cents coudées et large d'autant. Il l'avait
édifiée au milieu d'un beau jardin, dans lequel il avait
aménagé une pièce d'eau. Ce jardin contenait de nombreux
figuiers et plants de vigne et l'on y faisait du vin en
quantité. La statue aussi de Meten fut retrouvée dans
son tombeau, plus précisément dans une étroite chambre
située, comme dans beaucoup de mastabas, à côté de la
chambre funéraire. Cette chambre est reliée à cette dernière par le moyen d'une fente et, lorsqu'il plaît à l'âme
du défunt de se poser sur sa statue, elle respire le parfum
de l'encens et celui des offrandes alimentaires et entend
tout ce qui se passe dans la chambre. Une autre chambre
funéraire du Musée de Berlin appartient à un prince du
nom de Mer·ib, fils du roi Khéops (vers 2690 av. J.-C. ou
avant). Il était trésorier royal, et comme il lui incombait,
en cette qualité, de se procurer les trésors destinés au roi,
il avait aussi la direction de ses bateaux. C'est pour cette
raison qu'il se fit également représenter dans le tombeau
en train de voyager en bateau à voile ou en barque à rames,
assisté de timoniers et de pilotes. A vrai dire, il n'apparaît plus dans ces tableaux en train d'accomplir un voyage
terrestre, mais il se rend, en sa nouvelle patrie, le ciel, au
« Champ des aliments », le champ des morts bienheureux.
Au-dessus de la porte de la chambre sont énumérées en
grande écriture les fêtes à l'occasion desquelles des offrandes doivent être présentées au défunt. A l'entrée,
Mer·ib en personne fixe les yeux sur le visiteur et sur les
richesses, qui lui sont apportées dans la tombe : tissus,
encens, fards et onguents. Il considère également l'offrande
funéraire que lui apportent les gens du palais. Un scribe
lui en présente la liste, portant les chiffres de quantités
prodigieuses de pain, de bière, de bœufs, de gazelles et
d'oies. Dans ces tableaux, Mer·ib est aussi entouré de ses
enfants. Une petite fille, une fleur à la main, se tient à son
bâton, tandis qu'un garçon, Mer·ib junior, est déjà scribe.

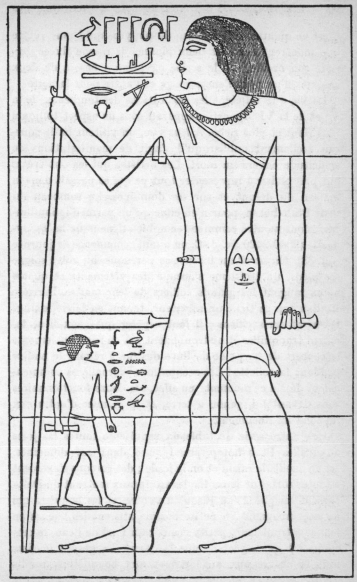

Fig. 32. — Mer·ib et son fils, le petit scribe Mer·ib.

C'est ce qu'atteste le rouleau de papyrus qu'il porte et ce que montrent aussi les deux plumes de roseau fixées derrière son oreille, car le scribe égyptien a besoin de deux calames, l'un pour l'encre rouge et l'autre pour la noire.

La vie que reflètent les décorations des tombeaux de la Ve et de la VIe dynasties apparaît sous un aspect toujours plus riant et plus riche. A leur vue, un visiteur hâtif pourrait réellement oublier qu'il s'agit de manifestations de sollicitude envers un mort. Les artistes qui les ont créées ont pris plaisir à représenter tout ce qui se passait dans la maison du défunt et sur ses domaines. Le tombeau du vizir Ptah·hotep, pour n'en citer qu'un parmi d'innombrables, nous montre comment ce noble seigneur de la Ve dynastie (2560-2420 av. J.-C. ou avant) commence sa journée (fig. 33). Un serviteur lui met sa perruque, un autre soigne ses pieds, un troisième s'occupe des vêtements et quatre nains rangent les grands colliers de leur maître. Derrière Ptah·hotep se tient un serviteur, tenant en laisse le singe favori et trois chiens ; il faut espérer que ceux-ci se tenaient tranquilles et ne troublaient pas de leurs aboiements le concert de harpe et de flûte destiné à réjouir le maître pendant la toilette ! Les occupations journalières commençaient déjà à ce moment ; en effet, ses douze fonctionnaires sont devant lui, genou à terre, et le premier d'entre eux lui tend un document.

Une autre série de tableaux représente toutes les joies auxquelles Ptah·hotep prend part dans ses domaines. Ici on cueille le raisin et on le foule ; des garçons s'exercent à toutes sortes de jeux. Là, les troupeaux rentrant du Delta passent un gué, l'eau jusqu'au ventre, et les bouviers qui les accompagnent en petite barque attirent les vaches en leur montrant leurs petits veaux : au fond de l'eau, le crocodile est aux aguets. Dans le désert, les grands lévriers font la chasse aux antilopes et aux bouquetins, tandis qu'un hérisson s'est mis lui aussi en campagne et a capturé

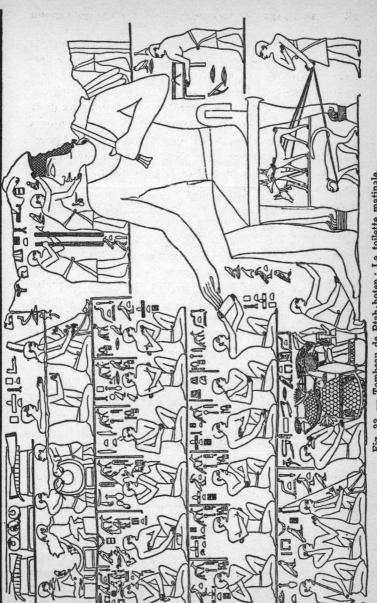

Fig. 33. — Tombeau de Ptah·hotep : La toilette matinale.

une sauterelle. Le produit de la chasse est ensuite apporté
devant le maître et ce ne sont pas qu'antilopes, gazelles et
lièvres, mais on a capturé aussi deux lions que l'on amène
dans des cages. Un autre tableau nous conduit dans les
marécages ; on y ouvre et dessèche le poisson et l'on attache
ensemble des roseaux de papyrus pour en confectionner de
légères embarcations (fig. 34). On tend aussi un grand filet
pour la prise des oiseaux aquatiques (fig. 35). Un homme
annonce que les volatiles se sont rassemblés sous le filet ;
à ce signal, ses compagnons tirent sur une corde, pour
refermer le filet, avec tant de force qu'ils sont finalement
étendus de tout leur long sur le dos ; on sort ensuite les
oiseaux du filet et on les enferme dans des cages.

Ailleurs, des bateliers qui voulaient se dépasser en viennent aux mains et se frappent sans pitié. Derrière ces barques et leurs scènes de luttes et de bagarres s'avance une
petite nacelle, où tout se passe le plus calmement du
monde. On y voit un vieil homme assis, en train de prendre
un repas copieux : des figues, une oie et une coupe à couvercle sont placés devant lui ; il y a aussi de grandes am-
phores ; un jeune garçon le sert et lui tend précisément un
vase duquel le vieillard semble boire à longs traits. Qui
donc est ce vieux au visage jovial et rustique et au crâne
marqué par une calvitie naissante ? Ses traits ne sont-ils
pas tout différents de ceux des gens qui l'entourent ? La
réponse nous est fournie par le texte qui accompagne le
tableau : nous nous trouvons en présence du sculpteur en
chef Ptah·ânkh·ni, « à qui Ptah·hotep a fait des présents,
lui qui l'aimait et l'entourait de vénération ». Le petit
tableau nous montre donc sans aucun doute l'artiste qui
créa les beaux reliefs de ce tombeau ; il fut autorisé à s'y
représenter lui-même et à transmettre ainsi son image à
la postérité (fig. 36), usage qui se retrouve d'ailleurs dans
d'autres décorations de tombeaux égyptiens.

Ainsi que nous l'avons relevé déjà, toutes ces repré-

Fig. 34. — Tombeau de Ptah-hotep : Le ficelage des barques de papyrus.

Fig. 35. — Tombeau de Ptah-hotep : La chasse au filet.

sentations des tombeaux de la fin de l'Ancien-Empire
n'ont rien de très commun avec le caractère sérieux d'une
sépulture, et les sculpteurs qui les ont créées tout comme
les nobles qui les ont commandées ont assurément songé
davantage au monde terrestre empreint de sérénité qu'au
royaume des morts. Non seulement les tableaux accusent
ce caractère, mais les inscriptions qui les accompagnent
reflètent le même esprit. Partout se lit en quels termes
s'interpellent les ouvriers, ainsi qu'on pouvait l'entendre
n'importe où dans la vie. Une femme occupée à moudre du
blé exhorte sa compagne en lui disant : « Mouds bien »,
et celle-ci la rassure : « Mais je mouds si fort que je peux ! »
— Au marché figuré sur un autre tableau, on entend les
boniments des marchands : « Voyez le délicieux gâteau » —
« voyez la solide sandale ! » Un acheteur demande : « Que
coûte l'huile ? », et dans un autre débat touchant le prix
d'une marchandise tombe la remarque : « C'est trop peu ! »
— Les gens qui attachent les barques de papyrus sont à
court de cordes et un ouvrier appelle son garçon : «Sobek·
kaï, apporte-moi des cordes ! » Mais le jeune homme n'apporte que deux petites ficelles (fig. 34) et dit dans sa bêtise :
« Père, prends cette corde. ».

Lorsque les pêcheurs retirent le filet, nous les entendons
s'émerveiller : « Quelle quantité de poissons là-dedans,
quel coup de filet, quelle prise ! » Deux ouvriers de campagne sont à traire en secret une vache à leur profit, et
l'un dit à son compagnon : « Trais, fais vite, avant que ce
berger n'arrive. »

Toutes sortes de coupables sont amenés pour le règle-
ment de leur compte et gémissent : « Ma conscience est en
règle, qu'ai-je fait ? », mais on leur répond : « Parle et ne
dissimule rien ! » Un individu particulièrement coupable
doit entendre les mots suivants : « Criminel à l'égard de
ton maître, objet d'horreur de ta maîtresse, toi qui es exécré de l'administration de ton maître ! »

Les porteurs chargés de la litière de leur maître chantent : « Nous préférons que la litière soit pleine, plutôt que vide » ou encore : « Nous sommes contents, elle est mieux pleine que vide. »

Les traits d'esprit ne manquent pas dans ces légendes, encore que nous ne les comprenions pas toujours bien. Ainsi, l'un des ouvriers qui préparent un bâton pour leur maître, dit : « Voici le bâton, qui servira à m'oindre », et cela signifie certainement : le bâton avec lequel le maître

Fig. 36. — Tombeau de Ptah-hotep : Le sculpteur du tombeau dans sa barque.

me frappera. — Parmi les mariniers qui se battent, l'un crie à son compagnon : « Ouvre-lui donc la boîte », c'est-à-dire défonce-lui le crâne. — Et quand, après l'inondation, les bergers conduisent leurs troupeaux de brebis dans le limon, pour qu'ils y enfoncent les semences au moyen de leurs sabots, ils se raillent eux-mêmes de patauger parmi les flaques d'eau, où en réalité il devrait y avoir encore des poissons, et ils chantent : « Le berger est dans l'eau, en compagnie des poissons. Il parle avec le silure et demande : « Comment se portent les poissons ? »

C'est un monde rempli de joie que nous révèlent aujourd'hui, après quatre mille cinq cents ans, les parois de
ces tombeaux et qui enchante notre vue ; nous ne pouvons
douter que les Égyptiens aient éprouvé la même joie que
nous à ces décorations. Elles n'étaient plus réservées aux
quelques survivants, qui apportaient leurs offrandes au
défunt dans l'étroite chambre funéraire, mais elles devaient
réjouir un grand cercle de parents et d'amis. C'est la raison
pour laquelle les chambres du tombeau se multiplièrent
au point que finalement la simple chambre funéraire fut
remplacée par une enfilade de salles. Le tombeau de Mere-
rou·ka, vizir du roi Pepi Ier (Phiops), ne compte, en effet,
pas moins de trente et une chambres. Nous ne nous mépren-
drons sans doute pas en imaginant que se déroulaient dans
cet édifice, comme l'usage s'en retrouve plus tard en Égypte,
des fêtes et des banquets en l'honneur du disparu.

CHAPITRE XI

LES GRANDS SOUS L'ANCIEN-EMPIRE

On s'attendrait à trouver dans les inscriptions des tombeaux des princes et des nobles enterrés autour des pyramides le récit des hauts faits qui marquèrent l'existence de leurs propriétaires. Mais ce n'est pas le cas et, en règle générale, elles ne nous apprennent rien d'autre que leurs noms, leurs dignités et leurs beaux titres. Quelquefois, cependant, nous avons le bonheur de rencontrer une inscription nous révélant un peu mieux le côté humain des personnages qui reposent dans cette nécropole. Ainsi, par exemple, le médecin en chef du roi Sahou·rê, Ni·ânkh·sekhmet, nous raconte : J'avais exprimé devant Sa Majesté que son esprit aimé de Rê voulût bien ordonner que l'on me donnât pour ce mien tombeau dans la nécropole une fausse-porte en pierre. Alors Sa Majesté me fit venir une fausse-porte de la carrière de Toura. Elle fut apportée devant le roi, et les artistes les plus éminents de la cour y travaillèrent en présence du roi. Le travail avançait ; le roi en faisait chaque jour l'inspection, et il fit peindre l'inscription en précieuse couleur bleue. Cependant, cette générosité du roi était bien fondée, car Sa Majesté dit : « Ce mien nez, qu'aiment les dieux, est en bonne santé », ce qui signifie, suivant la manière de s'exprimer des Égyptiens : « Je respire et je vis, et c'est à toi que je le dois. » Et le roi dit ensuite : « Un grand âge puisse-t-il t'être accordé à toi aussi. » Je remerciai le roi, qui connaît tous les désirs de son entourage. — Telle est l'opinion du médecin attaché à la personne du roi et c'est avec peine qu'il aurait supposé que Mariette, lorsqu'après des millénaires il mit au jour le tombeau, s'étonnerait de la pauvreté de la sépulture, laquelle ne correspondait aucunement à la splendeur de la fausse-porte.

L'inscription de Ptah·shepses, qui fut grand prêtre de Memphis, nous conduit dans un milieu plus noble et plus fortuné. Ce personnage naquit au temps de Mykérinos (2600 av. J.-C. ou avant) et fut élevé sous le règne de ce souverain et de Shepses·kaf, son successeur, dans le harem du roi. Il fut « plus honoré » des deux souverains « que tout autre enfant et que tout autre jeune homme ». Le roi Shepses·kaf lui donna même sa fille Maât·khâ en mariage, car Sa Majesté préféra qu'elle vécût avec lui plutôt qu'avec tout autre homme. Il fut également entouré d'honneur sous la Vᵉ dynastie. Il devint grand prêtre de Memphis et lorsque le roi montait en bateau, c'est à lui qu'incombait sa garde ; dans des circonstances où d'autres devaient baiser le sol devant le roi, Sa Majesté permit qu'il lui baisât le pied.

Pendant trois siècles, l'usage voulut que des personnages de haut rang fussent ensevelis dans le voisinage de la pyramide du roi. Mais vers la fin de l'Ancien-Empire, nous rencontrons aussi des tombeaux de grands dignitaires loin de la capitale.

Les uns construisent leur tombeau à Abydos, en Moyenne-Égypte, espérant que ce lieu saint du dieu des morts Osiris leur sera une source de bénédiction. D'autres se font enterrer dans le nome où est établie leur famille ; ils se contentent alors d'une tombe rupestre, chambre taillée au flanc de la montagne. Ces sépultures provinciales ne peuvent se comparer, pour la richesse de leur ornementation, aux tombes contemporaines de Memphis, mais leurs inscriptions nous rapportent bien des détails des hauts faits de leurs occupants.

LES EXPLOITS D'OUNI

A Abydos se trouve la modeste tombe, en forme de mastaba, d'un homme qui portait le nom d'Ouni. Une petite

chambre d'offrande y est adossée ; un bloc unique lui sert
de paroi de fond ; il porte une longue inscription racontant
la vie, riche en exploits, d'Ouni. Né sous le règne de Teti
(vers 2400 av. J.-C. ou avant), il commença très tôt sa
carrière comme fonctionnaire subalterne. Sous le règne de
Pepi Ier (vers 2375 av. J.-C. ou avant), il fut attaché en
qualité de prêtre d'une classe plus élevée à la pyramide
de celui-ci, il obtint le « rang d'un ami » et une fonction de
juge. Le souverain n'avait-il pas mis en lui plus de confiance qu'en aucun autre de ses serviteurs ? Aussi était-il
autorisé, et lui seul, à mener les plus secrètes délibérations
avec le juge suprême, même dans le harem du roi, car, dit-il,
« Sa Majesté avait plus grande confiance en moi qu'en
tous ses princes, tous ses nobles et tous ses serviteurs. »
Cette confiance s'exprima aussi par un présent du roi ; Pepi,
en effet, lui offrit un sarcophage en bon calcaire de Toura ;
ce sarcophage fut amené, avec une table d'offrandes et
d'autres parties du tombeau, sur le chaland royal ; « jamais
encore chose semblable n'avait été faite pour un serviteur
du roi ».

Alors survint un événement curieux dans l'existence
d'Ouni. Une instruction fut ouverte, dans le harem du roi,
contre la grande épouse royale Iamtès ; ni le juge suprême,
ni aucun des princes, ne furent autorisés à assister à cette
enquête. Seul Ouni, assisté d'un unique juge, rédigea le
procès-verbal, bien que cette opération ne rentrât nullement dans ses attributions, et « jamais auparavant » un
homme de sa condition n'avait été mis au courant des
secrets de la maison royale. Car, ainsi qu'Ouni le relève
constamment, le roi avait plus de plaisir à lui qu'à tous ses
serviteurs.

Mais de plus grands honneurs devaient échoir à Ouni,
car il fut chargé de conduire l'armée dans une grande
guerre : Sa Majesté combattit les habitants du sable, c'est-à-
dire les Bédouins. Sa Majesté leva une armée de plusieurs

dizaines de mille provenant de toutes les régions d'Égypte,
et même six tribus de Nubie obéirent à son appel et se joi-
gnirent à l'armée. C'est Ouni que le roi plaça à la tête de
cette armée. « Voici, les princes des nomes, les amis les
plus proches du roi, les chefs de toutes les villes de Haute
et de Basse-Égypte, les grands prêtres des temples, chacun
était à la tête de ses troupes. » Mais c'est Ouni qui commandait à tous, bien que sa situation ne lui en donnât point
le droit. Cependant, il fut exactement l'homme qu'il
fallait à ce poste, et il maintint l'armée entière en parfait
ordre. Nul ne fit du tort à son prochain, aucun n'enleva
au voyageur son pain ou ses sandales, aucun ne vola du
pain dans un village et personne ne déroba de chèvre à
personne. Ouni rassembla cette armée sur l' « île septentrionale » du Delta et en fit le dénombrement, ce que jamais
aucun serviteur n'avait fait jusque-là.

L'inscription d'Ouni nous fait ensuite le récit de la victoire de son armée, et cette description apparaît comme le
chant qui, autrefois, célébra cette victoire. Elle est conçue
en ces termes :

« Heureux fut le retour de cette armée, après qu'elle eut
saccagé le pays des habitants du sable.

« Heureux fut le retour de cette armée, après qu'elle eut
renversé ses fortifications.

« Heureux fut le retour de cette armée, après qu'elle eut
coupé ses plants de vigne et ses figuiers.

« Heureux fut le retour de cette armée, après qu'elle eut
tué plusieurs dizaines de mille.

« Heureux fut le retour de cette armée, après qu'elle eut
ramené une foule de prisonniers. »

Aussi le roi le récompensa-t-il infiniment.

A cinq reprises encore, le roi le renvoya au pays des habitants du désert, car ils ne cessaient de se révolter. Et tou-

jours Ouni mérita les louanges du souverain. Puis survint
une nouvelle guerre. Le bruit courut que des rebelles se
trouvaient parmi ces barbares dans le pays du « Nez de
Gazelle ». Ouni se rendit en bateau avec ses troupes et
aborda au nord du pays des habitants du désert. Lorsqu'il
eut amené l'armée sur la route de terre, il les battit tous
et il tua tous les rebelles. Nous ignorons où était situé le
pays du « Nez de Gazelle ». Mais il est hors de doute qu'il
s'agissait là d'une guerre menée contre la Palestine et ses
Bédouins. C'est le dernier exploit qu'Ouni accomplit sous
le règne du roi Pepi Ier. Alors commença, sous Mer·en·rê,
une nouvelle période de sa vie, période qui ne fut pas moins
remplie d'honneurs que la précédente. Le nouveau roi
l'éleva, lui qui jusque-là n'avait été qu'un fonctionnaire du
palais, au rang de prince et aux fonctions de gouverneur de
la Haute-Égypte tout entière. Cela aussi fut la marque
d'une confiance particulière de la part du nouveau souverain, car jamais auparavant cette dignité n'avait encore
été octroyée. Mais Ouni justifia cette confiance. Par deux
fois, il fit évaluer toutes les possessions de l'État et, par
deux fois également, enregistrer toutes les corvées dont
l'État avait le bénéfice ; « jamais chose semblable » n'avait
été faite en Haute-Égypte, et le roi le loua de tout ce qu'il
avait fait. La frontière méridionale de sa province lui
imposa des tâches particulières avec ses carrières, ses rapides et ses peuples nubiens limitrophes. Il raconte que Sa
Majesté l'avait envoyé à la carrière d'Ibhet, afin qu'il
en ramenât le sarcophage destiné à la pyramide du roi ;
il chercha en outre différents blocs aux carrières de granit
d'Éléphantine pour la construction de cette pyramide. Et
il se rendit à la pyramide avec douze chalands, escortés
d'un seul bateau de guerre. Cela aussi fut une chose
inouïe, et jamais encore, sous aucun autre roi, l'escorte
d'un seul bateau de guerre n'avait été suffisante pour
l'accomplissement des travaux dans ces carrières. Ouni

fut également envoyé aux carrières d'albâtre d'Hat·noub,
dans le désert de Haute-Égypte. Il en rapporta une grande
table d'offrande et il parvint à mener l'entreprise à chef
en dix-sept jours seulement. Durant ce court laps de
temps, il avait fait tailler la table, l'avait fait amener au
fleuve et charger sur un bateau de transport construit à
cet effet en acacia du désert. Il avait fallu se hâter, car on
était déjà au troisième mois de l'été, période de Nil bas.
Ouni réussit néanmoins à aborder avec son bateau non
loin de la pyramide, ainsi que le pharaon l'avait ordonné.

La dernière tâche que le roi Mer·en·rê imposa à Ouni
le ramena dans le territoire des cataractes. Il s'agissait
d'aménager cinq canaux dans les rapides du fleuve, c'est-à-
dire des passages permettant aux bateaux de franchir cet
obstacle naturel. On avait notamment construit avec le
bois d'acacia que les princes nubiens fournirent, des
bateaux qu'il fallut ensuite amener en Égypte. Ouni
parvint à mener à bien ces deux entreprises en une année.
Puis il rechargea les bateaux de granit provenant des
carrières locales pour la pyramide. Aujourd'hui encore,
nous possédons un témoignage de ces exploits d'Ouni,
car un rocher du territoire de la première cataracte nous
montre une image du roi Mer·en·rê auquel quatre princes
nubiens rendent leurs hommages. L'inscription qui accompagne le bas-relief porte la date où le roi, au cours de l'an V
de son règne, séjourna là en personne ; sans doute était-il
venu aussi pour inspecter les travaux d'Ouni.

Nous ignorons si Ouni a connu le règne du souverain suivant, le jeune Pepi II ; son inscription ne dit rien à ce
sujet. Quiconque est tenté de taxer d'exagération bien
des épisodes de la biographie d'Ouni doit reconnaître cependant qu'il accomplit une grande œuvre, dans ses fonctions
militaires et dans ses fonctions civiles. Mais comment
ne pas s'étonner de ce qu'il n'ait pas été enseveli, à l'instar
des grands de son temps, dans une splendide sépulture

à côté de la pyramide de son roi, qui cependant lui avait autrefois fait tant de merveilleux présents pour son tombeau ? Il est, au contraire, enterré à Abydos, dans le mastaba le plus simple, ayant pour unique ornement cette grande inscription. Il y a une raison certaine à ce fait, mais nous ne parvenons pas à en percer le mystère.

LES PRINCES D'ELÉPHANTINE

C'est à la même époque et à la même frontière méridionale d'Égypte, où Ouni fut aussi à l'œuvre vers la fin de sa vie, que nous reportent les inscriptions des tombes rupestres d'Éléphantine. Les nomarques qui y furent ensevelis avaient également la surveillance des pays limitrophes de Nubie. Aussi nous font-ils le récit de toutes sortes de dangereuses expéditions, qu'ils eurent à entreprendre sur les territoires de ces barbares. Ainsi, le prince Sabni avait appris que son père Mekhou était mort en Nubie. Il rassembla les troupes de son nome et se rendit avec elles en Nubie. Il avait emmené avec lui cent ânes, chargés de tout ce qui est nécessaire à l'embaumement d'un cadavre et, en plus, de présents pour les barbares. Il réussit à obtenir le cadavre de son père, il le chargea sur un âne et confectionna un cercueil pour l'y placer. Il parvint aussi à le ramener de Nubie. Ce fut un exploit dont Sabni informa aussi le roi et celui-ci le loua d'une action aussi admirable.

Her·khouf, un autre de ces princes, nous donne un récit plus détaillé de ses voyages dans les pays du Midi. La première expédition, entreprise encore aux côtés de son père, eut pour but le pays d'Iam. Sa tâche fut de reconnaître un chemin d'accès à ce pays ; elle fut menée à bien en sept mois. Il rapporta de là en Égypte, à la joie de son souverain, toutes sortes de trésors.

Le second voyage entrepris par Her·khouf dura huit mois. Il amena l'explorateur au pays d'Irtet, où celui-ci

acquit beaucoup d'objets précieux. Il établit son itinéraire
du retour à travers d'autres pays et il les explora également ;
ce fut un exploit tout à fait inouï.

Au cours de son troisième voyage qui le ramenait au pays
d'Iam, Her·khouf rencontra le prince de cette région alors
qu'il entreprenait précisément une campagne contre les
Libyens, afin de battre ces habitants du désert « jusqu'à
l'angle occidental du ciel ». Her·khouf suivit le prince d'Iam
et parvint à lui faire abandonner ses projets belliqueux.
Il semble que cette intervention ait eu des conséquences
heureuses pour le roi du pays d'Iam, car il en manifesta
de la reconnaissance. La caravane avec laquelle Her·khouf
rentra au pays ne comptait pas moins de trois cents ânes,
et ils étaient chargés d'encens, d'huile, d'ébène, de blé, de
peaux de panthères, d'ivoire, de boumerangs et d'autres
choses encore. Les chefs de tribus dont il traversait les pays,
sur le chemin du retour, étaient stupéfaits à la vue de cette
caravane et de la nombreuse escorte de gens d'Iam accom-
pagnant les troupes d'Her·khouf. Ils jugèrent bon de lui
offrir des troupeaux et ils le conduisirent par-dessus les
montagnes d'Irtet. Le pharaon se réjouit de ce succès et
lorsqu'Her·khouf se rendit à la cour, le souverain lui envoya
du vin de dattes, du pain et de la bière comme présent de
bienvenue. Sous Pepi II, le jeune successeur du roi, Her·
khouf entreprit encore un voyage dans les lointains pays
du Midi, et il en rapporta au roi quelque chose de tout à fait
fabuleux. Nous en possédons le témoignage dans la lettre
du roi, dont Her·khouf désira perpétuer la teneur en la
faisant copier dans son tombeau. En voici les termes
exacts :

« De la part du roi en personne. — En réponse. Année 2,
15e jour du 3e mois de l'inondation — rescrit royal adressé à
l'Ami Unique (du roi), *kher·heb*, chef drogman Her·khouf.
J'ai pris connaissance du contenu de cette tienne lettre,
que tu as faite à l'adresse du roi et envoyée au palais,

afin de faire savoir que tu es revenu sain et sauf du pays d'Iam avec l'armée qui est avec toi. Tu as dit en cette tienne lettre que tu as apporté tous les trésors grands et beaux qu'Hathor, déesse d'Iam, a donnés pour le roi Pepi II. En outre, tu as dit en cette tienne lettre que tu as amené un « Deng » (nain) pour les danses du dieu, provenant du Pays des Esprits, semblable au nain qu'a rapporté de Pount, pays de l'encens, le trésorier Ba·our·djed au temps du roi Isesi. Tu as dit à Ma Majesté que jamais encore semblable ne fut ramené d'Iam, sinon par toi. Année après année, je vois que tu fais tout ce que souhaite et loue ton maître. Nuit et jour, tu fais ce que souhaite, loue et ordonne ton maître. Aussi Ma Majesté te comblera-t-elle de si grands honneurs qu'ils brilleront encore pour tes enfants et tes petits-enfants, à jamais. Et tous les hommes qui entendront ce qu'a fait pour toi Ma Majesté diront : « Il n'est rien de semblable à ce qui fut fait à l'Ami Unique (du roi) Her·khouf, lorsqu'il est redescendu du pays d'Iam et qu'il eut fait ce que son maître avait désiré et ordonné. »

« Viens donc aussitôt en bateau à la Résidence ! Amène avec toi ce Deng que tu as ramené du Pays des Esprits, vivant, prospère et bien portant, pour les danses du dieu et pour l'agrément de ton maître. Et quand il montera avec toi dans le bateau, fais que des hommes de confiance le gardent des deux côtés du bateau pour qu'il ne tombe pas à l'eau. Quand il dormira pendant la nuit, fais que des hommes de confiance l'entourent dans sa cabine et inspecte dix fois par nuit. Car Ma Majesté désire voir ce Deng plus que les trésors du Pays des Mines et du Pays de l'Encens. Lorsque tu arriveras à la Résidence et que tu auras ce nain vivant, prospère et bien portant avec toi, Ma Majesté fera pour toi encore plus que n'a été fait pour le trésorier Ba·our·djed au temps du roi Isesi, car c'est pour Ma Majesté un désir particulièrement cher de voir ce Deng.

« Des ordres ont été envoyés aux gouverneurs des villes

et aux grands prêtres, pour qu'ils prélèvent des magasins
et des temples les approvisionnements nécessaires (à ton
voyage). »

Quelle que soit la part que l'on doive faire au style redon-
dant d'une semblable épître royale, il est hors de doute que
le souverain se réjouissait extrêmement de posséder ce
Deng. Et comme nous savons par d'autres sources que le
roi Pepi II semble être monté sur le trône alors qu'il était
enfant, nous pourrions tenir son envie pour un désir enfan-
tin. Mais, on ne doutera certes pas qu'un tel nain Deng
était quelque chose de tout à fait particulier. Il est vrai
que l'on rencontrait aussi des serviteurs nains (p. 77, 111)
dans les maisons des grands à cette époque, mais on n'avait
guère vu jusque-là de Deng. Il ne semble pas invraisem-
blable à ce propos de songer aux nains qui, aujourd'hui
encore, peuplent les forêts du cœur de l'Afrique. L'un de
ces Pygmées avait été ramené en Égypte, bien des années
auparavant, du pays de Pount, c'est-à-dire de la côte des
Somali ; et maintenant, Her·khouf en ramenait un second
du pays d'Iam, c'est-à-dire de la partie la plus méridionale
du Soudan.

En faisant graver ces inscriptions dans leurs tombeaux,
les princes d'Éléphantine n'avaient d'autre but que de
protéger leurs noms de l'oubli, ou, comme on dit en
égyptien, « de faire vivre leurs noms ». Mais nous leur savons
gré de nous avoir aussi, par ce moyen, fourni les premiers
renseignements, si imprécis qu'ils puissent être, sur les pays
de l'Afrique centrale.

CHAPITRE XII

L'ART ET LA LITTÉRATURE
DE L'ANCIEN-EMPIRE

Le tableau que nous avons tracé de l'Ancien-Empire au cours des chapitres précédents serait incomplet si nous ne songions pas aussi à l'art et à la littérature qui florirent à cette époque.

Ce qui nous réjouit encore aujourd'hui dans cet art, c'est la reproduction vivante et sincère de la nature. Dans les bas-reliefs de la Ve dynastie, tout est représenté avec la plus grande simplicité et la plus exacte vérité, comme cela se montrait aux yeux des artistes, et c'est avant tout l'observation attachante et fidèle des animaux, qui toujours à nouveau nous enchante. Cependant, bon nombre de statues que nous ont livrées les mastabas méritent encore plus de louange que ces bas-reliefs. Car, à côté de celles qui représentent le défunt dans une attitude figée solennelle, se rencontrent d'autres œuvres où les artistes se sont efforcés de rendre, tels qu'ils les voyaient, les traits du visage et les formes du corps. Et ils ont atteint leur but avec une si grande sûreté et un sentiment si délicat que de telles œuvres doivent être comptées au nombre des plus belles créations de la statuaire de tous les pays et de tous les temps. Voici par exemple, pour n'en citer qu'une parmi tant d'autres, la statue de bois de cet homme à la forte corpulence, que nous nommons aujourd'hui le « Sheikh el beled », le maire du village. Elle porte ce nom parce que les ouvriers arabes qui la découvrirent au cours des fouilles s'écrièrent stupéfaits

que c'était le maire de leur village. On a dit avec raison que ses traits reflétaient la bienveillance et l'aisance
d'un vieillard satisfait de lui-même et du monde.

Le fameux scribe du Louvre est un autre chef-
d'œuvre de cet art. Il est assis sur le sol dans l'attitude
qu'il avait certainement autrefois lorsqu'il notait les ordres
du roi. Il tient sa feuille de papyrus sur ses genoux et sa
main droite conduit la plume. Son visage ferme et intelligent est tout attention. Il tend l'oreille aux mots qui lui
sont dictés. L'étonnante vivacité de la figure est encore
accrue par la peinture et par les yeux incrustés, faits de
quartz, de cristal de roche et de bronze, d'une exécution
parfaite.

Une curieuse statue de nain nous montre aussi avec
quelle joie ces artistes observaient la nature. Ce nain était
un serviteur de la cour de haut rang, pour qui fut aménagé
un magnifique tombeau, et cependant le sculpteur qui
exécuta sa statue n'a point embelli son aspect difforme.
Les collections des musées allemands comptent aussi des
statues de l'Ancien-Empire dignes de figurer à côté de ces
chefs-d'œuvre connus de chacun. Voici, par exemple, la
statue du prince Hem·ioun de Hildesheim, voici la belle
statue de bois de Per·her·nofret de Berlin, voici encore dans
le même musée le groupe charmant où le mort est représenté entouré de sa femme et de son enfant. Lui-même
siège plein de dignité au centre, sa femme est agenouillée
à côté de lui et le petit garçon s'appuie de l'autre côté
contre son père. Ici encore la tête de l'homme est évidemment un portrait ; les yeux sont incrustés comme chez le
scribe et les corps ont la couleur de la peau.

Il y avait aussi déjà, sous l'Ancien-Empire, une littérature au sens élevé du terme et ne consistant pas seulement
en formules religieuses ou en livres de médecine. Jusqu'à
l'époque tardive, on se souvint du sage vizir I·m·hotep
et du sage prince Her·djedef « avec les paroles de qui on

parle partout », c'est-à-dire dont chacun a les sentences sur
les lèvres. Les écrits de ces deux sages ne nous sont pas parvenus, mais nous possédons par contre le fameux livre de
sapience de Ptah-hotep, dans lequel les élèves du Moyen
et du Nouvel-Empire devaient apprendre la sagesse et la

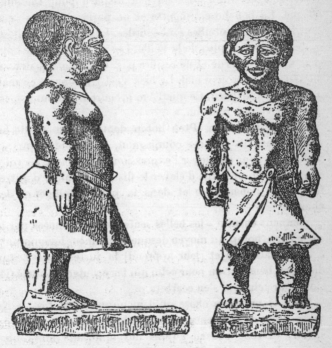

Fig. 37. — Statue d'un nain.

bonne manière de s'exprimer. C'est l'un des sommets
de la littérature égyptienne. Ptah-hotep était le vizir du
roi Isesi et il semble être le même personnage que le propriétaire du tombeau dont nous avons décrit ci-dessus les
beaux reliefs.

On peut évidemment mettre en doute que Ptah-hotep

soit véritablement l'auteur du livre, mais ce qu'on est forcé d'admettre c'est que celui-ci remonte à une époque fort reculée.

Le livre (1) débute par des paroles pathétiques, dans lesquelles Ptah·hotep dépeint au roi les souffrances que l'âge entraîne avec lui : « La force a disparu pour l'homme fatigué. La bouche est muette et ne parle plus. Les yeux sont faibles et les oreilles sont sourdes. Le cœur est oublieux et ne se souvient plus de la veille. Les os souffrent de l'âge et le nez est obstrué et ne respire pas. Que l'on soit debout ou assis, on se trouve mal. Le bien s'est transformé en mal. Tout goût a disparu. Ce que l'âge procure à l'homme, c'est que tout va mal pour lui. »

Pour cette raison, Ptah·hotep demande au roi de lui donner son fils comme compagnon, « comme bâton de vieillesse » pour employer l'expression égyptienne. Le roi y consent et lui ordonne d'élever le fils à la manière d'autrefois, dans l'obéissance et dans la juste intelligence des choses.

Viennent ensuite « les belles sentences prononcées par le vizir Ptah·hotep, au moyen desquelles il amène les ignorants à la connaissance et [leur apprend] la justesse de beaux discours, bénédiction pour celui qui les écoutera et malédiction pour celui qui s'en écartera ».

Voici la première chose qu'il inculque à son fils : « Ne sois pas fier de ta science, ne mets pas ta confiance dans ton savoir, cherche conseil auprès des ignorants aussi bien qu'auprès des initiés. Une bonne parole est plus dissimulée, il est vrai, que la pierre précieuse verte, et pourtant, on la trouve aussi chez les femmes esclaves qui se penchent au-dessus de la meule. » « Si tu es un homme de haute condition, aspire à tout ce qui est excellent, jusqu'à ce que plus aucun défaut n'entache ta nature. La vérité (c'est-à-dire

_____

(1) Traduction littérale dans : Ad. Erman, *Die Literatur der Ægypter* (Leipzig, 1923), p. 86.

le droit) est excellente et durable, et depuis le moment où
le dieu du soleil l'a créée, elle n'est point altérée, mais celui
qui enfreint ses lois est puni. » Elle est aussi le vrai chemin
à suivre pour celui qui n'a rien. Si le mal peut conquérir
des trésors, la force de la vérité est de durer et l'homme
droit dit : « Ceci est le bien (que je tiens) de mon père »,
c'est-à-dire : que mon père m'ait élevé dans la vérité est
ce qu'il m'a laissé de meilleur.

Mais la sagesse se recommande aussi dans la conduite

Fig. 38. — Esclave à sa meule.

que l'on a envers son supérieur : « Baisse ta face lorsqu'il
te salue et ne parle qu'après qu'il t'a salué. Ris quand il rit ;
cela sera agréable à son cœur. Et lorsque tu manges avec
un homme plus haut placé que toi, ne porte tes regards que
sur les aliments qu'on a placés devant toi et non pas sur les
plats qui sont devant lui. »

Si tu es chargé d'une mission de confiance auprès d'un
grand par l'un de ses pairs, transmets le message avec exactitude, sans en rien dissimuler, même si tu dois par ce fait
raconter quelque chose de désagréable. Garde-toi aussi de

proférer de vilaines paroles et de t'exprimer à la manière de tout le monde (c'est-à-dire du vulgaire).

As-tu un chef issu d'une classe inférieure, ignore tout de sa petitesse d'antan et ne sois pas rempli d'orgueil pour cela, car c'est le dieu (c'est-à-dire vraisemblablement le roi) qui l'a entouré de faveurs.

Courbe l'échine devant ton supérieur, et ta maison durera avec tous les biens qui en dépendent, et ta rétribution sera juste.

Quand tu attends dans l'antichambre d'un grand, n'essaie pas de prendre de l'avance. L'antichambre a son étiquette bien établie, tirée au cordeau, et on n'y obtient rien par le coude.

Sois aimable à l'égard d'un pétitionnaire, ne le rudoie pas ; il aime qu'on lui fasse amicalement signe de la tête jusqu'à ce qu'il ait exposé sa requête. Sois également généreux avec tes familiers, car tu ignores s'il n'arrivera pas un jour de malheur (c'est-à-dire de disgrâce du roi), où tu seras content qu'ils te saluent encore.

On lit ensuite : « Garde-toi de la cupidité ; c'est un mal inguérissable, qui désunit amis et parents. » « C'est un bagage de méchancetés de toutes sortes et un sac de toute espèce de choses blâmables. »

Chaque fois que tu entres dans une maison, que ce soit en maître, en frère ou en ami, prends garde aux femmes. Des milliers courent à leur perte à cause d'elles ; leurs beaux membres font perdre la raison.

Mais sitôt que tu en as les moyens, fonde un foyer et aime ta femme. Emplis son corps (c'est-à-dire : donne-lui à manger) et revêts son dos, et donne-lui des onguents pour ses membres et réjouis son cœur, aussi longtemps qu'elle vivra ; elle est ce qu'il existe de meilleur pour son maître.

Lorsque tu recherches une amitié, sois prudent et sonde premièrement l'ami dans un entretien, afin de voir s'il mérite ta confiance.

Tels sont, parmi d'autres, les préceptes que Ptah-hotep expose à son fils : « Si tu prêtes l'oreille, dit-il, à ce que je t'ai dit, ta nature deviendra aussi bonne que celle des ancêtres. Ce qui subsiste de leur vérité est admirable et leur souvenir ne disparaît pas sur les lèvres des hommes, tant sont beaux leurs préceptes. »

En lisant ce livre de Ptah-hotep, n'a-t-on pas l'impression que l'Égypte de l'Ancien-Empire jouissait d'une haute culture et qu'elle était un État bien réglementé, pour autant du moins qu'il s'agit des couches supérieures de la population ? Et pourtant, cet État a sombré dans la terreur, et ce sont les classes inférieures du peuple qui furent les agents de sa destruction.

CHAPITRE XIII

LA CHUTE DE L'ANCIEN-EMPIRE

La période qui succéda à l'Ancien-Empire présente un aspect très différent dans tout ce qui nous en est parvenu ; la marche est nettement rétrograde. La royauté, dont les pyramides et les mastabas sont les témoins, est bien chose du passé. Il apparaît manifestement qu'un grand malheur s'est abattu sur le pays. On s'est demandé si quelque peuple barbare n'avait pas conquis l'Égypte. Mais on sait maintenant, grâce à un papyrus du Musée de Leyde, quelle fut la cause de la catastrophe. Ce ne sont pas des ennemis extérieurs qui ont provoqué la chute de l'empire égyptien, mais des ennemis intérieurs. Le peuple s'était soulevé.

Il régnait une fois sur l'Égypte, nous raconte le papyrus (1), un vieux roi. Nous ne connaissons pas son nom, mais il semble bien qu'il s'agisse de Pepi II (vers 2500 av. J.-C. ou avant) qui, suivant la tradition, exerça le pouvoir pendant quatre-vingt-treize ans. C'est précisément le roi qui, comme nous l'avons vu ci-dessus (p. 107), s'était tant réjoui de posséder un nain. Il était alors un enfant, mais il est devenu maintenant un homme extrêmement âgé. Ce vieux roi vit paisiblement dans son palais et ne soupçonne pas ce qui se passe autour de lui. Un sage, nommé Ipou·our s'avance devant lui et lui dit ouvertement dans quelle situation se trouve le pays : « Il en est ainsi, le Nil déborde et pourtant l'on ne laboure pas pour lui. Chacun dit : nous ne savons pas ce qu'il adviendra dans le pays. — Il en est ainsi, le rire a disparu. C'est la tristesse, mêlée de lamentations, qui parcourt le pays. » Mais toute cette désolation provient du fait que le peuple s'est soulevé contre les fonctionnaires. On démolit les bureaux de l'admi-

(1) Traduction littérale : Ad. Erman, *Die Literatur der Ægypter*, p. 132 et suiv.

nistration, on enlève les listes et les serfs deviennent les maîtres. Les listes des préposés aux céréales sont effacées ; chacun peut se servir de blé, tant qu'il en désire. Les lois du tribunal sont jetées sur la chaussée ; on les foule aux pieds et on les déchire.

Et ce soulèvement contre les fonctionnaires gagne du terrain : « Les seigneurs ne cessent de se plaindre, les gens de petite condition se réjouissent. Chaque ville dit : « Nous voulons chasser les forts, c'est-à-dire les nobles, du milieu de nous. Le pays tourne comme un tour de potier. Les hauts conseillers sont affamés et les bourgeois en sont réduits à s'asseoir à la meule. — La peste parcourt le pays et le sang est partout ; les morts gisent ensevelis dans la rivière. — Les cheveux de tous sont incultes et les fils des nobles ne sont plus reconnaissables. Petits et grands disent : « Ah ! que la mort me paraît souhaitable ! » — Les enfants des grands, on les cogne aux murs, et les nourrissons, on les jette sur le sol du désert. — Les servantes esclaves donnent maintenant le ton et elles ne supportent pas que leurs maîtresses parlent. Au cou des esclaves pendent les bijoux les plus précieux ; les dames par contre sont couvertes de haillons, et leur cœur frémit lorsqu'on les salue. Elles parcourent le pays en demandant l'aumône et disent : « Ah ! que n'avons-nous à manger ! »

Des étrangers aussi se pressent dans le pays ; le vol et le meurtre règnent partout. Le voleur, assis dans le buisson, épie le voyageur, lui dérobe ce qu'il porte et le tue. — Les villes sont anéanties, les tombeaux éventrés et les momies des nobles arrachées du lieu où elles reposent. — Aux champs, on n'ose plus labourer. — On se nourrit d'herbages et on boit de l'eau ; poussé par la faim, on vole aux porcs leur nourriture. On manque de tout et chacun dit : « Il n'y a plus rien. »

Ainsi, ce que l'on voyait hier encore a disparu, et le pays ressemble à un champ sur lequel le lin a été arraché. On ne forme plus que ce vœu : « Ah ! puisse le genre humain prendre fin et qu'aucun homme ne naisse plus ! Puisse le vacarme cesser sur terre et puisse-t-il ne plus y avoir de dispute ! »

Mais la tragédie qu'Ipou·our fait se dérouler devant nos yeux n'est pas encore à son terme. Une seconde strophe du poème nous apprend un fait que les temps anciens n'avaient point connu. La fureur populaire s'est levée contre le roi lui-même. Le pays est arraché à la royauté par quelques insensés. Le secret du roi est violé et la résidence s'effondre en un instant. Alors commence le règne de la populace : « Voyez, les pauvres du pays sont devenus des riches et celui qui possédait quelque chose est maintenant dénué de tout. » Celui qui d'ordinaire n'avait point de pain possède maintenant une grange, mais ce qui est dans son grenier appartenait autrefois à un autre. Celui qui n'employait point d'huile pour sa tête chauve possède maintenant des vases pleins de myrrhe ; la femme qui se regardait dans l'eau a maintenant un miroir. Celui qui autrefois était pauvre possède aujourd'hui des troupeaux et des bateaux, mais ceux-ci appartenaient naguère à un autre propriétaire. D'ordinaire, le pauvre était son propre messager, mais aujourd'hui il prend son plaisir à envoyer autrui. Il offre maintenant aussi de l'encens à son dieu, mais c'est l'encens d'un autre. Ainsi, tandis que ceux qui n'avaient rien sont devenus riches, ceux qui naguère furent riches gisent sans abri en plein vent, sans lit, en haillons et dévorés par la soif. Et le plus scandaleux de tout : « Celui qui naguère n'avait rien possède aujourd'hui des trésors et un prince le loue », — et même les conseillers de l'ancien État flattent es nouveaux parvenus.

A la suite de ce tableau de lamentations venaient d'autres strophes proclamant l'avènement de temps meilleurs, mais elles sont en grande partie détruites. La seule chose que nous y puissions reconnaître, c'est que la royauté subsis-

tera malgré tout et qu'une ère de bonheur approche. Une
ère où l'on rendra de nouveau honneur aux dieux. Les
bateaux remonteront le cours du fleuve et le redescendront,
les hommes rebâtiront des pyramides, creuseront de nouveau des étangs et planteront de nouveau des arbres pour
les dieux. On reprendra des oiseaux et des poissons, et la
bouche sera de nouveau remplie de cris de jubilation. Les
seigneurs des villes reprendront leurs possessions et verront
régner la jubilation dans leurs maisons.

Nous ignorons si les choses se sont passées réellement
ou même à peu près comme ce sage les avait prévues. Tout
ce que nous voyons, c'est que quelques siècles plus tard
l'Égypte jouit de nouveau d'un régime stable. Mais avant
de porter notre attention sur cette ère nouvelle, le Moyen-
Empire, nous considérerons sous quel jour apparut aux
générations suivantes cette grande époque de l'Ancien-
Empire dont les pyramides devaient devenir pour la postérité le symbole.

CHAPITRE XIV

OPINION DE LA POSTÉRITÉ
SUR L'ANCIEN-EMPIRE

De tout temps, les grandes pyramides ont occupé l'imagination des hommes. Il paraissait peu naturel que des constructions de dimensions aussi colossales eussent pour unique objet de cacher un cadavre. Aussi ne manqua-t-il jamais de gens que cette simple explication ne satisfaisait point et qui voulaient découvrir d'étranges mystères derrière ces monuments gigantesques. De nos jours encore, il nous est donné de voir surgir à nouveau ces sottises, bien qu'un siècle de recherches eussent dû les faire disparaître depuis longtemps. Il se trouve en Angleterre et malheureusement aussi en Allemagne d'innombrables personnes se figurant le plus sérieusement du monde que la pyramide de Khéops recèle des vérités très profondes. Et comme la pyramide de Khéops ne présente aucune espèce d'inscriptions susceptibles de contenir ces enseignements, ceux-ci doivent, suivant l'opinion de ces esprits exaltés, s'exprimer d'une autre manière, et ce sont les mesures des différentes parties de la pyramide qui doivent nous les révéler. Il est toujours des gens qui aiment à jongler avec les chiffres et ils se sont mis à exercer leurs talents avec les dimensions de la grande pyramide. Si sa base a telle surface et son arête telle longueur, si la chambre du sarcophage a telle largeur et telle hauteur, et si le sarcophage a telle grandeur, telle hauteur et telle épaisseur, on retourne et interprète ces chiffres jusqu'à ce qu'ils paraissent fournir quelque donnée singulière. Ainsi, la pyramide a soi-disant été construite pour révéler à la postérité la longueur de la circonférence du cercle par rapport au diamètre, ou la durée exacte de l'année, ou encore la distance de la terre au soleil. Les dimensions du sarcophage indiquent, paraît-il, la densité de la terre. Mieux encore : cette révélation peut s'étendre au domaine religieux, et en Angleterre on est allé jusqu'à lire dans la grande pyramide les dogmes chrétiens.

Après tout cela, les pensées que les grandes pyramides inspirèrent aux Égyptiens des générations suivantes nous semblent autrement plus raisonnables et naturelles. Eux ne rêvent pas de doctrines mathématiques et astronomiques et songent seulement que le sort d'un peuple auquel on imposait la construction des grandes pyramides ne pouvait être que misérable. Ils estiment aussi qu'un roi qui élevait pour lui tout seul un monument aussi fabuleux ne devait pas avoir fait grand chose pour les temples et pour les dieux. Aussi pensent-ils que les rois des grandes pyramides ont durement opprimé le peuple et vécu sans dieux. Et si la pyramide de Mykérinos est plus petite que celles de Khéops et de Khephren, c'est précisément parce que ce souverain avait été meilleur que son père et son grand-père. C'est du moins ce que l'on rapporta à Hérodote lorsqu'il parcourut l'Égypte (vers 450 av. J.-C.) et se fit raconter, en voyageur curieux de s'instruire, toutes sortes de choses au sujet des grandes pyramides.

Conte du roi Khéops

L'idée suivant laquelle le roi Khéops n'était pas généreux à l'égard des dieux sert aussi de base à un conte qui nous est conservé dans un papyrus (1) de la collection de Berlin. Le conte semble avoir été écrit au XVIIIᵉ siècle avant Jésus-Christ, donc environ mille ans après l'époque où vécut Khéops. Au premier abord, le sentiment de l'impiété du souverain n'apparaît pas nettement. Le roi Khéops nous est seulement représenté comme un prince

(1) Traduction littérale : Ad. Erman, *Die Literatur der Ægypter*, p. 64 et suiv.

prenant plaisir à entendre parler de magiciens et de leurs
miracles. Il se fait raconter de telles histoires par ses fils
et les goûte sans soupçonner l'importance qu'un de ces
magiciens prendra bientôt pour lui. Dans le premier récit,
aujourd'hui perdu, il était question du roi Djeser (IIIᵉ dynastie ; 2780-2720 av. J.-C. ou avant), bâtisseur de la
pyramide à degrés.

Le prince Khephren, le futur souverain, raconte la
seconde histoire, qui se passe sous le règne du vieux roi
Neb·ka : Chaque fois que Sa Majesté se rendait à Memphis,
au temple de Ptah, il visitait le *kher·heb* (prêtre-magicien)
Ouba·ôner. Or, celui-ci avait une femme qui s'était éprise
d'un manant. Elle lui fixa rendez-vous dans un pavillon
situé dans le jardin d'Ouba·ôner. Ils y demeurèrent jusqu'au coucher du soleil à boire ensemble, puis le manant
se baigna dans le lac du jardin. On rapporta la chose à
Ouba·ôner. Il se confectionna un petit crocodile avec de la
cire et prononça sur lui une formule magique : « Quiconque
viendra se baigner dans mon lac, saisis-le. » Il le remit au
gardien du jardin et lui dit : « Lorsque le manant se bai-
gnera dans le lac, comme il le fait tous les jours, jette le crocodile derrière lui dans l'eau. » Lorsque, la fois suivante, la
femme infidèle rencontra le manant dans le kiosque et que,
le soir venu, l'homme reprit son bain, le gardien fit ce qui
lui avait été ordonné. Le petit crocodile devint un animal
long de sept coudées et il saisit le manant. Le crocodile
demeura sous l'eau pendant sept jours avec lui.

Ouba·ôner dit alors au roi : « Viens voir un miracle qui
s'est réalisé de ton vivant. » Le roi le suivit et le *kher·heb*,
s'adressant au crocodile, lui ordonna de rapporter le manant à la surface. C'est ce qu'il fit. Le roi fut frappé de
terreur et dit : « Ce crocodile est effrayant. » Mais Ouba·ôner
se pencha et le prit dans sa main, et aussitôt l'animal redevint une figurine de cire. Lorsque le roi apprit la faute
commise par le manant, il dit au crocodile : « Va chercher

ce qui t'appartient. » Le crocodile emporta le manant on ne
sait où, et le roi ordonna qu'on brûlât la femme coupable.

Le roi Khéops admira fort cette histoire et témoigna sa
satisfaction en faisant de riches offrandes au roi Neb·ka
et au sage Ouba·ôner, dans leurs tombeaux, il va sans dire.
Le roi reçut mille pains, cent cruches de bière, un bœuf
et deux mesures d'encens ; le magicien reçut pour sa part
une cruche de bière, un grand morceau de viande et une
mesure d'encens, et le roi Khéops dit ensuite : « J'ai vu un
exemple de sa science. »

Le conte merveilleux que narre ensuite le prince Baouf·rè
nous reporte au règne du roi Snefrou, père de Khéops.
Un jour, le roi était triste et cherchait en vain une distrac-
tion. Le *kher·heb* Djadja·em·ânkh lui proposa de faire
monter les plus belles jeunes filles de son palais sur une
barque et de les faire ramer. Il retrouverait sa joie à
les voir circuler ainsi en ramant et les beaux rivages aussi
du lac lui réjouiraient le cœur. Alors, le roi fit chercher
vingt des plus belles jeunes filles et leur donna des rames
d'ébène ornées d'or ; des filets leur tenaient lieu de vêtements. Elles se mirent à ramer et le cœur de Sa Majesté
fut réjoui. Mais cette joie fut de courte durée : subitement,
une rangée de rameuses se tut et cessa de ramer. Le roi
dit : « Vous ne voulez donc plus ramer ? » Elles répondirent
que leur barreuse avait cessé de ramer ; lorsqu'il eut interrogé celle-ci, elle lui dit que son ornement de coiffure,
en turquoise neuve, était tombé à l'eau. Snefrou lui en
fit chercher un autre pour le lui remplacer, mais la belle ne
l'accepta pas et dit : « J'aime mon objet plus que son semblable » (1). Le roi fit revenir Djadja·em·ânkh et lui raconta
ce qui s'était passé ; le magicien sut immédiatement quel

---

(1) Cette phrase et la suivante correspondent au texte hiératique,
avec transcription hiéroglyphique, de la p. 43.

parti prendre : il prononça une formule, fendit le lac, replia
un côté du lac sur l'autre, — la parure se trouvait précisément sur le sol à cet endroit. Il la remit à la jeune fille et, par
un nouveau sortilège, rétablit l'eau comme elle était
auparavant. — Ici encore, le roi Khéops témoigna sa satisfaction en faisant des largesses au roi Snefrou et au
sage.

Si les récits de magie dont les princes avaient jusqu'ici
entretenu le roi Khéops se rapportaient aux temps passés
et pouvaient éveiller quelques soupçons sur l'exactitude
des faits qu'ils rapportaient, le souverain dut se réjouir
d'autant plus lorsque le prince Her·djedef lui déclara qu'il
existait encore en leur temps un grand magicien. — Son
nom est Djedi et il habite la ville de Djed·snefrou. Bien
qu'âgé de cent dix ans, il est encore si vert qu'il mange cinq
cents pains et une cuisse de bœuf et boit dix cruches de
bière. Il sait remettre en place une tête coupée et un lion
le suit, même lorsqu'il ne le tient pas à la laisse. Il connaît,
en plus de cela, les serrures du sanctuaire du dieu Thoth.
Or, le roi Khéops avait, depuis longtemps déjà, cherché
ces serrures, désirant en confectionner de semblables pour
sa pyramide.

Alors, le roi Khéops envoya le prince lui-même à Djed·
snefrou. Il remonta le fleuve et, lorsque les bateaux furent
parvenus au débarcadère, il se fit transporter sur un palan-
quin d'ébène dont les brancards étaient plaqués d'or. Il
trouva le magicien étendu à son aise sur une natte devant
sa maison. Il le salua et le félicita de son état de santé.
N'était-il pas exempt de maladies et à l'abri de la vieillesse
et de la mort ? Puis il lui annonça en termes choisis qu'il
avait mission de l'amener auprès de son père, le roi Khéops.
Il vivrait désormais à la cour jusqu'au jour de sa mort.
Djedi répondit, en termes aussi choisis, qu'il obéissait à
l'appel du roi. Le prince l'aida à se lever et le conduisit aux
bateaux. Djedi voyagea lui-même sur celui du prince, mais

il demanda encore une autre barque pour ses enfants et ses livres.

Lorsqu'ils furent parvenus à la cour, le prince annonça leur arrivée et le roi les reçut dans la grande salle du palais. Il dit à Djedi : « Comment se fait-il que je ne t'aie encore jamais vu ? » Djedi répondit : « Quiconque est appelé vient ; Une Majesté m'a appelé et je suis venu. — Est-il vrai, à ce que l'on me dit, poursuivit le roi, que tu sais remettre en place une tête coupée ? » Djedi ayant répondu affirmativement, le roi voulut immédiatement éprouver le talent du magicien sur un criminel. Mais Djedi s'y refusa et proposa de faire plutôt l'essai sur un animal. On chercha donc une oie et on lui coupa la tête ; on plaça son corps d'un côté de la salle et la tête de l'autre. Djedi prononça sa formule magique ; le corps et la tête se mirent aussitôt en marche l'un vers l'autre en se dandinant et l'oie fut de nouveau là et se remit à barboter. L'expérience fut renouvelée sur un bœuf. Enfin, le roi posa la question qui lui tenait tant à cœur et il lui demanda ce qu'il savait des serrures du sanctuaire de Thoth. Djedi ne savait rien de particulier, sinon la place où se trouvaient ces serrures. « Elles sont dans un coffret de silex qui se trouve lui-même dans une chambre du temple d'Héliopolis. Moi-même, ajouta Djedi, je ne peux pas te les apporter. » Le roi lui demanda alors qui les lui apporterait et Djedi répondit : « L'aîné des trois enfants que mettra au monde Roud·djedet te les apportera. » Le roi ayant demandé qui était cette Roud·djedet, Djedi lui dit que c'était la femme d'un grand prêtre du dieu du soleil Rê, du nom de Râ.ouser, à laquelle le dieu avait prédit qu'elle mettrait au monde trois enfants, qu'ils règneraient sur tout le pays et que l'aîné d'entre eux serait grand prêtre d'Héliopolis.

Le roi devint alors très triste, car les paroles de Djedi signifiaient que le dieu suprême avait rejeté sa lignée et qu'il allait créer une nouvelle dynastie royale. Djedi le

consola en lui déclarant : « Ton fils, le fils de celui-ci, l'un
d'eux » ; il voulait dire par là, naturellement, que les
rois Khephren et Mykérinos règneraient encore avant la
prise du pouvoir par la nouvelle dynastie. Lorsque fut venu
le moment où Roud·djedet devait enfanter, le dieu du soleil
dit aux déesses Isis, Nephthys, Meskhenet et Heket et
au dieu Khnoum : « Allez auprès de Roud·djedet et assis-
tez-la, car les trois enfants qu'elle mettra au monde seront
rois dans le pays tout entier. Ils bâtiront vos temples, ils
pourvoieront d'aliments vos autels et ils multiplieront
vos offrandes. » Ainsi, les nouveaux rois montreraient
plus de piété au service des dieux que le roi Khéops ne
l'avait jamais fait. Les cinq divinités répondirent volontiers à l'appel de Rê, et, pour éviter qu'on les reconnût, les
quatre déesses se changèrent en musiciennes et le dieu
Khnoum les accompagna en qualité de serviteur. Lorsqu'elles se mirent à faire de la musique devant la maison
de Râ·ouser, celui-ci voulut les en empêcher par égard
pour sa femme ; mais les déesses déclarèrent qu'elles
étaient expertes dans l'art de délivrer une femme, et
il leur permit d'entrer. En effet, elles assistèrent réellement
Roud·djedet pour la naissance de trois garçons, lesquels
ressemblaient extérieurement à des rois, car ils portaient
déjà la parure royale et sur leurs membres se lisaient déjà
leurs titres inscrits en or. Isis leur donna leurs noms :
Ouser·kaf, Sahou·rê et Kakaï, et ce sont là les noms des trois
premiers souverains de la Ve dynastie (2560-2420 av. J.-C.),
qui, sans être des descendants du dieu du soleil, le servirent
cependant plus que tous les autres dieux ; nous en avons la
preuve déjà dans les temples solaires, qu'ils firent élever à
côté de leurs pyramides (cf. p. 84).

Après la naissance des trois enfants, les dieux annoncèrent
l'événement à Râ·ouser, qui s'en réjouit fort et dit : « Mes-
dames, comment puis-je vous récompenser en retour ?
Donnez donc cet orge à votre serviteur et emportez-le

pour prix de votre travail. » Khnoum se chargea de l'orge.
Mais il vint ensuite à l'idée des déesses qu'elles avaient
oublié de faire une chose essentielle : elles n'avaient pas
accompli pour les enfants de miracle qu'elles pussent signa-
ler à Rê leur père. Elles fabriquèrent donc trois diadèmes
royaux et les déposèrent dans l'orge. Puis elles firent éclater une tempête et tomber la pluie et elles retournèrent
à la maison de Râ·ouser comme si elles cherchaient un
refuge contre le mauvais temps. Elles demandèrent que
l'on voulût bien conserver l'orge dans une chambre de la
maison jusqu'à leur retour.

Lorsqu'après quatorze jours Roud·djedet recommença
à se soucier de son ménage, elle demanda à sa servante
si tout était en ordre dans la maison. Celle-ci affirma que
tout était bien en ordre, sauf en ce qui concernait l'orge, car
Râ·ouser l'avait donné aux musiciennes. Mais Roud·djedet
dit : « Descends donc chercher un peu de cet orge ; quand
Râ·ouser reviendra, il leur donnera quelque chose en com-
pensation. » Lorsque la servante redescendit et ouvrit
la chambre, elle y entendit de la musique, de la danse et des
cris de jubilation, comme s'il s'agissait d'une fête en l'honneur d'un roi. Roud·djedet y descendit elle-même, mais
elle ne trouva pas d'où venait la musique jusqu'au moment
où elle appliqua l'oreille contre le coffre à grains ; elle remarqua que la musique provenait de là. Elle mit le coffre
dans une caisse, qu'elle ferma et ficela, et qu'elle conserva
dans la chambre où elle avait ses jarres. Quand Râ·ouser
revint des champs, il se réjouit fort et ils s'assirent contents l'un près de l'autre. Un jour cependant que Roud·
djedet se disputait avec la servante, elle la fit frapper.
La servante dit alors aux gens qui étaient dans la maison :
« Est-ce bien, à elle, de faire cela ? N'a-t-elle pas donné le
jour à trois rois ? J'irai le dire au roi Khéops. » Elle se mit
en effet en route, mais elle rencontra son frère aîné assis
sur l'aire en train de lier du lin. Lorsqu'elle lui eut dit ce

qu'elle allait faire, il devint furieux et la frappa. Mais
s'étant penchée pour puiser de sa main un peu d'eau, un
crocodile la saisit. Le frère alla annoncer ce qui était arrivé
à Roud·djedet ; il la trouva assise pleine de tristesse et
lorsqu'il lui demanda pourquoi elle était si soucieuse, elle
répondit : « La faute en revient à la petite qui a été élevée
dans la maison ; elle est partie pour dénoncer ce qui est
arrivé. » Mais il la consola et raconta qu'un crocodile l'avait
saisie... — C'est ici que s'arrête le papyrus, mais nous pouvons aisément imaginer la suite de l'histoire. Khéops,
informé déjà par les prophéties du sage Djedi que les enfants seraient un jour rois, chercha à leur nuire. Mais les
dieux, qui avaient certainement déjà envoyé ce crocodile,
continuèrent à veiller sur les enfants et déjouèrent les projets criminels du méchant roi. Par la suite, Ouser·kaf,
Sahou·rê et Kakaï prirent le pouvoir et se montrèrent de
pieux serviteurs des dieux.

Le grand Sphinx

La quatrième merveille de Gizeh, le grand Sphinx, n'a
pas échappé au sort d'inspirer aux générations ultérieures,
et jusqu'à nos jours, toutes sortes de fantaisies. Son nom
fautif de sphinx, que lui ont donné les Grecs et qui a subsisté jusqu'aujourd'hui, y contribue déjà.

Les Grecs avaient coutume de donner à tout ce qui,
en Égypte, leur paraissait merveilleux, des noms em-
pruntés à quelque chose de chez eux. Ils appelaient obélisques, c'est-à-dire « broches », les grands piliers dressés
devant les temples ; ils nommaient Troie les carrières
de Memphis, Labyrinthe — d'après la construction prodi-
gieuse de Crète — un grand temple funéraire ; ils compa-
raient les tombeaux royaux de Thèbes à des flûtes (*sy-
rinx*) et même les pyramides à des pains blancs (*pyra-
mis*). Et de même qu'à Thèbes on considérait les co-

losses du pharaon Aménophis III comme des statues de
Memnon, on voyait également dans la figure gigantesque
de Gizeh une image du *sphinx*, animal fabuleux qui posait
des énigmes aux hommes. Pour nous, modernes, ce nom
signifie aussi que quelque chose d'énigmatique et de mystérieux est lié au Sphinx. Aujourd'hui encore, beaucoup de
gens ne peuvent se résoudre qu'avec peine à y voir un
simple rocher auquel on a donné le visage d'un roi (p. 81),
et toujours réapparaît la légende suivant laquelle le sphinx
recèle à un endroit ou à un autre un passage conduisant à
quelque chose de tout à fait merveilleux, par exemple à
une ville enfouie. Le Sphinx aurait, paraît-il, aussi son
pendant secret, mais il serait enseveli sous le sable du désert.

Ce sable, qui toujours à nouveau enrobe les parties
basses du véritable Sphinx, a fourni matière à réflexion
déjà à des époques reculées. Ce fut le cas sous le Nouvel-
Empire, période où les gens qui vivaient dans le voisinage
du Sphinx adoraient celui-ci comme une image du dieu
Harmakhis (Horus dans l'Horizon). On disait qu'un prince,
le futur Touthmosis IV (env. 1420-1411 av. J.-C.) l'avait
dégagé du sable à la suite d'un songe qu'il avait fait. Le
récit veut que le prince se fût diverti dans le désert de Memphis à lancer des javelots à la cible et à faire la chasse aux
lions et aux autres bêtes sauvages. Dans ces chasses, il
roulait avec des chevaux plus rapides que le vent et il
n'était accompagné que de l'un ou l'autre de ses serviteurs.
S'ils étaient fatigués, il les laissait prendre du repos non
loin du grand Sphinx. S'étant lui-même installé un jour,
à l'heure de midi, à l'ombre du grand Sphinx, il s'endormit.
Le dieu Harmakhis lui apparut en songe et il lui parla
comme un père à son fils et lui dit : « Regarde-moi, lève tes
yeux vers moi, mon fils Touthmosis, je suis ton père
Harmakhis. Ma vie compte déjà un grand nombre d'années,
je porte mes regards vers toi et je soupire après toi ; pro-
tège-moi, car tous mes membres souffrent. Le sable du

désert sur lequel je suis couché s'approche de moi ; accours
auprès de moi et fais ce que je désire, car je sais que toi,
mon fils, tu seras mon protecteur. » A ces mots, le prince
se réveilla et il les conserva dans son cœur. — Plus tard,
vers la fin du Nouvel-Empire, on inscrivit cette jolie histoire sur un grand bloc de granit, enlevé à la pyramide
toute proche de Khephren. On le plaça ensuite entre les
pattes du Sphinx et il forma la paroi de fond d'un petit
sanctuaire consacré au dieu Harmakhis. Nous ne doutons
pas que le prince Touthmosis ait entrepris, une fois devenu
roi, l'ouvrage que le dieu lui avait demandé, mais malheureusement, son œuvre ne fut pas durable. Et jusqu'à
nos jours le Sphinx a toujours nécessité qu'on le désensa-
blât. Aujourd'hui, il apparaît entièrement dégagé non
pas seulement, il est vrai, pour le plaisir du dieu
Harmakhis, mais aussi pour celui de tous les voyageurs
qui viennent admirer les grandes pyramides.

CHAPITRE XV

LE MOYEN-EMPIRE

Les temps troublés constituant la période intermédiaire entre l'Ancien et le Moyen-Empire (env. 2400-2100 av. J.-C.) eurent pour effet de transformer l'Égypte en petites seigneuries autonomes. Ce régime peut se comparer à la féodalité de notre Moyen-Age. Et, de même que chez nous ces petites seigneuries se réunirent en duchés, se formèrent également en Égypte de plus grands États dont les princes voulurent de nouveau passer pour rois. Vers 2100 avant Jésus-Christ, n'existent que deux grands royaumes celui du Nord avec, pour capitale, la ville d'Hat·nen·nesout, la future Héracléopolis de Moyenne-Égypte, et celui du Sud, dont la capitale était la future Thèbes. Ces deux royaumes étaient en guerre l'un avec l'autre. Il semble que l'enjeu de leur lutte ait été la ville de This, résidence des plus anciens rois (p. 76). Non loin de là se trouvait aussi Abydos, la ville sainte d'Osiris, avec tous ses tombeaux (p. 76 et 105). Un papyrus de St-Pétersbourg (1) nous éclaire sur cette période. Il contient les conseils qu'un souverain du royaume septentrional donne à son fils Meri·ka·rê (vers l'an 2200 av. J.-C.), afin de l'initier à l'art difficile d'exercer le pouvoir.

LES ENSEIGNEMENTS POUR MERI·KA·RÊ

Le vieux roi avait conquis, au cours de ces guerres, la ville de This « comme un nuage d'eau » ; au cours des combats qui avaient eu lieu, des tombeaux avaient également été détruits dans la nécropole et bien que les soldats eussent

---

(1) Traduction littérale de cette œuvre curieuse dans : Erman, *Die Literatur der Ægypter*, pp. 109-119.

commis ces dévastations à l'insu du roi, celui-ci en fut affecté et considéra l'exploit comme sacrilège. Il recommande vivement à son fils de traiter avec bienveillance, malgré la victoire remportée sur lui, le royaume méridional, car, dit-il, il faut songer à l'avenir. « N'est-ce pas de lui seul que tu peux obtenir le granit dont tu as besoin pour tes constructions ? »

Le Delta oriental, lui aussi au pouvoir de dix maîtres au lieu d'un seul, paie maintenant ses redevances ; sa frontière est peuplée de villes et garnie de troupes d'élite qui tiennent les Asiatiques à l'écart. « Persévère et construis, toi aussi, des villes dans le Delta et peuple-les, de peur que, si le pays du sud se soulève, les Asiatiques ne te menacent également.

Mais il ne suffit pas que tu combattes les ennemis de l'extérieur ; il ne manquera pas de rebelles à l'intérieur du pays. Un homme a-t-il beaucoup de partisans et est-il « un faiseur de discours, poursuis-le, tue-le, efface son nom, supprime son souvenir et extermine le parti qui l'aime ».

Sois généreux envers tes conseillers, car ce n'est que par ce moyen qu'ils seront incorruptibles. Fais que les jeunes gens qui ont grandi avec toi t'aiment ; sois également généreux envers eux et donne-leur des champs et des troupeaux. Ne préfère pas le fils d'un homme de rang élevé à celui d'un bourgeois, mais recherche l'homme pour ses actions. Toi-même, pratique la justice tant que tu seras sur terre. Apaise celui qui pleure, n'inquiète aucune veuve et ne prive personne du bien de son père.

Et avant tout, sois pieux et sers Dieu. Dieu connaît celui qui fait quelque chose pour lui. La vertu de l'homme bien intentionné lui est plus chère que le bœuf dont un malfaiteur lui fait offrande.

L'homme subsiste après la mort et ses actions sont amassées à côté de lui. Mais là, dans le royaume des morts, tu seras immortel. Et les juges qui jugent le mort   (p. 71)

ne sont pas indulgents; mais quiconque vient à eux sans
avoir commis de péchés sera là comme un dieu.

Le vieux roi fait encore beaucoup de recommandations
à son fils, lui inculquant « le meilleur de son être intime ».
L'empire que Meri·ka·rê devait gouverner si excellemment
n'a pas eu, semble-t-il, une longue durée ; et finalement les
rois du sud le vainquirent, et leur triomphe marque l'avènement de la puissante lignée de souverains que nous appelons la XIIᵉ dynastie (2000-1790 av. J.-C.) et qui apporta
à l'Égypte une nouvelle période d'éclat. Son fondateur, le
grand roi Amen·em·hat Iᵉʳ (vers 1980 av. J.-C.) « resplen-
dissait comme le dieu du soleil Atoum. Il chassa le mal et
il rétablit tout, comme cela avait été autrefois ». Là où
une ville avait empiété sur le territoire d'une autre, il
replaça de nouvelles bornes limitrophes. Il répartit à nouveau leurs cours d'eau et il se conforma en toutes choses
aux « anciens écrits, car il aimait la vérité ». C'est ce que
nous raconte une inscription d'une tombe de Beni Hassan. Et la famille de princes qui est ensevelie dans ces
tombeaux avait toutes les raisons de se féliciter de ce
nouveau régime. Indépendants, ces princes ne l'étaient
plus, il est vrai, pas davantage que ceux des autres nomes.
Mais ils conservaient néanmoins une apparence d'auto-
nomie, comme nous le montrent les inscriptions de leurs
beaux tombeaux. C'est ainsi qu'Imeni, l'un de ces princes,
nous raconte comment il administra son nome, et il s'exprime à peu près dans les mêmes termes qu'un souverain
parlant de ses sujets : J'ai été bienveillant et j'ai été un
souverain que sa ville aimait. Je n'ai maltraité aucune fille
de bourgeois et n'ai point opprimé de veuve ; je n'ai gêné
aucun cultivateur et n'ai point contrarié de berger. Jamais je n'ai enlevé à un supérieur ses gens pour des corvées.
Dans ma région, personne n'était misérable, et de mon
temps, personne n'était affamé. Quand sont venues les
années de famine (c'est-à-dire d'inondation insuffisante),

j'ai cultivé tous les champs du nome jusqu'à sa frontière méridionale et à sa frontière septentrionale, et ainsi j'ai nourri le peuple et lui ai donné sa subsistance, si bien que personne n'eut faim. Et à cette occasion, j'ai donné à la veuve autant qu'à celle qui avait encore son mari. Et je n'ai pas fait de distinction dans mes dons, entre grands et petits. Lorsque sont revenues de grandes ¡inondations, apportant du blé et toutes choses, je n'ai pas exigé les arrérages des tributs de blé. » Ainsi, Imeni administra sa province comme un prince autonome et l'on comptait les années, dans son nome, d'après celles de son gouvernement, comme s'il était un véritable souverain.

Mais, Imeni eut, en outre, à servir son roi dans l'armée. Pour son premier service — il était alors encore le représentant de son vieux père, — il accompagna le roi dans une campagne militaire dirigée contre des tribus nubiennes. Au cours de cette expédition, il poussa fort avant dans le sud et il rapporta beaucoup d'objets précieux, ce dont on le loua fort à la cour. Dans une autre expédition en Nubie, il accompagna le prince héritier avec quatre cents de ses meilleurs soldats. Il eut pour tâche, cette fois, de rapporter sans encombres en Égypte l'or arraché aux mines de Nubie. Il le fit avec succès et le prince héritier le remercia tout particulièrement. La troisième expédition, comprenant une troupe de six cents hommes, eut le même objet ; elle le conduisit aux mines d'or situées dans les montagnes qui séparent l'Égypte de la mer Rouge. Il put se vanter de n'avoir perdu aucun de ses soldats au cours de ces expéditions guerrières.

Les campagnes de Nubie dont Imeni fait ici le récit n'étaient certainement pas de grandes opérations militaires et ce n'est qu'un siècle plus tard que le roi Sésostris III conquit la Nubie jusqu'à la seconde cataracte. Ce souverain consolida la frontière au moyen d'une série de forteresses, et le Musée de Berlin possède deux

bornes qu'il fit dresser alors dans la forteresse de Heh (aujourd'hui Semneh). Sur l'une d'elles, nous lisons que c'est
là la limite méridionale que Sa Majesté a fixée en l'an VIII,
« afin qu'aucun Nubien ne la franchisse soit par l'eau en
bateau, soit par la terre avec quelque troupeau nubien,
exception faite pour les Nubiens se rendant à la ville
d'Iken pour y faire du commerce ou y apporter un message.
Qu'on fasse à ceux-ci tout le bien possible à condition cependant qu'on ne laisse jamais passer devant la ville de
Heh aucun bateau nubien. » Mais le pays ne fut cependant
pas soumis définitivement. Il y eut de nouveaux combats
et huit ans plus tard fut dressée dans la même forteresse une deuxième stèle-limite célébrant une victoire
remportée sur les Nubiens rebelles. Autant le ton de
la première inscription est simple et pertinent, autant les
mots de la seconde sonnent avec éclat. Le roi dit : « J'ai
reculé ma frontière au delà de celle de mes pères et j'ai
accrû ce que j'avais hérité. Je suis un roi qui parle, mais
aussi qui agit ; ce que mon cœur conçoit, ma main le réalise. » Le roi souligne ensuite qu'il sait se taire, mais exprimer aussi ce qu'il est nécessaire de dire. Car, poursuit-il :
« si l'on ne répond pas à une attaque, le cœur de l'ennemi
en est plus fort. Le Nubien prête l'oreille à ce qui sort de
la bouche, et quand on lui répond, on le repousse. Si l'on
est agressif envers lui, il montre son dos ; mais si l'on
recule, il devient insolent. Car ce ne sont pas des hommes
de force, mais des misérables, brisés de cœur. »

« Ma Majesté l'a vu. Ce n'est pas un mensonge : j'ai
capturé leurs femmes, j'ai emmené leurs gens. Je suis allé
à leurs fontaines, j'ai frappé leurs bœufs, j'ai coupé leurs
blés et j'y ai mis le feu. Par la vie de mon père ! Je dis la
vérité, et il n'y a point là de mensonge. »

« Tout fils de moi qui consolidera cette frontière faite
par Ma Majesté est bien mon fils et il est né pour Ma Majesté ; il est l'image du fils qui protégea son père et con-

solida les frontières de celui qui l'avait engendré (c'est-à-
dire le dieu Horus). Mais celui qui la délaissera et ne com-
battra pas pour elle n'est pas mon fils et il n'a pas été mis
au monde pour moi. »

« Ma Majesté a fait également élever une statue de Ma
Majesté sur cette frontière qu'a faite Ma Majesté, afin que
vous y prospériez et que vous y combattiez. »

La frontière que le roi fixa si solennellement fut, en
effet, durable, et l'on peut dire qu'à partir de ce moment
la Nubie septentrionale fut presque constamment sous la
domination de l'Égypte. Ce n'est donc pas sans raison que
l'on fit adorer par la suite Sésostris III (1881 av. J.-C.)
comme un dieu dans le temple de Semneh. Il fut réellement le conquérant de ce pays.

A vrai dire, la Nubie septentrionale n'était pas en soi
une possession digne de si grands efforts, car seules
d'étroites bandes de terrain en bordure du Nil pouvaient
se prêter à la culture. Mais elle constituait le passage vers
les pays plus riches du sud et, avant tout, elle était la
seule voie d'accès aux importantes mines d'or. Situées
dans le désert entre le Nil et la Mer Rouge, celles-ci furent
exploitées jusqu'au Moyen-Age et l'on a essayé de nos
jours encore d'en tirer profit. Nous avons déjà vu comment
le prince Imeni assura avec sa troupe un transport d'or
à travers la Nubie non encore soumise. Maintenant, Sésostris III pouvait décorer richement les temples avec l'or
qu'il faisait rapporter de Nubie « dans la victoire et le
triomphe ».

Le roi Sésostris III est évidemment le légendaire souverain de ce nom, duquel on racontait plus tard qu'il avait
fait de grandes conquêtes dans les pays d'Asie. Nous ne
savons rien de tels exploits et ses successeurs ne semblent
pas davantage avoir fait de grandes guerres. Par contre,
ils ont ajouté à leur royaume, par des voies pacifiques, une
province qui devait constituer en fin de compte un gain

plus considérable que tous les pays dont ils eussent pu faire la conquête dans le voisinage de l'Égypte : ils ouvrirent le Fayoum à l'exploitation. De tout temps, les eaux de l'inondation envahissaient une large vallée reliée, du côté occidental, à celle du Nil, et cette vallée était devenue une région marécageuse dont le point le plus bas était occupé par un lac, le Lac Moëris des Grecs. Peu à peu,

Fig. 39. — Transport d'un colosse.

la main de l'homme avait régularisé les eaux au moyen de barrage et d'écluses et, vers le milieu de la XIIe dynastie, l'assèchement était déjà si avancé que les rois de cette époque établirent leurs résidences dans cette belle contrée. Et surtout, le roi Amen·em·hat III (vers 1820 av. J.-C.) éleva à cet endroit un temple grandiose au dieu Sobek, dieu qui avait, ainsi qu'il convenait à une région de lac

et de marécages, l'apparence d'un crocodile. Le roi avait
aussi là sa résidence. Sa pyramide s'y dressait également,
près de Hawara, et le temple funéraire de celle-ci n'était
autre que le « Labyrinthe », construction gigantesque que
les Grecs et les Romains mettaient sur le même plan que les
pyramides. L'édifice a totalement disparu aujourd'hui,
mais le souvenir de ce roi et de ses œuvres a longtemps
subsisté et aux époques tardives on adorait encore au
Fayoum ce pharaon à l'égal d'un dieu.

Nous avons vu déjà (p. 132) qu'au Moyen-Empire certaines familles nobles avaient réussi, même sous les puissants rois de la XIIᵉ dynastie, à conserver dans leurs
nomes un semblant d'indépendance. C'est ce que nous
révèlent aussi les décorations de leurs tombeaux, où leurs
faits et gestes sont célébrés comme s'ils étaient des princes
autonomes. La chose est frappante dans une tombe de
Bersheh, appartenant à Djehouti-hotep, prince du nome du
Lièvre. Ce haut personnage avait fait tailler de lui-même
une statue colossale, qui ne mesurait pas moins de six
mètres et demi. Mais la carrière d'albâtre d'Hat-noub, où
la statue fut taillée, était située dans la chaîne désertique,
à cinq heures de la vallée du Nil, et ce n'était pas chose
facile que de transporter le colosse. Un grand tableau
(fig. 39) nous montre comment on s'y prit, et ce que
l'image n'indique pas se trouve consigné dans l'inscription :

« Comme le chemin sur lequel la statue s'avançait était
très malaisé, malaisé à l'excès, et comme il était difficile
pour les hommes de tirer le bloc précieux à cause du sol
rocheux et raboteux, je fis venir des troupes de garçons et
de jeunes gens pour qu'ils lui préparassent un chemin,
ainsi que des corporations de sculpteurs et de tailleurs de
pierre... »

« Les hommes forts s'écrièrent : « Nous venons pour la
transporter. »

« Mon cœur jubilait et tous les habitants de la ville poussaient des cris de joie. C'était un spectacle prodigieux. » Chacun redoublait de zèle pour venir en aide au prince bien-aimé, même les vieillards et les enfants, et leur ardeur à tous leur doublait les forces ; « ils devinrent forts ; un seul avait la force de mille. »

Sur un autre tableau figurant dans les tombeaux de Beni Hassan, Khnoum·hotep, prince du nome de l'Antilope, a fait représenter un événement auquel il attachait manifestement une importance particulière. En l'an VI du roi Sésostris II, Ibesha, chef d'une tribu du désert,

Fig. 40. — Cortège d'immigrants étrangers.

était venu en Égypte avec les siens et avait apporté à titre de présent du fard pour les yeux, si précieux aux Égyptiens. Il y avait en tout trente-sept personnes et le peintre du tableau s'est plu à souligner combien ces étrangers diffèrent des Égyptiens. La couleur de leur peau est claire, leur nez est aquilin et ils portent une barbe en pointe. Et que dire du costume ? Tandis que l'Égyptien ne porte jamais autre chose qu'un pagne de toile blanche, ces barbares sont vêtus de longues robes de tissus de diverses couleurs ; la coupe également de leurs robes n'a rien d'égyptien de même que les chaussures et les bas des femmes. Les étrangers sont conduits par deux fonctionnaires égyp-

tiens devant le prince. Un papier qu'ils lui présentent men-
tionne l'événement.

Le *sheikh* de la tribu ouvre le cortège ; il se prosterne profondément devant le prince et il conduit — un serviteur
fait de même — un bouquetin comme on en rencontre
encore aujourd'hui dans les montagnes du désert, apparemment un présent tout spécialement destiné à réjouir
le prince. Derrière eux s'avancent quatre hommes armés
d'arcs et de lances ; ce sont peut-être les fils du *sheikh*. Le
sac que l'un d'eux porte sur le dos contient sans doute le
précieux fard. Viennent ensuite les femmes et les enfants
de la famille ; les deux plus petits sont assis dans une corbeille placée sur le dos d'un âne ; un garçon plus âgé tient
déjà une lance. Deux serviteurs ferment la marche. L'un
d'eux, chargé également d'un sac, avait à conduire un
âne ; mais l'ayant chargé de sa lance, il se contente de
jouer de la lyre. — Lorsque cette curieuse peinture fut
révélée en son temps, on lui fit l'honneur d'y reconnaître
l'arrivée de Jacob en Égypte. Il ne peut naturellement pas
en être question, puisque même si cette immigration était
certaine, elle ne pourrait avoir eu lieu qu'à une époque
plus récente. Mais le tableau nous dépeint néanmoins de
manière fort suggestive une arrivée d'immigrants, comme il
s'en est produit à toutes les époques de l'histoire de
l'Égypte.

CHAPITRE XVI

LA LITTÉRATURE DU MOYEN-EMPIRE

Le Moyen-Empire (environ 2100-1700 av. J.-C.) est la période classique de l'Égypte. C'est l'époque où florit la littérature et où furent rédigés les textes qui, bien des siècles plus tard, passaient encore pour des modèles de beau style et de pensées délicates. C'est à ce titre qu'on les copiait dans les écoles, certainement pas toujours pour le plus grand plaisir des écoliers. Aussi certaines de ces copies fourmillent-elles de fautes, qui nous les rendent trop souvent incompréhensibles.

LES INSTRUCTIONS DU ROI AMEN·EM·HAT Ier

Voyons tout d'abord, en une traduction libre, le bref écrit dû, semble-t-il, au grand pharaon Amen·em·hat Ier (1980 av. J.-C.) en personne. Ce sont des enseignements donnés par le vieux roi à son fils, Sésostris Ier (1). Il lui conseille de ne point se fier aux hommes, ayant été lui-même payé d'ingratitude, car on est allé jusqu'à vouloir attenter à ses jours. — Prête l'oreille à mes paroles afin que ton règne soit heureux : Méfie-toi des subalternes, n'aie point confiance en eux et « ne te fie pas en un frère ; n'aie point d'amis et ne te fais pas de confident ; cela ne sert de rien. » « Lorsque tu dors, que personne ne te garde, car au jour du malheur, tu n'auras aucun partisan. J'ai donné au pauvre et j'ai pourvu à la subsistance de l'orphelin, j'ai laissé celui qui n'était rien atteindre son but aussi bien que celui qui était quelqu'un. » Et néanmoins ils m'ont méprisé, ceux auxquels je donnais des vivres et du lin fin

---

(1) Traduction littérale dans : Erman, *Die Literatur der Ægypter*, p. 106.

et ceux que j'oignais de myrrhe, et néanmoins on a ourdi
un complot contre moi et personne ne me l'a dit.

« C'était après le repas du soir, alors que la nuit était
venue ; je m'étais accordé une heure de repos et j'étais
étendu sur mon lit. J'étais fatigué et mon cœur commençait
à s'abandonner au sommeil. » J'entendis tout à coup un
bruit d'armes et je me levai en sursaut. Je saisis mes armes
et je repoussai seul le scélérat. « Voici, cette atrocité s'est
produite, alors que j'étais sans toi, et que la cour n'avait
pas encore entendu que je te transmettrais le pouvoir et
alors que je n'habitais pas encore avec toi. »

Gouvernons donc ensemble dorénavant, car ils ne me
craignent plus, ils ne m'obéissent pas. — « Était-ce les
femmes qui avaient préparé la révolte ? Avait-on ourdi le
complot dans la maison ? Avait-on fait perdre la tête aux
citoyens ? » N'avais-je pas vécu heureux depuis ma naissance et rempli ma tâche de souverain comme un héros ?
J'ai parcouru les frontières du sud et du nord et inspecté
le pays. J'ai reculé les frontières par ma force. « Je fus un
homme qui créa de l'orge et que le dieu du blé aimait ;
partout, le Nil me saluait. De mon temps, on ne connaissait ni la faim ni la soif. » On vivait paisiblement et on
disait du bien de moi. Tout ce que j'ordonnais était juste.
Les ennemis du sud, je les ai domptés et les Bédouins me
suivent comme des chiens. Aussi, ô roi S·en·ousret, « es-tu
mon propre cœur, et mes regards se portent-ils sur toi.
Voici, j'ai agi au commencement, et tu commandes pour
finir. »

Le récit de Si·nouhé

Un autre texte nous reporte au temps des mêmes souverains Amen·em·hat Ier (1980 av. J.-C.) et son fils S·en·
ousret (Sésostris Ier). C'est l'autobiographie de Si·nouhé,
égyptien de haute naissance, qui vivait à leur cour et qui

appartenait à la maison de la reine Nefrou, épouse de
S·en·ousret.

En l'an XXX, le roi Amen·em·hat mourut et monta au
ciel. La cour était dans le silence, les cœurs pleins d'affliction ; les grandes portes étaient closes ; les courtisans
étaient assis la tête sur les genoux et les hommes se lamentaient.

En ce temps-là, l'héritier du trône S·en·ousret était
justement parti en guerre contre les Libyens ; il les vainquit et leur enleva de nombreux troupeaux. Les chambellans
envoyèrent des messagers pour informer le fils du roi des
événements survenus à la résidence. Ils l'atteignirent à
l'heure du crépuscule et S·en·ousret se mit aussitôt en
route avec ses compagnons les plus proches, sans le faire
savoir à son armée. Mais on avait informé également les
enfants royaux qui se trouvaient dans l'armée, et le hasard
voulut que Si·nouhé apprît la nouvelle. « Alors, raconte-t-il,
mon cœur se fendit, mes bras tombèrent, et mes membres
se mirent à trembler. Je m'éloignai en courant et me cachai
parmi les buissons. Je me mis en route, mais je n'avais
nulle envie d'aller à la résidence, car je m'attendais à ce
que des troubles s'y produisissent et je craignais de n'y
pas survivre. » Si·nouhé ne nous dit pas la raison d'une telle
appréhension de sa part et, dans la suite du récit, il évite
toute explication. Appartenait-il, à la cour, à un parti qui
n'était pas celui du nouveau roi ? — Si·nouhé s'enfuit aux
confins du Delta et parvient, dans la soirée du deuxième
jour, dans la région où se trouve aujourd'hui le Caire, à
peu près à l'endroit où le Nil va se partager en plusieurs
bras. Il trouve là, sur la rive, une barque sans gouvernail
et, comme le vent d'ouest souffle justement, il est entraîné
sans accident sur l'autre rive du fleuve. Le lieu où il aborde
est encore bien connu de nos jours ; c'est la fameuse carrière de la « Montagne Rouge ». Si·nouhé poursuit sa route
vers le nord et atteint la « Muraille-du-Prince », fortifica-

tion érigée contre les Bédouins. Il continue son récit en
ces termes : « Je me blottis dans un buisson, de peur que
le gardien de faction sur la muraille ne me vît. » La nuit
venue, il se remet en route et parvient à l'aube aux Lacs
Amers de l'isthme de Suez. « Là, dit-il, il advint que je
tombai de soif, j'étais altéré, ma gorge était en feu, et je
dis : « Ceci est le goût de la mort. » Cependant, je me
ressaisis, « car j'entendis le mugissement d'un troupeau et
j'aperçus des Bédouins. Leur *sheikh*, qui avait été en
Égypte, me reconnut ; il me donna de l'eau, il fit bouillir
du lait pour moi, et j'allai avec lui dans sa tribu. Ils me
traitèrent bien. »

« Un pays me donna à l'autre (c'est-à-dire : je passai
de pays en pays) ; je m'éloignai de Byblos et m'approchai
de Kedemi, et je passai là un an et demi. Le prince de Retenou supérieur (région palestinienne), Nenshi, fils d'Amou,
m'emmena et me dit : « Tu seras heureux avec moi, tu
entendras parler égyptien. » Il dit cela, car il savait combien j'étais apprécié (à la cour) et avait entendu parler de
ma sagesse ; des Égyptiens qui vivaient dans son entourage
lui avaient parlé de moi.

« Alors il me dit : « Pourquoi donc es-tu venu jusqu'ici ?
Est-il arrivé quelque chose à la Résidence ? » Je lui répondis : « Le roi Amen·em·hat est allé au ciel et on ne sait rien
des circonstances qui ont accompagné cet événement. »
Et j'ajoutai en déguisant la vérité : « Je revenais d'une
expédition au pays des Libyens, quand on m'en annonça
la nouvelle. Mon cœur tressaillit, mon cœur n'était plus
dans mon corps. Il m'emmena sur les routes des pays
désertiques. Et pourtant, on n'avait pas parlé mal de moi
et on n'avait pas craché à mon visage. Je n'avais pas entendu de paroles injurieuses à mon sujet et je n'étais nullement suspect. Je ne sais pas ce qui m'a amené dans ce
pays ; c'était comme un dessein de Dieu. » — Alors il me
dit : « Qu'adviendra-t-il donc de l'Égypte sans lui, sans ce

dieu excellent (le vieux roi), dont la crainte parcourait les
pays étrangers comme la déesse Sekhmet en une année de
peste ? » Quant à moi, je lui dis : « Assurément, son fils est
entré dans le palais et il s'est emparé de l'héritage de son
père, lui, le dieu sans pareil, qu'aucun autre ne surpasse,
un maître de sagesse aux desseins excellents et aux commandements avisés. On part en guerre et on en revient
lorsqu'il l'ordonne. N'est-ce pas lui, le fils, qui avait soumis les pays étrangers, alors que son père était dans son
palais, et qui, ensuite, lui fit rapport que sa mission était
remplie ? »

Si·nouhé entonne un long chant de louange à la gloire
du nouveau roi, de sa force, de son courage et de sa bravoure. Son peuple l'aime, mais les pays étrangers, il les
conquerra. Tout d'abord, « il vaincra les pays du sud, mais
il pensera aussi aux pays du nord. N'a-t-il pas été créé
pour frapper les Asiatiques et pour écraser les habitants
du désert ? Envoie-lui donc (une ambassade), afin qu'il
connaisse ton nom ; ne prononce aucune parole outrageuse
contre Sa Majesté, car en vérité il ne manquera pas de
faire du bien au pays qui lui sera fidèle. » Il répondit :
« Assurément, l'Égypte est heureuse, puisqu'elle a un souverain de si grande valeur. Mais tu es ici et tu resteras
auprès de moi et je te ferai du bien. »

« Il me mit à la tête de ses enfants et me donna sa fille
aînée pour femme. Il m'autorisa à choisir pour moi une
portion de son pays parmi les meilleures qu'il possédait en
bordure d'un autre pays. C'était une bonne terre dont le
nom était Iaa. Il y poussait des figuiers, ainsi que des
vignes, et le vin y était plus abondant que l'eau. Il était
riche en miel et en huile et il y avait toute espèce de fruits
sur ses arbres, de l'orge et du froment et troupeaux sans
nombre. Il me fit chef d'une tribu, parmi les meilleures de
son pays. On me servit des pains comme nourriture quotidienne et du vin comme boisson de tous les jours, de la

viande bouillie et de la volaille rôtie. A cela venait s'ajouter
le gibier du désert que l'on prenait au piège pour moi et
que l'on déposait à mes pieds, sans compter ce que me rapportaient mes chiens. Je reçus aussi du lait apprêté de
toute manière. » Si·nouhé vécut ainsi de nombreuses
années ; ses enfants grandirent. Les messagers étrangers,
qui traversaient son territoire, s'arrêtaient chez lui ; il
hébergeait tout le monde, donnait de l'eau à ceux qui
avaient soif, il mettait les voyageurs égarés sur leur chemin et secourait ceux qui avaient été dépouillés. En plus
de cela, l'armée du prince fut mise sous les ordres de Si·
nouhé et, quel que fût le pays où elle se rendît, il chassait
les ennemis de leurs pâturages et de leurs abreuvoirs ; il
capturait leurs troupeaux, il emmenait leurs gens, les
tuait et s'emparait de leurs vivres. Et il triomphait de
tout grâce à ses déplacements et ses plans exacts. « Cela
plut au prince et il m'aima, car il savait que j'étais brave
et il me plaça à la tête de ses enfants. »

Mais la faveur du prince fit naître l'envie autour de Si·
nouhé et « un (homme) fort » vint le provoquer. « C'était
un champion sans égal et il avait vaincu tout Retenou.
Il dit qu'il voulait combattre avec moi, et il songeait à me
piller et à dérober mes troupeaux. Le prince de Retenou
s'entretint avec moi et je lui dis : « Je ne le connais pas,
car je ne suis pas un de ses familiers et ne pénètre pas dans
sa tente. Aurais-je jamais ouvert sa porte ou commis
quelque autre méfait à son égard ? Ce n'est que méchanceté de sa part, car il voit comme j'exécute tes ordres. Ne
suis-je pas comme un taureau dans un troupeau qui n'est
pas le sien ? Ne suis-je pas un étranger, que l'on aime
aussi peu qu'on aimerait un Bédouin dans le Delta ? Mais,
si lui est un taureau avide de combats, je suis moi aussi un
taureau de combat et je ne crains pas de me mesurer avec
lui ; s'il désire combattre, qu'il dise ce qu'il veut. »

Pendant la nuit, Si·nouhé recorda son arc et remit ses

flèches et son glaive en état. Au matin, lorsque les gens de
Retenou arrivèrent, tous les cœurs brûlaient pour lui, les
femmes étaient en émoi, et tous les cœurs compatissaient
avec lui. Lorsque les deux combattants furent près l'un
de l'autre, l'ennemi attaqua Si-nouhé; mais celui-ci tira
et sa flèche se fixa dans sa nuque. « Il cria et tomba sur le
nez » ; et Si-nouhé l'abattit au moyen de sa propre hache.
Il se mit sur son dos et « tous les Asiatiques hurlaient ».
« J'adressai des louanges à Montou, dieu de la guerre, déclare Si-nouhé, tandis que ses gens se lamentaient à son
sujet. Le prince Neshi, fils d'Amou, me serra dans ses bras.
Alors j'emportai les biens de l'ennemi et je capturai ses
troupeaux. Ce qu'il avait projeté de faire contre moi, je
le fis contre lui. Je m'emparai de ce qui était dans sa tente
et je pillai son campement ; j'en devins grand : je m'élargis
dans mes richesses et m'enrichis dans mes troupeaux. »

Suivant la conception égyptienne qui veut que le roi
soit considéré comme un dieu, Si-nouhé s'imagine alors
que c'est au souverain qu'il est redevable de cette victoire
sur son ennemi, à ce roi, loin duquel cependant il s'est enfui
autrefois : « Cela, c'est Dieu qui l'a fait ; il est propice
à un homme qui a péché contre lui et s'est enfui dans un
autre pays. Aujourd'hui, son cœur se réjouit de nouveau.

« Un jour, en son temps, un fugitif s'esquiva — maintenant, on est informé sur mon compte à la résidence.

« Un jour, un homme se traînait de faim — à présent,
je donne du pain à mes voisins.

« Un jour, j'ai abandonné nu mon pays — maintenant,
je resplendis de vêtements et de linge blancs.

« Un jour, un homme s'enfuit, n'ayant personne à envoyer — à présent, j'ai beaucoup de serviteurs.

« Ma maison est belle et mon habitation est large — et
l'on se souvient de moi au palais.

« O Dieu, qui que tu sois, qui un jour m'as ordonné cette
fuite, sois clément et ramène-moi à la résidence. Peut-être

feras-tu que je revoie l'endroit où mon cœur habite. Que
pourrait-il advenir de plus grand que le fait que mon corps
soit enterré dans le pays où je suis né ? Viens donc à mon
secours ! Ah ! qu'advienne pour moi le bien ; que Dieu
m'accorde sa faveur et me prépare, à moi qui l'ai offensé,
une bonne fin, et qu'il prenne pitié de moi, qui dois vivre
à l'étranger. S'il est vraiment apaisé aujourd'hui, qu'il
entende la prière d'un exilé.

« Que le roi d'Égypte m'accorde de vivre par sa faveur !
Puissé-je m'enquérir des vœux de la dame du pays
(c'est-à-dire la reine), qui est dans le palais ! Puissé-je
entendre les ordres de ses enfants ! — Ah ! que mon corps
redevienne jeune, car la vieillesse est venue maintenant
et le mal m'a envahi. Mes yeux sont affaiblis, mes bras sont
alanguis et mes pieds ont cessé de me suivre. Mon cœur est
las et la mort s'approche de moi. Puisse-t-on me mener
vers les villes d'éternité (c'est-à-dire vers les tombeaux) !
Puissé-je obéir à la maîtresse de l'univers (c'est-à-dire la
reine) ! O puisse-t-elle me dire du bien de ses enfants et
puissé-je reposer éternellement à côté de son tombeau !

« Or, il advint qu'on parla à la Majesté du roi Sésostris
de la situation dans laquelle je me trouvais. Là-dessus, Sa
Majesté me manda des émissaires chargés de présents,
comme on en donne aux princes des pays, et les enfants
royaux, qui se trouvaient au palais, m'envoyèrent aussi
des messages.

« Copie du décret apporté à cet humble serviteur en vue
de le ramener en Égypte. — De la part du roi Sésostris :
Décret royal au suivant Si·nouhé :

« Vois, on t'apporte cet ordre du roi, afin que tu saches
« ce qui suit : Tu as parcouru les pays étrangers et tu es
« venu de Kedemi à Retenou ; un pays te donnait à un
« autre sur le conseil de ton propre cœur. Qu'avais-tu donc
« fait pour que l'on dût agir contre toi ? Tu n'avais pas
« proféré d'injures, en sorte que l'on dût repousser tes

« paroles, et tu n'avais pas parlé au conseil en sorte que
« l'on dût s'opposer à tes avis. Ce n'est que cette pensée qui
« a emporté ton cœur (et il n'y avait rien contre toi dans
« mon cœur). — Mais ce tien ciel, qui est dans le palais
« (c'est-à-dire la reine), demeure et prospère encore au-
« jourd'hui, elle participe à la royauté du pays et ses en-
« fants sont dans la salle d'audience. — Tu recevras les
« mets excellents qu'ils te donneront et tu vivras de leurs
« largesses. Reviens donc en Égypte, afin que tu voies la
« résidence dans laquelle tu as grandi. Tu baiseras la terre
« aux deux grandes portes et tu te joindras aux Amis. —
« A présent, tu as commencé à vieillir, tu as perdu ta viri-
« lité et tu songes au jour où l'on est enterré parmi les
« bienheureux. »

Le roi décrit ensuite le beau tombeau qui sera aménagé
pour Si·nouhé, la manière dont on embaumera et envelop-
pera de bandelettes son cadavre. Sa momie sera déposée
dans une gaîne en or, sous un baldaquin, et sera tirée sur
un traîneau par des bœufs jusqu'au tombeau. Des chan-
teurs précéderont le convoi ; au tombeau seront prononcées
les formules et accomplis les sacrifices. — Sa tombe sera
parmi celles des enfants royaux. Ainsi donc il n'aura pas
à mourir à l'étranger, où les Asiatiques l'envelopperaient
simplement d'une peau de bélier. Qu'il songe donc à cela
et revienne en Égypte. — Et Si·nouhé poursuit son récit
en ces termes : « Ce décret royal me parvint alors que je me
trouvais au milieu de ma tribu. Quand on me le lut, je me
jetai sur le ventre, je touchai la poussière du sol et je la
répandis sur ma chevelure. Je parcourus mon campement
en jubilant, disant : « Comment se peut-il que cela soit fait
à un serviteur que son cœur a entraîné à se rendre dans des
pays étrangers. Oui, assurément il est bon le charitable qui
me sauve de la mort. Tu me permettras d'achever mon
existence à la résidence. »

La réponse, ou, en style égyptien, l'accusé de réception

du décret, que Si·nouhé adresse au roi, nous est aussi
communiqué ; sa reconnaissance s'y exprime en termes
exaltés. Il invoque tous les dieux de l'Égypte, des pays
étrangers et des îles, afin qu'ils accordent la vie au roi, lui
qui a subjugué l'univers tout entier. Car, si Si·nouhé
n'avait pas porté sa requête devant le roi parce qu'il crai-
gnait de dire une si grande chose, le roi ne l'avait-il pas
néanmoins apprise dans sa divine omniscience ?

En ce qui concerne la raison de sa fuite, il remarque qu'il
ne la connaît pas lui-même ; cela avait été comme un rêve,
ce qui l'avait conduit à l'étranger, et il n'avait rien à en
craindre et aucune parole malveillante ne l'avait poursuivi.
Puis le récit continue : « On me laissa passer encore un
jour dans Iaa et je léguai mes biens à mes enfants. Mon fils
aîné prit le commandement de ma tribu et reçut tous mes
biens, mes gens et mes troupeaux et tous mes arbres doux.
Puis, je me dirigeai vers le Sud jusqu'aux Chemins-d'Horus, à la frontière d'Égypte. Le commandant qui, là, avait
la charge de la garnison, dépêcha un message à la résidence
pour annoncer la chose. Sa Majesté envoya un excellent
inspecteur rural avec des bateaux, chargés de présents
royaux pour les Bédouins qui m'avaient suivi et accompagné jusqu'aux Chemins-d'Horus. Je nommai un chacun
par son nom (c'est-à-dire je les présentai). Puis, je me suis
mis en route et je fis voile, et au cours du voyage on fit la
cuisine et l'on brassa la bière jusqu'à ce que j'eusse atteint
la résidence. — Lorsqu'il fit jour, de bon matin, on vint
m'appeler ; dix hommes vinrent et dix hommes s'en furent
me conduire au palais. Je baisai le sol entre les sphinx ;
les enfants royaux se tenaient dans l'embrasure de la
porte et me reçurent. Quant aux chambellans, dont la
fonction est d'introduire dans la Grande Salle, me conduisirent au cabinet royal. Je trouvai Sa Majesté sur le trône,
à la porte d'or. Je me jetai sur le ventre et perdis connaissance, bien que ce dieu me saluât amicalement. C'est

comme si j'avais été emporté dans l'obscurité. Mon âme
s'était évanouie, mon corps frissonnait, mon cœur n'était
plus dans mon corps, et je ne savais pas si je vivais ou si
j'étais mort.

« Alors Sa Majesté dit à l'un de ces chambellans :
« Relève-le pour qu'il me parle. » Sa Majesté dit : « Te
voilà revenu après avoir parcouru les pays étrangers. —
Maintenant que tu as atteint la vieillesse, il n'est certes
pas de petite importance que ton corps soit bien enseveli
et que ce ne soient pas les Barbares qui t'enterrent. Ne
reste pas silencieux, ne reste pas silencieux, parle ; ton
nom est déjà prononcé. »

« Je répondis comme répond un homme apeuré : « Que
me dit mon maître ? Ah ! si je pouvais répondre ! Mais je
ne le puis pas ; c'est comme si la main d'un dieu était
sur moi. Une terreur est dans mon corps, semblable à celle
qui, un jour, m'a incité à fuir. Voici, je suis devant toi, —
à toi la vie ! — et Ta Majesté agira selon son bon plaisir. »

« On fit alors introduire les enfants royaux et Sa Majesté
dit à la reine : « Vois, c'est Si·nouhé, qui est revenu comme
un Asiatique, comme un vrai Bédouin. » Elle poussa un
grand cri et les enfants royaux hurlèrent tous ensemble
et dirent à Sa Majesté : « Vrai, ce n'est pas lui, ô roi, mon
maître. » Sa Majesté dit : « Si, c'est lui en vérité. » Alors
les enfants royaux firent de la musique devant le roi et
chantèrent en son honneur un hymne qui finit ainsi :
« Fais-nous aujourd'hui un beau présent en la personne
de ce Bédouin, de ce Barbare né en Égypte. Ce n'est que
par crainte de toi qu'il s'est enfui et à cause de la terreur
que tu lui inspirais qu'il a quitté le pays. Mais le visage
qui a vu Ta Majesté (dans sa bonté) n'est plus empreint
de frayeur, et l'œil qui t'a regardé n'a plus peur. » Sa
Majesté répondit : « Il ne faut pas qu'il ait peur, il ne faut
pas qu'il s'effraie. Il sera désormais un Ami parmi les Conseillers et il sera placé parmi les courtisans. »

Les enfants royaux lui tendirent ensuite les mains et le
conduisirent hors du palais, à la maison d'un fils royal,
pourvue d'une chambre de bain. On lui apporta des choses
précieuses de la maison du trésor : des vêtements, de la
lingerie, de la myrrhe et de l'huile fine. Il y avait aussi des
serviteurs et des cuisiniers. Et Si·nouhé fut rendu à sa
dignité d'Égyptien de haut rang. « On fit disparaître de
mon corps les (traces des) ans ; on me rasa, on peigna mes
cheveux. Une cargaison de saleté fut abandonnée au désert
et les vêtements grossiers aux Coureurs-de-Sable (les Bédouins) ; on me revêtit de lin fin et l'on m'oignit de la
meilleure huile d'Égypte. Je dormis sur un lit et j'abandonnai le sable à ceux qui l'habitent et l'huile d'arbre à celui
qui s'en oint. » On donna alors à Si·nouhé la maison d'un
Ami ; beaucoup d'ouvriers travaillèrent à sa reconstruc-
tion et toute sa charpente fut refaite à neuf. Trois fois par
jour et même quatre, on lui apportait des repas du palais,
en plus de ce que lui donnaient les enfants royaux. On lui
édifia aussi une tombe de pierre ; à la construction de
laquelle collaborèrent les entrepreneurs et les décorateurs
du roi. On confectionna tout un matériel funéraire et le
roi offrit pour la tombe une statue revêtue d'or. « Il n'existe
point d'homme de condition modeste à qui l'on ait fait
chose semblable, et ainsi je vis, conclut Si·nouhé, comblé
par les faveurs du roi, jusqu'à ce que vienne le jour de ma
mort. »

L'histoire de Si·nouhé est si curieuse que nous aurions
plaisir à être mieux informés sur sa vie, sa jeunesse, sa
situation à la cour, sur les pays qu'il parcourut dans sa
fuite, et sur son existence parmi les Bédouins. Mais ce n'est
pas par un pur hasard que notre récit ne s'attarde pas à
tout cela, car l'auteur n'est pas un narrateur ordinaire
débitant à ses naïfs lecteurs tout ce qui lui vient à l'esprit.
Au contraire, il se contente de brosser quelques tableaux
pleins de vie dans lesquels se révèle son talent. Que son

récit soit un chef-d'œuvre, le nombre des copies qui nous en sont parvenues le prouve suffisamment ; les deux plus anciennes, qui appartiennent au Musée de Berlin, remontent à l'époque du Moyen-Empire.

LES PLAINTES DU PAYSAN

Un autre livre de la même époque, fort apprécié également, rentre encore beaucoup plus dans la catégorie de la narration proprement dite (1). Sous le règne d'un souverain d'Héracléopolis (vers 2200 av. J.-C. ; p. 131) vivait au Champ-du-Sel, l'Ouadi Natroun d'aujourd'hui, un pauvre paysan. Un jour, il chargea ses ânes de toutes espèces de produits de cette oasis et se rendit en Égypte pour les y vendre. Arrivé à proximité de la capitale, il rencontra, sur le chemin qui y conduisait, un homme qui était serf du noble majordome Rensi. Lorsque ce serf vit les ânes du paysan, il les convoita et tenta de se les approprier par ruse. La digue était étroite ; d'un côté il y avait de l'eau, de l'autre un champ d'orge. Il étendit une pièce d'étoffe sur la chaussée et, lorsque le paysan s'approcha, il lui cria : « Prends garde, paysan, ne marche pas sur mes vêtements. » Le paysan obéit, et comme il ne pouvait passer dans l'eau, il longea le chemin en bordure du champ d'orge. L'un de ses ânes arracha une touffe d'orge. Le serf s'écria : « Je prends ton âne, il mange mon orge ! » Le paysan dit : « J'ai pourtant bien suivi ma route : comme un côté était obstrué, j'ai mené l'âne sur l'autre, et maintenant tu le prends parce qu'il a rempli sa bouche d'une touffe d'orge. Mais, moi, je connais le propriétaire de ce domaine ; il appartient au majordome Rensi, et c'est bien lui qui s'oppose à tout voleur. Et l'on me volerait sur son domaine ? » Le serf railla le paysan de ce qu'au lieu de lui parler il songe aus-

(1) Traduction littérale dans : Erman, *Die Literatur der Ægypter*, p. 157 et suiv.

sitôt au majordome. Il le frappa et lui enleva l'âne. Le
paysan se mit à pleurer très fort. Le tenancier le répri-
manda : « Ne crie pas si fort, paysan ! N'es-tu pas en route
pour la ville du « Maître du Silence » (Osiris) ? » Le paysan
dit alors : « Tu me bats et tu dérobes mes biens, et tu veux
encore m'arracher la plainte de la bouche ? »

Pendant dix jours, le paysan implora le serf, mais il
resta sourd à ses supplications. Le paysan se rendit alors
chez le majordome et il le rencontra au moment précis où
il montait dans sa barque officielle. Il n'osa pas retarder
le grand seigneur avec sa plainte et se contenta de lui
demander l'autorisation de se mettre en rapport avec son
homme de confiance. C'est ce qui advint et le majordome
dénonça le tenancier voleur aux conseillers de son entourage.
Mais ceux-ci trouvèrent une excuse à l'attitude du tenancier ; ils alléguèrent que le paysan, qui devait être de ses
gens, se rendait certainement, comme cela arrivait souvent,
non pas chez lui, mais chez un autre. Était-ce le cas, réellement, de punir le tenancier « à cause d'un peu de natron et
d'un peu de sel » ? Le grand majordome laissa sans réponse
ce jugement, où nulle mention n'était faite du vol des
ânes et ne donna pas davantage de réponse au paysan.
Celui-ci se rendit alors auprès du grand majordome pour
l'implorer lui-même et il lui dit : « Grand majordome, mon
maître ! le plus grand des grands ! guide de tout ce qui
n'existe pas et de tout ce qui existe ! Si tu descends au
Lac de Justice, puisses-tu y naviguer par un vent favorable...
Qu'aucun malheur ne s'abatte sur ton bateau,... que les
flots ne t'emportent pas ! Tu ne dois pas goûter la méchanceté du fleuve, tu ne dois pas voir de visage apeuré. Les
poissons qui sont pourtant craintifs viendront à toi et des
oiseaux gras seront ta proie ! Car tu es le père de l'orphelin,
le mari de la veuve, le frère de la répudiée, le vêtement de
celui qui n'a pas de mère.

« Ah ! si je pouvais établir pour toi en ce pays un renom

qui vaille davantage que toute bonne loi ! O guide exempt
de supercherie, ô grand exempt de bassesse, qui anéantis
l'injustice et qui crées la justice ! Oublie le mal ; je parle :
toi, entends ! Fais justice, loué qu'ont coutume de louer
les loués ! Écarte l'injustice qui m'est faite. Vois comme je
suis accablé de soucis, vois combien je suis faible. Éprouve-
moi ; vois, je suis dans le besoin. »

Nous ne goûtons pas les tournures recherchées de ce discours, mais celui-ci parut si beau au grand intendant qu'il
chercha aussitôt à rejoindre son roi. Il lui annonça qu'il
avait rencontré un paysan très habile dans l'art de dis-
courir, lequel, victime d'un vol, était venu implorer son
aide. Le souverain, qui était amateur de beaux discours,
désira en entendre davantage. Aussi donna-t-il au grand
majordome cet ordre singulier : « Retiens-le sans répondre
à ce qu'il dira, afin qu'il continue à parler ; qu'on nous
apporte ensuite son discours en écrit, afin que nous l'en-
tendions. Mais veille à l'entretien de sa femme et de ses
enfants et assure-lui sa subsistance. Cependant, tu lui
feras donner ses rations en prenant soin qu'il ne soupçonne
pas qui les lui donne. »

Tout se passe ensuite exactement suivant les instructions
données par le roi et le résultat est bien celui que l'on
escomptait. Dans son malheur, le paysan revient constamment à la charge et fait encore huit pétitions. Dans chaque
discours, il expose à nouveau devant le dignitaire l'injustice dont il est victime, mais il le fait en termes admirables.
Lui, qui a pour mission de faire triompher le droit dans le
monde, qu'il ne protège pas l'injustice ! C'est ce que toujours il lui expose au moyen d'images nouvelles ; il loue la
justice et la vérité comme ce qu'il y a de plus sublime
au monde : le dieu du soleil n'a-t-il pas donné l'ordre suivant : « dis la vérité, agis selon la vérité, car elle est grande,
puissante et durable » ? Pour finir, le paysan menace de
s'ôter la vie et de porter sa plainte au dieu des morts Anu-

bis. — Toutes ces pétitions furent « écrites sur un papyrus
neuf » et remises au roi ; « ceci fut agréable à son cœur
plus que toute chose en son pays tout entier ». Le roi se
montra généreux à l'égard du paysan et de sa famille et lui
fit don de tout ce que possédait le méchant tenancier.

LE CONTE DU NAUFRAGÉ

La même pensée, suivant laquelle le beau parler est, pour
l'homme, le meilleur secours dans toutes les difficultés, se
retrouve dans une autre histoire, le Conte du Naufragé, qui
date également du Moyen-Empire.

Un noble Égyptien avait été envoyé en mission par le
roi dans les pays du sud, mais il avait essuyé un insuccès
dans cette entreprise. Il se faisait grand souci de l'accueil
qu'il trouverait auprès du roi. Mais l'un de ses compagnons
lui adressa des paroles bienveillantes et l'exhorta à faire
preuve d'assurance, car « la bouche d'un homme peut le
sauver et sa parole peut faire qu'on lui soit indulgent ». Il
lui fait ensuite le récit d'une mésaventure qui lui est arrivée
à lui personnellement et qui, cependant, ne lui a pas été
fatale auprès du roi, car il sut en faire un plaisant exposé.
Un jour, dit-il, « je me rendais aux mines du souverain et
j'étais descendu à la mer avec un bateau de cent vingt
coudées de long et de quarante coudées de large, dans
lequel il y avait cent vingt matelots de l'élite de l'Égypte.
Ils scrutèrent le ciel, ils considérèrent la terre et annoncèrent un orage avant qu'il fût venu. » La tempête éclata
alors que nous étions en mer et que nous n'avions pas
encore gagné le rivage. Le bateau périt et je fus seul à
pouvoir me cramponner à une épave de bois ; « une vague
me jeta sur une île ; je passai là trois jours seul, n'ayant
que mon cœur pour compagnon, sous un arbre », puis je
me levai et me mis à la recherche de nourriture. « Je trouvai
là des figues et des raisins, de magnifiques légumes verts de

toutes sortes et des concombres ; il y avait là des poissons
et des oiseaux et il n'existe rien qui ne fût sur cette île. Je
m'en rassasiai et j'en abandonnai une partie sur le sol, ne
pouvant pas la porter. Je me fis ensuite un foret à feu,
j'allumai un feu et je fis un holocauste aux dieux. — Alors,
j'entendis un bruit de tonnerre et je crus que c'était le flot
de la mer ; les arbres craquèrent et la terre trembla. Je dé-
couvris mon visage et je trouvai que c'était un serpent qui
s'approchait ; il était long de trente coudées et avait une
barbe de deux coudées ; ses membres étaient plaqués d'or
et il avait des yeux en lapis-lazuli véritable ; il s'incurvait
en avant. Je me jetai sur le ventre devant lui et il ouvrit
la bouche et dit : « Qui t'a amené, qui t'a amené, petit ?
Si tu ne me dis pas sur-le-champ qui t'a amené sur cette île,
je te montrerai que tu n'es que cendre. » Je répondis :
« Je suis étendu devant toi et pourtant je ne sais rien de
moi. » — Alors, il me mit dans sa bouche, il me porta dans
son abri et me déposa à terre sans me heurter ; j'étais in-
demne et je n'étais écorché nulle part. Il ouvrit sa bouche vers
moi qui gisais devant lui. Il me dit : « Qui t'a amené ici ?
Qui t'a amené sur cette île de la mer, qui pourtant est entourée des deux côtés par les flots ? » — Le naufragé
raconte ensuite au serpent comment « le bateau périt » et
que personne à part lui ne survécut. Le serpent dit alors :
« Ne crains rien, ne crains rien, petit. Vois, Dieu a permis
que tu survives et il t'a amené à cette île pleine de toutes
sortes de bonnes choses. Vois, tu passeras mois après mois
sur cette île jusqu'à ce que quatre mois pleins se soient
écoulés. A ce moment viendra de la résidence un bateau,
dans lequel il y aura des matelots que tu connais ; tu iras
avec eux à la résidence et tu mourras dans ta ville et tu
prendras plaisir à faire le récit de ce que tu as enduré. Je
vais te raconter aussi quelque chose de semblable, qui s'est
passé autrefois sur cette île. »

L'histoire que raconte alors le serpent est malheureuse-

ment relatée de manière très abrégée. Il fut un temps où le
serpent vivait avec soixante-quinze autres serpents sur
l'île ; un jour qu'il s'était absenté, une étoile était tombée et
les avait tous brûlés. Il faillit en mourir de chagrin, mais il
fut ferme et maîtrisa son cœur. Et il dit au naufragé :
« C'est ainsi que tu dois faire aussi ; tu rempliras alors ton
sein de tes enfants, tu embrasseras ta femme et tu reverras
ta maison ; cela n'est-il pas meilleur que toute autre
chose ? Tu regagneras la résidence et tu y vivras dans le
cercle de tes frères. » — Le récit se poursuit en ces termes :
« Je me jetai à terre sur le ventre et touchai le sol. Je lui dis :
« Je raconterai ton existence au roi et lui ferai connaître ta
grandeur. Je te ferai apporter du parfum *ibi*, du parfum
hekenou, du parfum *ioudeneb* et du parfum *khesaït*, et de
l'encens des temples, dont on réjouit tous les dieux. Je raconterai ce qui m'est arrivé et ce que j'ai vu. On te rendra
grâces dans la ville en présence des notables du pays tout
entier. Je sacrifierai pour toi des bœufs en holocauste, je
sacrifierai pour toi des oies. Je t'enverrai des bateaux chargés de toutes les richesses de l'Égypte, comme il convient
qu'on le fasse à un dieu qui aime les hommes dans un pays
lointain que les hommes ne connaissent pas. » Mais le serpent se moqua de moi et de ce que j'avais dit, car cela lui
paraissait insensé. Il dit : « Tu n'as pas beaucoup de
myrrhe ; tout ce que tu as, c'est de l'encens. Mais moi, je
suis le souverain de ce pays de Pount (p. 175) et c'est à moi
qu'appartient la myrrhe ; ce parfum *hekenou*, que tu pré-
tendais me faire apporter, c'est le produit essentiel de cette
île. D'ailleurs, lorsque tu auras pris congé de cet endroit,
jamais tu ne reverras cette île : elle deviendra flots. » Le
bateau en question vint réellement comme le serpent
l'avait prédit. Je montai sur un grand arbre et reconnus les
gens qui s'y trouvaient. Je l'annonçai au serpent, mais il le
savait déjà. Il me dit : « Parviens en santé, en santé, petit,
à ta maison, afin que tu revoies tes enfants. Et fais-moi un

bon renom dans ta ville ; c'est sur quoi je compte de ta
part. »

« Il me donna une cargaison de myrrhe, de *hekenou*, de
ioudeneb, de *khesaïl*, de *teshepes*, de, *shaâsekh* de fard,
de queues de girafes, un grand monceau d'encens, des dé-
fenses d'éléphants, des lévriers, des guenons, des singes
et toutes sortes de choses précieuses. Je les chargeai sur ce
bateau. » Je remerciai ensuite le serpent et il me promit
qu'en deux mois je serais parvenu à la résidence et que j'y
finirais mes jours.

« Je descendis vers le bateau et je proclamai encore, sur
le rivage, les louanges du seigneur de l'île et ceux qui
étaient sur le bateau firent de même. » « Nous parvînmes
en deux mois à la résidence du roi, exactement comme le
serpent l'avait dit. J'entrai jusque devant le roi et lui
présentai les trésors que j'avais rapportés de l'île. Il me
remercia en présence des notables du pays tout entier. Je
fus nommé homme de la suite et gratifié de serviteurs. »
— Le naufragé s'adresse de nouveau au noble personnage
dont son récit devait ranimer le courage. Mais l'interlocu-
teur ne se laisse pas si facilement convaincre et il continue
à craindre la colère du roi : « Donne-t-on à l'aube, dit-il,
encore de l'eau à une volaille que l'on va égorger le matin ? »

CHAPITRE XVII

LA MÉDECINE DES TEMPS ANCIENS

Les papyrus du Moyen-Empire nous ont, en outre, conservé deux ouvrages qui n'appartiennent pas à la littérature proprement dite, mais qui présentent un intérêt purement pratique. L'un de ces ouvrages traite des maladies des femmes, l'autre des maladies des animaux domestiques. Nous profiterons de l'occasion qui nous est offerte ici de dire quelques mots de la littérature médicale (1), remontant à toutes les époques de l'histoire égyptienne, qui nous est parvenue.

Déjà les inscriptions de l'Ancien-Empire font mention de médecins et de médecins-chefs de Pharaon. Qu'il nous suffise de citer Ni·ânkh·sekhmet, médecin-chef du roi Sahou·rê (vers 2550 av. J.-C. ou avant), auquel ce dernier était redevable de sa santé et qu'il récompensa en lui aménageant un beau tombeau. Ainsi donc, la médecine fut hautement estimée de tout temps en Égypte et ce n'est pas par un simple effet du hasard que quelques-uns des plus beaux et plus importants papyrus soient précisément consacrés à cet art. Mais ce serait commettre une erreur que d'accorder aux anciens Égyptiens des connaissances particulièrement profondes en médecine. En peuple sensé et pratique, les Égyptiens ont recueilli leurs expériences en ce domaine et les ont réunies dans leurs livres d'ordonnances, sans cependant se demander longtemps la raison de l'efficacité des remèdes. Le médecin n'en fait pas moins un examen sérieux et consciencieux du malade et il note avec précision dans ses livres les symptômes d'un cas particulier. On lit par exemple : « Si tu rencontres un homme dont le cou

---

(1) Cf. aussi Erman-Ranke, *Ægypten und ägyptisches Leben*, Tubingue, 1923, p. 408. (Une traduction française paraîtra prochainement dans la Bibliothèque Historique des Editions Payot, Paris. — N. d. T.).

présente une enflure et qui souffre des muscles du cou, — il
souffre de la tête, la vertèbre de son cou est raide et son
cou ne peut se mouvoir, de sorte qu'il ne peut regarder son
ventre — ..., dis : il a une enflure au cou ; fais en sorte qu'il
se frotte avec dè la pommade ou de l'onguent, et il guérira
aussitôt. » Voici ce qui est écrit au sujet d'une maladie
d'estomac : « Si tu rencontres un homme qui souffre de cons-
tipation..., dont le visage est pâle et dont le cœur a des pal-
pitations, et si tu trouves en l'examinant qu'il a le cœur
brûlant et le ventre gonflé, — il a un abcès consécutif à
l'absorption d'aliments échauffants. Applique quelque chose
qui diminue la brûlure et qui relâche les intestins, à savoir
un breuvage de bière douce que l'on a versée sur des fruits
nekaoul secs ; le malade en absorbera à quatre reprises.
Examine six jours de suite, le matin, ce qui est évacué par
l'anus ; si ce qui est évacué ressemble à de petites pierres
noires, dis que cette inflammation a disparu. » A l'occasion
d'une blessure grave à la tête, le médecin observe avec raison que le cerveau palpite sous ses doigts et cela le fait
penser à l'endroit du sommet du crâne qui, chez les nourrissons, n'est pas encore durci. Pour des blessures de ce genre,
l'ordonnance est, en traduction libre, la suivante : Si tu
découvres que le crâne du patient présente une fracture,
ne le lui bande pas ; maintiens-lui son régime habituel,
jusqu'à ce que la crise de douleur soit passée. Le traitement
à suivre est : « être assis » (c'est-à-dire le repos complet).
Fais-lui deux supports de brique jusqu'à ce que la crise ait
disparu. (Alors) mets de la pommade sur sa tête et enduis-en
également son cou et ses épaules.

Le nombre des maladies que le médecin peut être appelé
à soigner est innombrable. Un traité particulier est consacré
aux blessures et aux fractures, un autre aux maladies de
la femme et un troisième aux maladies des yeux, lesquelles
ne devaient pas être moins fréquentes dans l'Égypte ancienne que dans l'Égypte actuelle. La diversité de ces mala-

dies exigeait évidemment une égale diversité dans la manière de les combattre. Les dents creuses sont « bourrées »
au moyen d'une masse, autrement dit on les obture ; mais
le médecin utilise surtout les bandages et les frictions, les
pommades, les pilules et les potions. Il est précisé si les
médicaments doivent être pris à jeun et combien de fois de
suite. On fait également usage de l'inhalation ; ainsi, l'on
procède de la manière suivante pour combattre la toux :
Prends des graines « joie du cœur », des graines *meny* et
la plante *ââmou* ; broie-les ensemble. Prends ensuite sept
pierres et chauffe-les au feu. Retire l'une d'entre elles et
place un peu de ce remède par-dessus. Recouvre ensuite
le tout avec un vase neuf. Fais éclater un morceau du fond
de ce dernier et introduis un roseau dans ce trou. Place ta
bouche à ce roseau, de manière que tu inhales la fumée qui
y monte. Fais de même avec les (six) autres pierres et in-
gurgite ensuite quelque chose de gras, par exemple de la
viande grasse ou de l'huile.

Nous disions ci-dessus que les Égyptiens se laissaient
guider, dans leur médecine, par l'empirisme. Il nous est
cependant parvenu un livre où est développée une théorie
sur le corps. Ce devait être un ouvrage réputé que ce
« Secret du médecin, connaissance du fonctionnement du
cœur », car nous en connaissons plusieurs rédactions. Il
nous y est expliqué que le « cœur » est le point central du
corps. De lui partent vingt-deux ou quarante-six « vaisseaux » qui se dirigent vers les différents membres. Leurs
fonctions sont diverses, car ils ne servent pas seulement
au transport du sang, mais aussi de l'eau, de l'air et de
l'urine. En réalité, ces vaisseaux correspondent aux grandes
artères ; on en a d'ailleurs la preuve dans la remarque suivante : le médecin pose-t-il ses doigts sur la tête, sur l'ar-
rière-tête, sur les mains, à la place du cœur, sur les bras ou
les pieds, partout il rencontre le cœur, car ses vaisseaux
mènent à tous les membres ; — il est évidemment fait allu-

sion au pouls. Ces vaisseaux expliquent la cause de nombreux maux, car ils peuvent s'obstruer, s'échauffer, durcir, occasionner des démangeaisons ; ils doivent être raffermis ou calmés ; ou encore, ils ne veulent pas assimiler le remède.

Si le médecin a constaté le succès d'un traitement, il note tout réjoui en marge de son ordonnance « bon » ; parfois, on lit même dans le livre d'ordonnances la remarque : « excellent, je l'ai vu et expérimenté mainte fois. »

La plupart des remèdes consistent en plantes, parmi lesquelles certaines sont si rares qu'on est obligé de les décrire au médecin. Il est dit par exemple d'une plante qu' « elle croît sur son ventre » (ce qui signifie qu'elle rampe), elle a des fleurs comme le lotus et ses feuilles sont comme du bois blanc. Comme toute médecine populaire, celle de l'Égypte utilise des produits ou substances bizarres ou dégoûtants : le sang de lézard, les dents de porc, la viande pourrie, la graisse puante, l'humidité des oreilles de porc. Des vertus toutes spéciales sont attribuées aux excréments. On utilise ainsi la crotte d'âne, d'antilope, de chien, de chat et même la chiure de mouche qui se trouve sur la paroi ; les excréments des adultes et des enfants ne doivent pas être dédaignés non plus.

D'ailleurs, plus d'une parmi ces nombreuses ordonnances peuvent se réclamer d'une origine plus ancienne. L'une, à la vérification, s'est retrouvée au temple d'Ounen·nefer (c'est-à-dire Osiris). D'autres prescriptions sont censées avoir été trouvées pour lui-même par le dieu solaire, qui, dans sa vieillesse, eut de grands maux à endurer. Une pommade pour les yeux doit son succès au fait qu'elle a été inventée par un Phénicien de Byblos et les dames égyptiennes accordèrent certainement une confiance entière au remède pour faire pousser les cheveux à l'emploi duquel la vieille reine Shekh, mère de la reine Titi, devait sa belle chevelure ; il s'agit d'une pommade préparée au moyen

d'un sabot d'âne, d'un pied de chien et de noyaux de dattes
cuits ensemble dans de l'huile. On consultait les médecins
pour d'autres remèdes capillaires, principalement en vue
de rendre aux cheveux gris leur teinte noire. Il existe à
cet effet de nombreux remèdes qui tous consistent à utiliser
le sang de quelque animal de couleur noire. Malheureusement, il arrive occasionnellement que les dames requièrent
du médecin un remède qui fasse tomber les beaux cheveux
de la maudite, c'est-à-dire de la rivale. Le remède est
placé, en secret naturellement, sur la tête de la rivale. Mais
par bonheur, il existe aussi un antidote : carapaces de tor-
tues cuites et broyées et mélangées à des pieds d'hippopotames ; ce remède, à vrai dire, n'est efficace qu'à l'usage
répété.

Enfin, il est exigé du médecin qu'il s'occupe de choses
qui, suivant notre manière de voir, ne vont guère de pair
avec la médecine. Non seulement, il doit traiter les pi-
qûres de moustiques et de mouches, mais encore débarras-
ser la maison des puces qui l'infestent. Il sait aussi que le
serpent, ce méchant hôte des demeures égyptiennes, reste
dans sa cachette lorsqu'on pose sur son trou un poisson séché
ou un morceau de natron. Si l'on veut protéger quelque chose des souris, dans la maison, il ordonne qu'on y
étende de la graisse de chat.

Chacune des classes élevées de l'Égypte avait parmi les
dieux un patron. Les scribes avaient Thoth, les artistes
Ptah et les guerriers Montou ; les médecins avaient, eux
aussi, une patronne, Sekhmet, la terrifiante déesse léontocéphale de la peste. Mais d'autres dieux doivent accorder
leur protection au médecin, pour que ses interventions
soient couronnées de succès. Lorsqu'il prépare son remède,
il est bon qu'il songe pieusement à Isis qui protégea son
fils des souffrances, et qu'il dise alors : « Isis a délivré, a
délivré Horus de tout le mal qui lui était fait. O Isis,
grande magicienne, affranchis-moi, libère-moi de toutes

choses méchantes et mauvaises. » Et quand le malade prend son médicament, il convient de dire : « Viens, remède, viens, chasse le mal de mon cœur, de ces miens membres. » A côté de ces simples prières existent toutes sortes de formules magiques (1) sur lesquelles nous ne pouvons nous étendre ici ; qu'il nous suffise de relever ce fait assez curieux qu'elles apparaissent en plus grand nombre dans les livres de médecine de la fin du Nouvel-Empire que dans ceux des époques plus anciennes.

(1) Pour plus ample information sur la magie, qui joua un si grand rôle dans l'ancienne Égypte, cf. Erman, *La Religion des Egyptiens*, chapitre XVII.

CHAPITRE XVIII

DÉBUTS DU NOUVEL-EMPIRE

La grande époque des Amen·em·hat et des Sésostris devait prendre fin. Nous ne savons que peu de chose des rois qui leur succédèrent (XIIIᵉ dynastie, environ 1790-1700 av. J.-C.). Un malheur s'abattit ensuite sur l'Egypte. Le pays, autrefois si puissant et si florissant, tomba aux mains d'un peuple barbare, les Hyksos (vers l'an 1700 av. J.-C.), qui le gouvernèrent pendant plus d'un siècle. C'étaient là vraisemblablement des Bédouins venus des déserts de Syrie et d'Arabie. D'Avaris, leur capitale, située dans le Delta oriental, ils régnèrent à leur manière sur le pays, à la manière dont un peuple barbare exerce le pouvoir sur un pays civilisé. Ce dut être une époque terrible ; longtemps après sa disparition on ne parlait qu'avec horreur du temps où les Asiatiques régnaient à Avaris et où les temples furent détruits. Si les inscriptions ne font pas volontiers mention de cette époque, la tradition ne l'oublia pas. Nous possédons encore le début d'une légende qui met en scène le roi hyksos Apophis et Sekenen·rê, prince de la ville méridionale, c'est-à-dire Thèbes. Ce dernier se trouvait être encore le vassal du roi hyksos et il adorait son dieu Amon-Rê. Quant à Apophis, à qui le pays tout entier payait le tribut, il adorait Soutekh, dieu d'Avaris, à l'exclusion de tout autre. Apophis chercha une occasion de dispute avec le prince de Thèbes. Ses scribes et ses savants lui conseillèrent de se plaindre au sujet du canal de l'Hippopotame, alléguant qu'il l'empêchait de dormir. Lorsque le messager d'Apophis arriva à Thèbes, on lui demanda : « Pourquoi t'envoie-t-on à la ville du sud ? » Le messager dit : « C'est le roi Apophis qui m'envoie au sujet du canal de l'Hippopotame, car celui-ci ne lui permet de dormir ni de jour ni de nuit et il entend sa voix. » Nous ne pouvons

soupçonner de quoi il était véritablement question dans
cette plainte ; ce devait être, certes, quelque chose de terrible, car le prince se lamenta et pleura longtemps et ne
sut que répondre au messager du roi Apophis. Finalement,
il promit d'accomplir tout ce que désirait le roi. Mais il
convoqua ses conseillers et ses officiers et demanda leur
avis. « Eux aussi demeurèrent longtemps silencieux et ne
surent que lui répondre, ni en bien ni en mal. » Ici s'inter-
rompt le récit. Nous ne pensons pas nous tromper en

admettant que le narrateur y racontait par la suite comment le prince
thébain, appuyé par Amon-Rê, s'in-
surgea contre le roi Apophis et son
dieu Soutekh. Il est peu vraisemblable
que le motif de la guerre contre les
Hyksos ait été celui dont fait mention
le conte. Nous savons aujourd'hui,
grâce à un discours du roi Ka-mosé,
successeur de Sekenen-rê(1), quelles en
furent les circonstances. Le jeune roi
Ka-mosé, avide d'exploits, s'adresse
en ces termes à ses hauts dignitaires :
« Je voudrais savoir à quoi me sert
ma force. Un prince réside à Avaris
et un autre en Nubie ; ainsi je me

Fig. 41. — Soutekh,
dieu des Hyksos.

trouve entre un Nubien et un Asiatique. Chacun d'eux
possède une portion de l'Égypte et partage le pays avec
moi. » L'ennemi a pénétré maintenant jusqu'en Moyenne-
Égypte et il y lève des impôts. « Mais moi, dit le roi,
je vais m'approcher de lui et je vais l'éventrer. » Toutefois, les dignitaires de la cour ne sont pas de son avis.
Ils disent : « Si les Asiatiques sont venus jusqu'à Cousae et
s'ils ont tous tiré leur langue (en manière d'insulte), nous

(1) Ce texte figure sur une palette de scribe. Traduction plus littérale
dans : Erman : *Die Literatur der Ægypter*, p. 83 et suiv..

n'en vivons pas moins en paix dans notre Égypte. » Aujour-
d'hui comme autrefois, nous pouvons faire paître nos troupeaux de bœufs dans le Delta et c'est de là que nous obte-
nons le froment pour nos pourceaux. L'ennemi possède le
pays des Asiatiques et nous avons l'Égypte. Lorsque
l'ennemi viendra pour nous attaquer, nous agirons. » Mais
ce discours déplut à Sa Majesté et elle dit : « Votre pensée
est fausse, et je me battrai tout de même avec les Asiatiques et il faut que l'on dise de moi : « Ka·mosé, le défenseur
de l'Égypte. » Le roi descendit alors le fleuve en vainqueur
afin de frapper les Asiatiques, comme Amon, qui a les pensées justes, le lui avait ordonné. Sa vaillante armée le
devançait comme un brasier. Une troupe auxiliaire de la
tribu nubienne des Medjaïs l'accompagnait. L'Orient et
l'Occident apportaient de la graisse et du vin, et l'armée
était partout pourvue de vivres. Le roi attaqua la ville
d'un certain prince Teti, qui faisait cause commune avec
les Hyksos, et il ne le laissa pas s'échapper. « Je passai la
nuit, dit-il, dans mon bateau, le cœur joyeux. Quand vint
le jour, je fus au-dessus de lui comme un faucon. A l'heure
du repas matinal, je le repoussai, j'abattis ses murs et je
tuai ses gens. J'emmenai sa femme prisonnière au port,
mes soldats étaient comme des lions avec leur proie et se
partagèrent ses biens d'un cœur joyeux. »

Les exploits de l'amiral Aâh·mosé

La lutte engagée sous le règne de Ka·mosé se termina,
sous celui du roi Aâh·mosé (Amôsis) (1580-1555 av. J.-C.),
par une victoire définitive et par l'expulsion des Hyksos.
C'est ce que relate en détail l'inscription funéraire de son
amiral, qui portait le même nom que le roi, Aâh·mosé.
C'était un homme plein de courage, qui, à maintes reprises,
« captura une main au cours du combat », c'est-à-dire abattit
un adversaire et lui trancha la main en signe de victoire.

Il ne fut pas récompensé moins de sept fois de l'or de la vaillance par le roi Amôsis et ses successeurs. Ces récompenses en or, dont il est souvent fait mention à cette époque, ne consistaient pas seulement en chaînes de cou et en ustensiles, mais aussi en figurines de lions ou de mouches, symboles de courage. Les mouches n'incarnent-elles pas aussi la témérité chez Homère (Iliade, 15, 131) ? Aâh·mosé pouvait être fier à juste titre de ses exploits et croire que son nom ne périrait jamais dans ce pays. « Mon père, raconte-t-il, était officier du roi et je grandis dans la ville d'El Kab. Dans ma jeunesse, alors que j'étais encore célibataire, je devins officier sur le bateau du « Taureau Sauvage » au temps du roi Amôsis, mais après que j'eus fondé un foyer, je fus affecté à la flotte du Nord à cause de ma vaillance » — vraisemblablement dans la flotte qui combattait les Hyksos. « Lorsqu'on mit le siège devant Avaris, je luttai à pied devant Sa Majesté et prouvai ma vaillance. Je fus ensuite affecté au bateau « Resplendissant dans Memphis ». Lorsqu'on se battit sur l'eau dans le Djedkou d'Avaris, je fus courageux et rapportai une main ; on en informa le héraut et l'on me donna l'or de la vaillance ». La lutte pour Avaris fut interrompue par un soulèvement en Haute-Égypte. Là encore, Aâh·mosé combat avec succès et il relève qu'il ramena un prisonnier à la nage. Cet exploit lui valut une nouvelle récompense en or. Avaris fut enfin prise ; à cette occasion, Aâh·mosé captura un homme et trois femmes que le roi lui donna comme esclaves. On poursuivit la guerre contre les Hyksos en Palestine, où la ville de Sharoukhen, dont fait aussi mention l'Ancien Testament, fut prise après un siège de trois ans. « Ainsi triompha des Asiatiques Sa Majesté ; elle remonta ensuite vers la Nubie septentrionale, afin d'y anéantir les tribus du désert. Sa Majesté en fit un grand carnage. » « Le cœur plein de joie à cause de la grande victoire, Sa Majesté redescendit le fleuve, car elle avait soumis

tous les peuples du Sud et du Nord. » Mais après ces victoires, le roi eut à combattre à plusieurs reprises des ennemis à l'intérieur du pays et Aâh·mosé prit également part
à ces luttes. Il raconte : « Vint ce rebelle du Sud, mais son
destin laissa approcher sa fin et les dieux d'Égypte le sai-
sirent. » Sa Majesté le rejoignit à Tent·ta·â et l'amena
comme prisonnier et tous ses gens comme butin. Aâh·mosé,
lui aussi, fit de nouveau des prisonniers, qu'on lui donna
comme esclaves et il obtint en outre cinq arpents de terre
dans sa ville ; tout le reste de l'équipage fut gratifié semblablement. « Vint ensuite ce criminel de Teti·ân, entouré
de gens mal intentionnés. Mais Sa Majesté le tua et sa troupe
fut anéantie. »

Lorsque le successeur d'Amôsis, Aménophis Ier (1555-
env. 1540 av. J.-C., suivant le comput habituel ; — cf.
cependant la remarque p. 50 ; la datation du règne des souverains suivants doit être alors modifiée en conséquence),
se rendit en Nubie au pays de Koush, « pour élargir les frontières de l'Égypte », Aâh·mosé était aussi auprès de lui
dans le bateau. Le roi tua, au cours de cette campagne, le
prince nubien au milieu de son armée, et quiconque s'en-
fuyait était massacré » comme s'il n'avait jamais existé. »
En cette circonstance, Aâh·mosé était, comme il le dit,
« à la tête de notre armée » et il fut de nouveau récompensé
pour son audace ; il ramena ensuite le roi en Égypte en
deux jours seulement, exploit qui lui valut de nouveau une
remise d'or, en même temps qu'on lui décernait le titre de
« Combattant du souverain ». Par la suite, lorsque le roi
Touthmosis Ier (1540-1501 av. J.-C.) prit le pouvoir et
commença son règne avec des guerres, Aâh·mosé prit
aussi part à celles-ci. Dans la campagne de Nubie, il eut
à naviguer sur les eaux mauvaises, peut-être l'une des
cataractes, et il s'y distingua à tel point qu'il fut nommé
« chef des navigateurs ». Par la suite, au cours d'un combat
où Sa Majesté « était furieuse comme une panthère », le roi

frappa son ennemi de sa première flèche, et tous s'enfuirent de peur devant son serpent, c'est-à-dire devant son diadème. Il y eut un horrible carnage et les gens furent emmenés comme captifs ; puis le roi redescendit le fleuve et tous les pays étaient dans sa main. Quant à ce misérable prince nubien, il était pendu à la proue du bateau royal jusqu'à ce qu'on eut atteint Karnak. Plus important encore fut une autre campagne qui mena le roi jusqu'aux régions de l'Euphrate au pays de Naharina et où « il déchargea sa colère sur les peuples étrangers ». Là encore, Sa Majesté fit un grand

Fig. 42. — La déesse Astarté.

massacre et emmena d'innombrables prisonniers. Aâh-mosé, en tête de l'armée, captura un char de combat avec

Fig. 43. — Char attelé et son conducteur.

son attelage. « Quant à moi, dit-il en manière de conclusion de la relation de ses exploits, je suis maintenant devenu vieux et j'ai atteint la vieillesse, et je fais mon entrée dans la tombe rupestre que je me suis faite moi-même. »

Les combats, dont Aâh·mosé nous fait, dans sa manière simple et prosaïque, le récit, constituent un chapitre de l'histoire universelle. Ils sont à l'origine du Nouvel-Empire, ce demi millénaire au cours duquel l'Égypte atteignit sa plus grande prospérité. Les guerres contre les pays asiatiques en firent la première puissance de l'époque et ce furent les luttes engagées contre les rebelles qui donnèrent le pouvoir à la grande famille régnante de la XVIIIᵉ dynastie. C'est cette puissante Maison qui, sous l'égide de son dieu Amon-Rê, régna par son éclat et sa richesse sur les pays, et c'est sous son gouvernement que l'Égypte elle-même connut une période de floraison comme elle n'en avait point vu jusqu'alors. Cette rapide évolution fut d'ailleurs favorisée par un contact constant avec les peuples civilisés de l'Asie. Des mots étrangers, cananéens, s'infiltrent dans la langue et les dieux étrangers Baal et Astarté deviennent familiers aux Égyptiens. Partout apparaît aussi maintenant quelque chose dont on n'avait aucune idée auparavant sur les bords du Nil : les chevaux et les chars. A cause de leur nouveauté, on leur attache un prix tout particulier. On se plaît à représenter, dans les œuvres sculptées et peintes, les chevaux fougueux, et l'on utilise aussi maintenant, en guise d'ornement, la belle tête du cheval à côté des fleurs de lotus et des têtes de canards connues de longue date. Nous ignorons de quel pays provient le cheval, mais nous savons avec certitude qu'en Égypte il fut introduit de Palestine, car les Égyptiens employaient des noms cananéens pour désigner chevaux et chars. Les chevaux n'étaient que rarement utilisés pour l'équitation ; on les attelait à des chars légers à deux roues et l'on se réjouissait qu'ils fussent rapides, « aussi rapides que le vent ; lorsqu'un bon cheval entend le claquement du fouet, on ne peut le tenir ». L'introduction du cheval à la place de l'âne constitua un grand progrès dans le monde d'alors. A vrai dire, il en fut de ce progrès comme de bien d'autres,

aux temps anciens comme aux temps modernes : chars et
chevaux, qui eussent dû aider les rapports pacifiques,
furent immédiatement utilisés pour faire la guerre. A côté
du cocher se tenait l'archer qui, du haut du char, envoyait
ses traits sur l'ennemi. A partir de ce moment, les guerriers
roulant sur chars forment la troupe équestre, ainsi qu'on
l'appelle, l'élite de l'armée égyptienne. Et « la grande
écurie du roi » est l'endroit où les jeunes nobles de la cour
reçoivent leur formation.

CHAPITRE XIX

LES ENFANTS DE TOUTHMOSIS Ier

Dans une maison régnante d'Orient, la succession au trône ne s'effectue pas toujours aussi simplement que chez nous. En effet, outre les enfants de la reine existent aussi ceux d'autres épouses du souverain, et leurs enfants aussi prétendent quelquefois posséder des droits à la couronne. Ainsi, il y eut dans la famille de Touthmosis Ier des descendants d'origine différente. Il y avait une fille, Hat·shepsout, dont la mère fut la reine Aâh·mosé. Une autre épouse, Mout·nefert, avait donné au roi un fils du nom de Djehouti·mosé (Touthmosis). Outre ces deux enfants existait encore un autre garçon, dont le nom était également Djehouti·mosé; il était le fils d'une concubine, du nom d'Isis. On a supposé qu'Hat·shepsout fut l'épouse de l'aîné des deux princes et que celui-ci avait adopté le plus jeune comme fils et comme co-régent. Il est peu probable que nous en sachions jamais davantage sur ce point, car suivant la conception des Égyptiens, les rois étaient des demi-dieux, dont les relations humaines ne regardaient pas le monde.

Des trois enfants du roi, la fille n'avait, suivant la coutume, aucun droit au trône. Mais le vœu du roi et de la reine devait l'emporter sur la tradition et le roi la désigna ainsi en l'an XV de son règne comme co-régente et successeur. Tous les dieux donnèrent leur assentiment et le plus grand de tous, Amon-Rê, la reconnut pour sa fille et lui accorda la royauté par le moyen d'un oracle. Le roi expliqua à ses sujets : « J'établis cette mienne fille comme mon substitut, car elle est l'héritière de mon trône. C'est elle qui s'asseoira sur mon siège merveilleux et qui commandera les sujets ; c'est elle qui vous conduira. Écoutez ses ordres et observez ses commandements. » Lorsque les

nobles du roi, les grands du royaume et les plus élevés
parmi les sujets entendirent cet ordre, ils baisèrent le sol
aux pieds du souverain et ils le remercièrent. Puis ils sor-
tirent, jubilèrent et se réjouirent. Il n'est pas certain que
les deux princes qu'aujourd'hui nous désignons sous les
noms de Touthmosis II et Touthmosis III se soient réjouis
pareillement. En fait, Hat·shepsout monte sur le trône
et l'occupe de 1495 à 1475 av. J.-C. Elle passe officiellement
pour être le roi. Elle en porte les titres et les couronnes,
ainsi que toute la parure du souverain ; ses portraits la
montrent pourvue même de la barbe postiche que portent
les rois. Elle s'appelle néanmoins « fille d'Amon » et revêt
la dignité sacerdotale d'une épouse divine. Dans ses inscriptions, il est également question d'elle comme d'une
femme et les statues qui la représentent la figurent, par la
couleur de la peau et par les formes du corps, sous l'aspect
d'une femme. Les deux princes partagèrent temporairement le pouvoir avec elle à titre de co-régents ; et il ne dut
certes pas manquer entre la sœur et les deux frères d'occasions de rivalité et d'animosité. Lorsque Touthmosis III
détint seul le pouvoir par la suite (1475 av. J.-C.), ne fit-il
pas marteler l'image et le nom de sa sœur ?

L'EXPÉDITION AU PAYS DE POUNT

Au nom de la reine Hat·shepsout est liée une grande
entreprise, dont on trouverait difficilement l'équivalent en
Égypte à une époque antérieure : la reine envoya une expédition aux pays de l'encens. L'encens jouait un grand rôle
en Égypte ; il était indispensable dans le culte rendu aux
dieux. Son parfum ne devait-il pas remplir toutes les salles
des temples ? Mais l'encens provenait des pays qui s'éten-
dent au sud de la Mer Rouge, en particulier d'une région
appelée Pount, correspondant à peu près à la côte des
Somali actuelle. Nous avons vu ci-dessus (p. 158), que ce

lointain pays de Pount, que l'on ne connaissait que par
ouï-dire, passait auprès du peuple pour un pays légendaire.
Peu de bateaux, en tout cas, l'avaient atteint et, de mé-
moire d'homme, il n'existait de trafic avec lui que par voie
de terre. Ce trafic était très onéreux et élevait considérablement le prix de l'encens et des autres produits précieux
originaires de Pount. Aussi le dieu Amon-Rê ordonna-t-il
à la reine par un oracle d'appareiller une flotte pour le
pays de Pount. Comme la souveraine priait à l'escalier
du grand dieu, une voix retentit du fond du saint des
saints, en ces termes : « Cherche la voie qui mène à Pount
et ouvre les chemins qui conduisent aux montagnes de
la myrrhe. » — Cette expédition eut réellement lieu et
c'est en tableaux tout empreints de vie qu'elle est illustrée
sur les bas-reliefs ornant le temple de la reine à Deir el
Bahari. N'était-ce pas là, en effet, l'entreprise la plus mar-
quante de son règne ?

Nous voyons ici le départ des bateaux, qui doivent amener les soldats de Sa Majesté dans le lointain pays. Cinq
grandes barques à voile, équipées en outre chacune de
trente rameurs, mouillent dans un port de la Mer Rouge.
Deux bateaux sont encore amarrés à un arbre ; une cha-
loupe amène des jarres de provisions de bord. On apporte
aussi une offrande à Hathor, déesse de Pount, afin qu'elle
accorde un vent favorable à la flottille. Déjà les autres bateaux prennent le large et déjà les rameurs commencent leur
travail tandis que des matelots fixent les derniers cor-
dages sur les vergues. A la proue de l'un des bateaux se
tiennent les deux chefs de l'expédition, qui donnent le commandement : « vers l'est ». « Ainsi donc les soldats du roi
naviguent sur la mer ; ils commencent leur beau voyage
au Pays du Dieu et se dirigent heureux vers Pount. »

Une autre série de bas-reliefs représente l'arrivée de la
flotte. Les Égyptiens, en abordant au pays de Pount,
découvrent un monde fort différent de celui qu'ils sont

accoutumés à voir sur les bords du Nil. Au milieu de palmiers et d'arbres thurifères se dressent des huttes de la
forme d'une demi-sphère et montées sur pilotis — il s'agit
là sans doute d'un moyen de défense contre les ennemis
et contre les bêtes sauvages ; l'ouverture servant de porte
ne peut être atteinte qu'au moyen d'une échelle. Entre les
huttes repose le bétail, de petites génisses aux cornes courtes
et des ânes. Les indigènes ont la peau brune et portent les
cheveux longs et une courte barbe. La visite inopinée des
Égyptiens suscite chez eux un vif étonnement et ils leur
demandent : « Comment donc êtes-vous venus dans ce
pays que les hommes ne connaissent pas ? Êtes-vous
tombés du ciel ? Avez-vous voyagé par eau ou par terre ? »
Le premier qui s'approche, très humblement, des messagers du roi est le chef de tribu Parahou, accompagné de sa
famille. Le tableau qui retrace cet épisode nous montre que
les Égyptiens ne témoignaient guère de respect à ce «grand»,
sinon l'artiste qui a taillé ce bas-relief n'eût pas fait de la
femme du chef indigène une caricature aussi impitoyable.
Il l'a représentée sous l'aspect morbide d'une femme atteinte
d'obésité, comme la chose est fréquente encore de nos
jours chez les femmes de certaines tribus africaines. Ses
jambes, ses bras et surtout son séant présentent une adipo-
sité monstrueuse. Cette princesse est si lourde qu'elle peut
à peine avancer ; aussi un âne, de taille raisonnable, la
suit-elle de près sur le tableau, « l'âne qui porte sa dame »,
ainsi qu'en témoigne la légende qui l'accompagne.

Plus loin, on assiste aux tractations commerciales ; les
Barbares amoncellent l'encens devant l'envoyé du roi et
ses soldats et leur amènent des singes et des panthères. Les
Égyptiens, de leur côté, dressent une table sur le rivage et
y déposent tous les objets que les indigènes convoitent :
épées, haches de guerre, colliers multicolores. Outre cela,
les Égyptiens ont apporté encore autre chose avec eux, qui
probablement devait avoir plus de prix à leurs yeux qu'aux

yeux des indigènes : une effigie de la reine accompagnée du
dieu Amon. Cette statue de granit était destinée à entre-
tenir journellement chez les gens de Pount le souvenir de
Sa Majesté et de son divin père Amon, le plus grand de
tous les dieux.

Une fois le marché conclu à la satisfaction des deux parties contractantes, les grands de ce pays sont introduits
dans la tente de l'envoyé royal, où ils reçoivent du pain,
de la bière, du vin, de la viande, des fruits et de toutes les
bonnes choses d'Égypte, comme l'ordre en avait été donné
en haut lieu.

Ainsi donc, l'affaire est réglée par voie d'échange comme
ont coutume de le faire aujourd'hui encore des tribus à
demi sauvages. Mais en style égyptien officiel, le troc n'est
pas admissible ; comment Pharaon pourrait-il acheter
quoi que ce soit à des Barbares, lui à qui tous les pays
apportent leurs offrandes, afin qu'en retour il daigne leur
« accorder le souffle de la vie » ? C'est pour cette raison que,
dans les inscriptions, l'encens qui fait l'objet de la tran-
saction est désigné comme « le tribut du prince de Pount »,
et que ce qui en constitue la contrevaleur, versée par les
Égyptiens, passe pour offrande faite à la déesse Hathor,
dame de Pount. Cette version officielle ne porte cependant
aucun préjudice à l'affaire et les tableaux montrent que
les choses vont à souhait. Sur les planches servant à l'em-
barquement défilent sans fin les porteurs ; « on charge
aussi haut que l'on peut les bateaux des trésors du pays de
Pount, de toutes les belles plantes du Pays du Dieu, de
monceaux de résine aromatique, de verts arbres à myrrhe,
de bois d'ébène et de pur ivoire, d'or blanc du pays d'Amou,
de bois odoriférants et de fards, de babouins, de guenons
et de lévriers, de peaux de panthères du sud, d'esclaves
et leurs enfants — jamais chose semblable n'avait été
apportée à aucun roi de toute éternité. »

Un surveillant préside avec zèle au chargement de tous

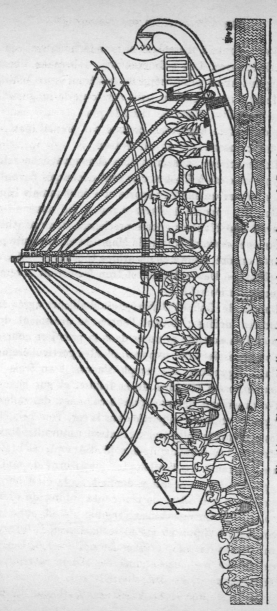

Fig. 44. — Chargement d'un bateau avant le départ du pays de Pount.

ces trésors, dont la masse est si grande qu'elle atteint la
vergue inférieure. Les babouins sont laissés en liberté ;
ils grimpent et se promènent de préférence sur la solide
corde tendue au-dessus du pont sur toute la longueur du
bateau, mais l'un d'eux se tient le plus sérieusement du
monde devant le capitaine, comme s'il prenait part, lui
aussi, au commandement du bateau.

La flotte achève sans encombre son voyage de retour
en Égypte et c'est à Thèbes que sont déchargés devant la
reine les trésors qu'elle transporte et « dont jamais l'équivalent ne fut apporté à d'autres rois ». Ne ramène-t-elle
pas, parmi tant d'autres choses précieuses, deux panthères
vivantes « qui devront suivre Sa Majesté » et, curiosité plus
étonnante encore, trente et un arbres thurifères verts, qui
seront plantés à Deir el Bahari et transformeront le temple
en un nouveau Pount ?

Ce temple de Deir el Bahari était d'ailleurs agrémenté
par d'autres jardins ; devant l'entrée se dressaient deux
perséas et l'on pouvait admirer dans la première cour des
étangs où poussaient des papyrus, plantes particulièrement
chères aux Égyptiens. Le temple s'adossait en trois ter-
rasses superposées au pied de la falaise, et sur chacune
d'elles se dressaient des portiques à colonnes, des salles et
des chapelles, creusées en partie dans le roc. Tout cela était
paré des couleurs les plus riches ; toutes les murailles étaient
couvertes de bas-reliefs qui, à côté d'Amon, célébraient
également la reine. Le temple était aussi orné de statues
et de sphinx ; l'avenue qui y donnait accès était bordée,
à la manière d'une allée, de cinquante sphinx de dimensions colossales. Ce merveilleux temple n'était pas seulement consacré à Amon et à d'autres dieux, mais il servait
en même temps de temple funéraire de la reine. Derrière
la haute falaise rocheuse auquel il s'adosse se trouve la
vallée désertique dans laquelle elle fut enterrée. Son
étroite tombe taillée dans le roc n'offrait pas l'espace

suffisant pour la présentation des offrandes et toutes les
cérémonies indispensables au repos de l'âme de la souveraine et c'est la raison pour laquelle elles avaient lieu au
temple de Deir el Bahari.

Mais ce temple n'est pas le seul monument admirable
que Hat·shepsout ait érigé pour ses dieux. Elle porta avant
tout son attention sur le grand sanctuaire que son père et
les rois antérieurs avaient élevé à Karnak ; elle dit elle-
même qu' « elle ne dormait pas à cause de ce temple ». Aujourd'hui, deux obélisques gigantesques y rappellent son
règne. L'un d'eux, encore debout, a plus de vingt-neuf
mètres de haut et est constitué par un unique bloc de granit.
Leur taille en carrière avait duré sept mois et lorsqu'ils
furent dressés, à Thèbes, leur sommet fut très richement
revêtu de l'or le plus fin de tous les pays, que la reine four-
nit « par boisseaux » pour ce travail ; ainsi, est-il mentionné
dans une inscription, « ces obélisques se mêlèrent alors au
ciel. Leurs rayons se répandent en flots sur l'Égypte et
quand le soleil monte entre eux deux, c'est comme s'il se
levait à l'horizon ». C'est pourquoi la reine ajoute : « O
hommes qui verrez cela dans de nombreuses années et qui
en parlerez, ne dites pas que c'est un mensonge, dites au
contraire que cela lui ressemble. »

On connaît d'ailleurs l'homme qui a fait ces obélisques :
il s'est fait représenter à Assouan, dans la carrière d'où ils
ont été extraits. C'est Sen·mout, personnage de très haut
rang, que l'on rencontre aussi par ailleurs en qualité
de conseiller de la reine. Frère du précepteur de la souveraine, il remplissait les fonctions d'intendant des biens
du temple d'Amon et fut élevé par la reine à une dignité
encore plus haute. Il devint chef des chefs et directeur des
travaux. Et, si nous comprenons bien les allusions, un
honneur plus grand encore lui échut une fois : à la mort du
roi, vraisemblablement Touthmosis II (env. 1480 av. J.-C.),
il gouverna le pays. Il occupait aussi un autre poste de con-

fiance auprès de sa souveraine : il était la nourrice, c'est-
à-dire le précepteur de sa petite fille Nefrou·rê. Aussi son
image se rencontre-t-elle en des lieux où l'on n'irait pas
chercher, étant donné leur sainteté, l'effigie d'un particulier. Dans l'une des chapelles du temple de Deir el Bahari,
on le voit priant pour sa souveraine. Il n'a pas été oublié
non plus dans les bas-reliefs qui figurent l'expédition au
Pays de Pount. Tout cela prouve suffisamment que Sen·
mout jouissait auprès de la reine d'une situation particulièrement privilégiée : il était son confident et son favori.
Les fouilles des dernières années ont révélé un fait surprenant. Lorsque Sen·mout construisit le temple de Deir
el Bahari, il eut l'audace, dans cet édifice destiné à assurer
le repos de l'âme de sa souveraine, à songer secrètement
aussi à celui de sa propre âme. Il ne se contenta pas du beau
tombeau qu'il s'était fait aménager lui-même parmi ceux
des autres courtisans, mais il se fit une seconde sépulture,
située au-dessous du temple funéraire de la reine et à laquelle donnait accès un long couloir secret.

De cette manière, il pouvait participer à toutes les
offrandes et profiter des prières faites à la souveraine. Cette
obtention subreptice de la grâce divine paraît pour le moins
bizarre aujourd'hui, mais un tel sacrifice ne devait pas être
incompatible avec la piété d'un Égyptien. D'ailleurs, la
tombe n'a jamais été achevée : d'autres temps étaient venus
pour l'Égypte, sans doute.

TOUTHMOSIS III

A la reine Hat·shepsout succéda (en 1475 av. J.-C.) le
roi Touthmosis III, qui depuis longtemps devait aspirer à
exercer seul le pouvoir. Nous ne connaissons pas les
circonstances dans lesquelles s'est effectué ce changement de règne; mais assurément des troubles l'accompa-
gnèrent, car partout l'image et le nom de la reine furent mar-

telés. Tous ses sphinx, toutes ses statues furent brisés et
jetés dans des carrières. On n'épargna pas ses favoris :
leurs noms furent effacés et le sarcophage de Sen·mout
réduit en pièces.

Touthmosis III est, de tous les pharaons, le plus grand
guerrier. « Élargir les frontières de l'Égypte », tel est la
tâche qu'il s'est fixée une fois pour toutes et il parle de ses
expéditions comme d'événements dont la périodicité n'a
rien que de régulier. Il était primitivement destiné à être
prêtre d'Amon. Mais au cours d'une fête, le dieu avait
montré par un prodige que cet enfant était appelé à une
plus haute destinée. Contre toute attente, le jeune prêtre
se trouvait, au cours de la solennité, à l'endroit où le roi
avait coutume de se tenir. Le dieu l'avait conduit au saint
des saints et l'avait salué comme fils et comme roi. Il lui
promit dès ce moment que tous les peuples étrangers vien-
draient à lui pleins d'épouvante. A vrai dire, la tâche que
le jeune roi rencontra, lorsqu'il prit le pouvoir, à la mort
de Hat·shepsout, ne fut pas si simple. Les peuples ne
vinrent pas à lui remplis de terreur, mais le nouveau souverain se trouva en face d'un monde qui ne voulait plus
rien savoir d'une domination égyptienne. Toutes les villes
et tous les pays de Palestine et de Syrie s'étaient alliés
contre l'Égypte et le prince de Kadesh était à la tête de la
coalition. Les ennemis campaient au nord du Carmel, dans
la ville de Megiddo. Le roi voulut lancer une armée contre
eux, mais, pour que la chose fût possible, il fallait tout
d'abord que la route qui menait d'Égypte en Palestine fût
libre. Cette route longeait la côte du pays des Philistins et
se trouvait coupée entre autres par la ville de Joppé (l'actuelle Jaffa). Un récit d'époque tardive raconte comment
Djehouti, général du roi, s'y prit pour enlever cette place
forte (1).

(1) Traduction littérale dans Erman : *Die Literatur der Ægypter*,
p. 216.

LA PRISE DE JOPPÉ

Le roi lui-même était encore en Égypte, cependant que Djehouti se trouvait devant Joppé. Il invita le prince à un entretien, il le reçut à sa table et lui confia qu'il désirait se rendre, lui, avec sa femme et ses enfants. Quand le prince fut ivre, il demanda à Djehouti qu'il veuille bien lui montrer la grande massue du roi qu'il avait auprès de lui. Djehouti y consentit ; il s'avança au-devant de lui et dit : « Regarde-moi bien, prince de Joppé, voici la massue du roi Touthmosis, le lion rugissant, le fils de la déesse Sekhmet ; son père Amon lui a donné sa force pour abattre ses ennemis. » A ces mots, il frappa le prince à la tempe et celui-ci tomba sans connaissance. On le ligota et l'on chercha cinq cents sacs, dans lesquels on cacha autant de soldats. Chacun d'eux s'était muni de liens et cinq cents autres soldats portèrent les sacs à la ville. On chargea le conducteur du char du prince de Joppé d'aller annoncer, à la ville, à la princesse : « Réjouis-toi, le dieu Soutekh nous a donné Djehouti avec sa femme et ses enfants, et voici ses présents. » C'est ce qu'il fît ; on ouvrit les portes aux soldats. Ceux-ci firent sortir leurs compagnons de leurs sacs et tous les habitants de la ville, grands et petits, furent ligotés. Djehouti écrivit ensuite au roi : « Réjouis-toi ! Amon, ton bon père, t'a donné le prince de Joppé avec ses hommes et sa ville. Ordonne donc de les emmener captifs, afin que tu emplisses la maison de ton père Amon d'esclaves, hommes et femmes. » Nous avons plus d'une preuve que ce Djehouti ne fut pas seulement un héros de légende ; sa tombe, à Thèbes, est connue, le Musée de Berlin possède son poignard et le Musée du Louvre une coupe en or, dont son souverain lui avait fait présent.

La bataille de Megiddo

Mais revenons du pays de la fable et de la légende à l'histoire réelle, telle que les annales du roi nous la transmettent. La ville de Megiddo, où se trouvaient les alliés, est située sur le versant nord du Carmel, dans la fertile plaine de Jesréel. Lorsque l'armée égyptienne fut à proximité de la montagne, le roi tint un conseil de guerre et proposa de franchir le Carmel par le plus court chemin. Mais ses officiers ne furent pas de cet avis et dirent : « Pourquoi irions-nous par cet étroit chemin ? Le bruit ne court-il pas que l'ennemi est là qui attend et occupe la route ? Un seul cheval peut avancer là de front et les hommes y passent à la file indienne. Notre avant-garde devra déjà se battre quand l'armée proprement dite sera encore à Arouna (au pied de la montagne). Il y a pourtant encore deux autres chemins ; l'un passe par Taanak, l'autre par Djefet, d'où nous ferions irruption par le nord sur Megiddo. Que notre maître victorieux aille donc par le chemin qui lui plaît, mais qu'il ne nous oblige pas à passer par une route si difficile. » Mais le jeune roi fait fi de ces remarques et déclare : « Aussi vrai que le dieu du soleil m'aime et aussi vrai que mon père Amon m'est favorable, je prendrai la route d'Arouna. Que ceux d'entre vous qui le veulent prennent les autres routes dont vous avez parlé, et que ceux qui le veulent me suivent !» Cependant, les officiers jurèrent qu'ils le suivraient tout de même sur le chemin qu'il désirait prendre, comme un serviteur suit son maître. Alors, Sa Majesté ordonna à toute l'armée de s'engager sur l'étroite route. Lui-même marcherait en tête et guiderait l'armée.

L'entreprise réussit, « l'armée passa heureusement le défilé et l'on se prépara à la bataille le soir même ». Le lendemain à l'aube, — c'était le jour du couronnement du roi —, la bataille fut engagée. Ordre fut donné à toutes les troupes

d'avancer et les ailes de l'armée combattirent au sud et
au nord de Megiddo. Le roi, sur son char de guerre doré,
s'élança au milieu de l'armée. « Il était équipé comme Horus
le victorieux et ressemblait à Montou, dieu de la guerre. »
Il vainquit à la tête de son armée et ses adversaires s'enfuirent à toutes jambes vers Megiddo. Ils abandonnèrent
leurs chars de combat d'or et d'argent et, comme la ville
était déjà fermée, on dut les tirer par leurs vêtements par-
dessus les murs. Ce fut une grande victoire. Et si les soldats
ne s'étaient pas attardés à rassembler le butin, Megiddo
serait tombée le jour même. Il ne resta qu'à faire le siège
de la ville. Le roi l'entoura d'une forte enceinte, occupée
par les troupes ; même les arbres fruitiers furent sacrifiés
pour ces travaux d'encerclement. Après six mois de résistance, les assiégés se rendirent et le roi leur fit jurer que
jamais plus ils n'entreprendraient quelque chose contre lui.
Ils lui apportèrent tous les trésors et les armes de prix avec
lesquels ils étaient venus et les trois cent trente princes s'en
furent dans leurs patries. Venus sur des chars de guerre
couverts d'or et d'argent, ils durent retourner chez eux
modestement à dos d'âne.

La bataille de Megiddo ne fut que le début des guerres
de Touthmosis III. La soumission des princes palestiniens
avait rendu libre le terrain d'où il pouvait combattre des
adversaires plus importants, les villes phéniciennes, la Syrie
septentrionale et avant tout les pays de l'Euphrate. Le roi
ne fit pas moins de seize campagnes et lorsqu'il mourut, à
un âge avancé, il possédait un immense empire s'étendant
de l'Euphrate jusqu'en Nubie méridionale. Cependant, il
laissait aux princes de ces pays leur souveraineté, mais
leurs fils étaient élevés à la cour d'Égypte et « lorsque l'un
de ces princes vient à mourir, Sa Majesté met à sa place un
de ses fils ». Les richesses qui affluaient en Égypte étaient
incalculables, tant en esclaves, hommes et femmes, qu'en
troupeaux, chevaux et chars, en objets précieux et avant

Fig. 45. — Oiseaux et plantes rassemblés par Touthmosis III au cours de sa troisième campagne.

tout en bois que fournissait le Liban. Mais les guerres de
Touthmosis III on contribué surtout à élargir l'horizon
des Égyptiens. Les pays des Barbares, qui ne leur avaient
jusque-là inspiré que mépris, leur étaient maintenant devenus familiers ; le jeune souverain considérait d'un œil
attentif le nouveau monde qui s'offrait à sa vue. N'a-t-il
pas, à l'endroit le plus admirable qui existât pour lui, le
temple de Karnak, fait représenter les plus curieux animaux et les plantes et les fleurs les plus étranges qu'il avait
rencontrés au cours de sa troisième campagne (Fig. 45) ?

Combien, par ailleurs, la vie était-elle différente dans les
ports luxuriants de Phénicie et en Égypte! Ce n'est pas sans
raison que les annales du roi, généralement avares de détails pittoresques, signalent qu'au cours de la cinquième
expédition militaire, dont la Phénicie fut le champ d'action,
« l'armée de Sa Majesté s'enivrait et s'enduisait le corps
d'huile jour après jour, comme à l'occasion d'une fête en
Égypte ». Au point de vue stratégique aussi, ces ports, avec
leurs grands bateaux, jouaient un rôle considérable. Lorsque
le roi faisait la guerre sur les bords de l'Euphrate et qu'il
voulut traverser ce fleuve, il fit construire de nombreux
bateaux de cèdre sur les monts de Byblos et les fit ensuite
transporter sur des chars à bœufs jusqu'à l'Euphrate, parcourant ainsi une distance énorme. On sait qu'Alexandre le
Grand a usé de la même tactique et que ce fait a toujours
passé pour l'un de ses plus grands exploits.

Sur les bords de l'Euphrate, Touthmosis III remplit
en outre un devoir de piété ; son père s'était avancé autrefois jusque-là et y avait dressé un monument pour commé-
morer une victoire. Le fils en dressa un à son tour tout à
côté. Mais ce ne fut pas tout. Il existait encore, à cette
époque, des éléphants dans une région du nom de Nii et le
roi prit plaisir à leur faire la chasse ; il attaqua un troupeau de cent vingt bêtes. Il parle lui-même de cet exploit
comme d'une chose qu'aucun roi égyptien n'avait faite

avant lui. Son fidèle compagnon d'armes Amen·em·heb
raconte qu'il trancha la trompe du plus gros éléphant qui
était en train de charger le roi. Ce même Amen·em·heb
fait encore le récit d'autres exploits qu'ignorent les annales.
Un jour, le prince de Kadesh imagine un moyen de répandre le désordre parmi les troupes montées sur chars de
combat. Il fait sortir une jument de la ville et, comme les
chars de combat sont tous attelés d'étalons, le danger de
voir ceux-ci s'emballer est imminent. Déjà la jument fait
irruption dans l'armée, lorsqu'Amen·em·heb, bondissant
de son char, la poursuit et lui fend la panse d'un coup
d'épée ; il lui coupe ensuite la queue et l'apporte au roi. -
Nous ne pouvons citer ici tous les hauts faits dont Amen·
emh·eb se glorifie. Encore moins pouvons-nous faire le
récit des nombreuses occasions qu'il eut de recevoir du
souverain des prisonniers ou l'or des récompenses. Il survécut à son roi, après l'avoir servi « avec fidélité » pendant
toute sa vie. Le fils de Touthmosis III, Aménophis II continua à l'honorer de sa faveur. Il lui dit : « Je sais ce que tu
vaux. Tandis que j'étais encore enfant, tu faisais déjà partie
de l'escorte de mon père. Aussi, prends le commandement
de ma garde du corps . »

CHAPITRE XX

LA FIN DE LA XVIIIᵉ DYNASTIE
ET LA PÉRIODE HÉRÉTIQUE

Le fruit des conquêtes de Touthmosis III profita à ses descendants et en particulier à son petit-fils, Aménophis III (1411-1375 av. J.-C.), qui jouit d'un long règne de paix et de prospérité. Il ne semble pas qu'il ait dû entreprendre de guerres sérieuses et c'est de faits bien différents qu'il se glorifie. Il rapporte, sur des scarabées commémoratifs en pierre qu'il distribuait sans doute comme on répartit des médailles, les faits les plus marquants et les plus étonnants de son règne. Ici, par exemple, il prétend avoir abattu lui-même, au cours des dix premières années de son règne, cent deux lions. Ailleurs, il se vante de ses exploits au cours d'une chasse aux taureaux sauvages. On lui avait signalé qu'un troupeau de cent soixante-dix bêtes s'était montré ; il se rendit aussitôt la même nuit à l'endroit indiqué et les soldats qui l'accompagnaient établirent une clôture autour du troupeau. Il n'abattit pas moins de soixante-quinze bêtes au cours de quelques journées, — procédé qui ne fait penser que d'une manière trop frappante à certaines chasses officielles actuelles. Mais ce que tient à faire connaître avant tout le jeune roi est que lui, le puissant souverain, dont l'empire s'étend de l'Euphrate au pays nègre Kari, a élevé à la dignité de reine une jeune fille dont les parents n'étaient pas de sang royal. Il s'agit de la grande reine Tii. La beauté de ses traits nous est conservée dans une charmante petite tête que possède aujourd'hui le Musée de Berlin. La position qu'elle occupa fut exceptionnelle, car, contre tout usage, son nom figure toujours à côté de celui du roi. Il fit aménager pour elle un grand lac sur la rive occidentale de Thèbes, où il avait construit une de-

meure de plaisance ; et il raconte comment il inaugura
solennellement ce lac en y naviguant sur son bateau
« Étincelant-comme-le-Soleil ». Tii
survécut à son mari et joua encore,
ainsi que nous le verrons bientôt, un
rôle à la cour de son fils Aménophis
IV. Il va de soi que l'amour qui attachait le souverain à Tii ne l'a pas
empêché d'épouser aussi les filles de
rois étrangers, comme l'exigeait la
politique. Il relate aussi sur un scarabée que Soutarna, roi du pays de
Mitanni sur l'Euphrate, lui a envoyé
sa fille Gilu-khipa comme épouse avec
une suite de trois cent dix-sept jeunes
femmes. La nièce de la princesse mi-

Fig. 46. — Scarabée
commémorant des
chasses aux lions.

tannienne, Tadu-khipa, entra également dans le harem royal
et nous possédons encore la longue liste de ce qui lui fut
donné en dot.

LES TABLETTES DE TELL EL AMARNA

Si nous connaissons ces relations avec tant de précision,
nous le devons avant tout à la merveilleuse découverte des
tablettes d'argile de Tell el Amarna. Grâce à cette trouvaille, nous possédons une partie des archives d'État égyptiennes. Il s'agit en effet des lettres adressées, en écriture
cunéiforme, par les rois asiatiques et les vassaux syriens
et palestiniens à Aménophis III et Aménophis IV. Ces
tablettes d'argile, qui se trouvent aujourd'hui au Musée de
Berlin, offrent mieux que tout autre document un aperçu
des relations politiques et diplomatiques de cette époque.
Les rois communiquent entre eux au moyen d'envoyés
spéciaux. Ces messagers royaux envoyés dans les pays
étrangers, dont il est si souvent fait mention dans les ins-

criptions égyptiennes, ont pour mission de remettre à leurs
destinataires les lettres et les présents de leurs souverains.
Ces lettres sont rédigées suivant un code de politesse bien
établi, dont les règles ne peuvent être enfreintes sans
risquer d'offenser ceux auxquels ces messages sont destinés.
Par exemple, il ne convient pas que l'on place son propre
nom au commencement de la lettre et avant celui du destinataire. Voici comment, en style correct, se rédige un tel
message : « A Nimmouriya (nom d'Aménophis III), le grand
roi, roi d'Égypte, mon frère, mon gendre, que j'aime et qui
m'aime. Doushratta, le grand roi, roi de Mitanni, ton frère,
ton beau-père, qui t'aime. Je vais bien. Salut à mon frère
et gendre ! Salut à ta maison, à tes femmes, à tes fils, à tes
gens, à tes chars de combat, à tes chevaux, à ton pays et
à tout ce que tu possèdes ! » — Mais on ne se contente pas
de civilités d'une portée aussi générale ; on s'enquiert de
façon plus précise de l'état de santé du souverain ami. On
juge comme un manque de tact que l'expéditeur ait négligé
de s'informer sur ce point. Ainsi, Bourrabouriash, roi de
Babylone, écrit à son frère, c'est-à-dire au roi Aménophis IV : « Depuis le moment où le messager de mon frère
est arrivé auprès de moi, mon état de santé n'a pas été bon
et pour cette raison son messager n'a jamais pris d'aliments
ni bu de vin devant moi. » Ton envoyé te confirmera tout
cela. « Comme mon état de santé n'était pas bon et que mon
frère ne m'apportait aucune consolation, je fus plein de
colère envers mon frère et je dis : « Mon frère n'aurait-il
pas appris que je suis malade ? Pourquoi ne m'a-t-il pas
consolé ? » Le messager de mon frère répondit alors : « La
route n'est pas brève, et si ton frère l'avait appris, il n'aurait pas manqué de t'adresser un salut... Ton frère aurait-il
pu, te sachant malade, ne pas t'envoyer son messager ? » —
L'émissaire du roi lui-même confirme qu'en effet l'Égypte
est très éloignée de Babylone ; le roi se tranquillise. Cependant, le souci que ces souverains se font réciproque-

ment au sujet de leur santé ne se traduit pas seulement en
paroles. Lorsqu'Aménophis III est malade, le roi Doushratta de Mitanni lui envoie la statue guérisseuse et miracu-
leuse de la déesse Ishtar de Ninive, afin qu'elle le guérisse.
Il souligne, il est vrai, qu'Ishtar a déjà fait un voyage en
Égypte où elle a été entourée de grands honneurs et qu'elle
y retournera volontiers à condition toutefois qu'on la
renvoie par la suite. Malheureusement, la protection d'Ishtar ne fut d'aucun secours et Aménophis III mourut.
Doushratta écrit alors au nouveau roi Aménophis IV :
« Lorsqu'on m'apprit que mon frère Nimmouriya (Amé-
phis III) était mort, je pleurai ce jour-là jour et nuit ; je
restai assis sans manger et sans boire et je fus affligé. Je
dis : « Ah ! que ne suis-je mort et mon cher frère fût-il encore
en vie ! Combien nous nous aimerions ! » Lorsque j'appris
ensuite que Napkhourouria (Aménophis IV), le grand fils
de Nimmouriya (enfanté) par Tii, sa grande épouse, avait
pris le pouvoir, je dis : « Nimmouriya n'est pas mort si
Napkhourouria, son grand fils (enfanté) par Tii, sa grande
épouse, exerce le pouvoir à sa place. Il ne détournera aucune parole touchant le passé. « Non, dis-je en mon cœur,
Napkhourouria est mon frère ; il sait combien nous nous
aimions, moi et Nimmouriya, son père, car Tii, sa mère,
qui était la grande épouse de Nimmouriya, la bien-aimée,
vit et elle dira à son fils combien moi et Nimmouriya, son
époux, étions liés d'amitié. » « Mais tous ces témoignages
de politesse et d'amitié ne vont pas sans une preuve maté-
rielle d'attachement — les cadeaux. Bien que l'on souligne
de part et d'autre que les deux pays sont si riches qu'ils
ne manquent réellement de rien, les présents n'en sont pas
moins attendus avec impatience. Ainsi, Bourrabouriash
de Babylone écrit un jour à Nimmouriya : « On me dit que
tout se trouve dans le pays de mon frère et qu'il n'a besoin
de rien, exactement comme aussi tout se trouve dans mon
pays et que je n'ai besoin de rien ; je t'envoie néanmoins

quatre mines de lapis-lazuli et cinq attelages de chevaux.
Un envoi plus important n'est pas indiqué en ce moment,
car il fait trop chaud. Par un temps plus favorable, je t'enverrai d'autres présents ; que le roi écrive d'ailleurs simplement ce que, pour sa part, il désire. » — Pour finir, le
Babylonien, de son côté, exprime ses propres vœux, qui
portent, suivant la règle, sur un don d'or, car l'Égypte
passe, avec ses mines de Nubie, pour le pays de l'or. Bourrabouriash a besoin de « beaucoup de bon or » pour faire
honneur à quelque engagement et il demande au roi
d'Égypte de le lui envoyer. Mais il a soin d'ajouter : « Mon
frère veuille bien ne confier à aucun fonctionnaire l'or que
m'enverra mon frère, mais que mon frère veuille le voir de
ses propres yeux, le sceller et l'expédier. Car l'or que mon
frère m'a envoyé précédemment, que mon frère n'avait
pas vérifié lui-même et qu'un fonctionnaire de mon frère
avait scellé et expédié, était de valeur inférieure et lorsqu'on
le mit au creuset, il s'avéra ne pas être de bon poids. »

Si l'Égypte est le pays d'où l'on espère obtenir l'or, c'est
d'Alashia (Chypre) que l'on convoite le cuivre. Une lettre
adressée par le roi de l'île à son frère, le roi d'Égypte, nous
a été conservée. Il lui envoie en présent cinq cents talents
de cuivre. « Puisse ton cœur ne pas se sentir offensé de la
petite quantité : dans mon pays la main de Nergal (dieu
de la peste) a tué tous mes gens, de sorte qu'il ne peut plus
être extrait de cuivre. » A l'avenir, il lui enverra davantage
de cuivre, mais il lui demande en retour une grande quantité d'argent et lui exprime en outre toutes sortes de vœux :
« des vêtements, des lits dorés, des chars de combat et des
vases d'huile ». Cette lettre comporte en outre un post-
scriptum présentant un intérêt particulier. « Un bourgeois
d'Alashia est mort en Égypte et ses biens se trouvent dans
ce pays, alors que son fils et sa femme sont auprès de moi
en Alashia ; le roi d'Égypte veuille, par conséquent, rassembler les biens de ces gens et les remettre au messager. »

Cependant le présent le plus envié est toujours une fille du roi. A vrai dire une princesse n'est pas livrée ainsi sans autre ; les convenances aussi bien que le désir d'être richement payé de retour exigent alors une certaine réserve. Ainsi, Touthmosis IV envoie jusqu'à cinq, et même six fois, une délégation pour obtenir la fille d'Artatama de Mitanni, et ce n'est qu'à la septième fois qu'elle lui est accordée. La cour d'Égypte se comporte de manière plus inflexible encore, arguant tout simplement qu'aucune fille de roi égyptien n'a encore été donnée à l'étranger. Le roi de Babylone qui reçoit cette réponse, fait à son tour une curieuse proposition ; il écrit qu'il existe pourtant suffisamment de filles nubiles et de belles femmes en Égypte, et qui prétendrait, si le roi lui envoyait seulement l'une d'elles, que ce n'est pas une fille de roi. Il lui propose donc réellement de lui envoyer une fausse princesse, afin que soient sauvées les apparences de l'amitié qui lie leurs familles.

Art. Architecture

Il n'est rien d'étonnant que les souverains asiatiques de l'époque aient éprouvé un profond sentiment de respect pour l'Égypte et ses souverains, car la vallée du Nil n'était pas seulement un pays de richesses, mais de haute culture. A aucune autre époque, l'art plastique de l'Égypte n'a créé d'œuvres aussi belles et aussi gracieuses et c'est aussi le moment où l'architecture atteignit son point culminant. Lorsque les envoyés de Babylone et de Mitanni venaient en Égypte, ce n'étaient pas seulement les constructions prodigieuses des siècles précédents qu'ils pouvaient contempler, mais devant leurs yeux se dressaient aussi les nouveaux édifices imposants et somptueux de Thèbes, les deux grands temples d'Amon, servant au culte qu'Aménophis III rendait à ce dieu. Sur la rive orientale s'élevait le temple de Louxor, peut-être le plus bel ouvrage d'archi-

tecture que l'Égypte ait produit. Sur la rive occidentale,
où se trouvait aussi le château du couple royal, fut construit un temple dont les proportions dépassaient celles de
tous les temples plus anciens. Le temple de Louxor (Pl. XVI*b*)
est encore aujourd'hui en assez bon état de conservation
et sa noble ordonnance n'a souffert que des adjonctions
exécutées par des souverains ultérieurs. Quant au temple
gigantesque de la rive occidentale, consacré non seulement
à Amon, mais destiné à servir de temple funéraire du roi,
il a disparu de la surface du sol. Les générations suivantes
l'ont utilisé comme une carrière d'exploitation aisée pour
leurs propres constructions. Seuls subsistent, commandant
la plaine thébaine de leur silhouette puissante, les deux
colosses du roi assis sur son trône qui autrefois flanquaient
l'entrée du temple. Ce sont ces deux statues gigantesques que, sous le nom de colosses de Memnon des
voyageurs de l'époque romaine allaient visiter. On croyait
alors que l'un d'eux figurait Memnon de la légende homé-
rique et qu'il saluait chaque matin sa mère Eôs, l'aurore
« aux doigts de rose », par un appel plaintif. Les inscriptions
grecques de ces touristes témoignent encore aujourd'hui
du bonheur qu'ils ont eu — ou qu'ils n'ont pas eu — d'entendre Memnon.

Les noms des deux architectes d'Aménophis III chargés
de la haute direction des constructions d'Amon nous sont
parvenus. Ce sont les frères jumeaux Hor et Souti, dont l'un
remplissait les fonctions sur la rive orientale et l'autre sur
la rive occidentale. Nous devons ici prêter attention à une
évolution profonde dont la stèle funéraire de ces deux
frères nous apporte de manière indubitable le témoignage.
En leur qualité de maîtres de constructions d'Amon ils
furent sans aucun doute de fidèles partisans de ce dieu et
participèrent certainement en toute bonne foi aux offrandes
et aux fêtes qui lui étaient consacrées ; ils servirent aussi, à
n'en pas douter, les autres dieux du pays fidèlement. Mais

en ces temps nouveaux et modernes, un esprit neuf commençait à souffler sur le terrain de l'ancienne religion et l'on en sent les traces dans l'inscription funéraire de ces deux frères. Cette inscription, en effet, ne fait aucune allusion à ce qui constitue habituellement la matière de ce genre de documents, mais elle exalte uniquement la gloire de l'être suprême, le soleil (1). « Il est la mère excellente des dieux et des hommes, le bon créateur, qui se donne tant de peine pour ses innombrables créatures. Puissant berger, qui mène ses troupeaux ; leur abri, qui les conserve en vie ! »

La nouvelle croyance

Les innombrables dieux adorés depuis des temps immémoriaux dans les temples commençaient à perdre du crédit auprès des croyants des classes cultivées, qui préféraient maintenant concentrer leur pensée sur un seul grand dieu, créateur de toutes choses et dont la bonté assurait la subsistance et la sécurité de toutes ses créatures. On reconnaissait cet être plein de bonté dans le soleil, dont on éprouvait chaque jour la force et les bienfaits. C'est à lui que l'on rendait adoration, fût-ce sous le nom d'Amon-Rê, comme à Thèbes, d'Hor-akhti, comme à Héliopolis ou de Ptah, comme à Memphis. Si toutefois l'on préférait ne pas faire usage des anciens noms de dieux, on disait simplement, pour désigner l'être suprême, le « soleil », l' « Aton ». Pour représenter cette très haute divinité qu'était l'Aton, on renonça à lui donner, comme on avait coutume de le faire précédemment pour les autres dieux du soleil, un aspect humain ou animal, et on la figura simplement comme le disque solaire lui-même, dardant des rayons terminés par des mains comme autant de bras apportant aux humains sa bénédiction.

(1) Pour plus de détails sur ces hymnes et sur la croyance de la période hérétique, cf. Erman, *La Religion des Egyptiens*, p. 134 seq., et Erman, *Die Literatur der Ægypter*, p. 358 seq.

Cette nouvelle orientation de la religion était certainement déjà admise à la cour sous Aménophis III, car vers la
fin de ce règne s'élevait déjà, derrière le temple d'Amon de
Karnak, un temple spécialement consacré au soleil.
Mais c'est le jeune roi Aménophis IV qui fit triompher
définitivement le culte atonien et c'est de son époque que
datent les beaux hymnes qui nous révèlent la nature du
nouveau dieu. En voici quelques fragments :

« Ton apparition est belle à l'horizon du ciel, ô soleil
vivant, qui as vécu le premier... Tes rayons embrassent les
pays autant que tu en as créés. Tu es éloigné et pourtant
tes rayons sont sur la terre.

« Lorsque tu te couches à l'horizon occidental, la terre
est dans l'obscurité comme si elle était morte. Ils dorment
dans leur chambre la tête enveloppée, et aucun œil ne voit
l'autre ; si on leur dérobait tous leurs biens qu'ils ont sous
leur tête, ils ne le remarqueraient pas. Chaque lion sort de
sa tanière et tous les reptiles mordent... la terre est dans le
silence, car celui qui l'a créée repose dans son horizon.

« Quand tu te lèves, tu dissipes l'obscurité. Les hommes
sont joyeux, ils s'éveillent et se tiennent sur leurs pieds
quand tu les as fait lever. Ils lavent leur corps et ils prennent
leurs vêtements. Leurs mains saluent ton apparition et le
pays tout entier se livre à son travail. Tous les troupeaux
sont contents de leur herbage. Les arbres et les plantes ver-
dissent. Les oiseaux s'envolent de leurs nids et leurs ailes
te louent. Tous les animaux bondissent sur leurs pattes,
tout ce qui vole et bat des ailes vit quand tu t'es levé pour
eux.

« Les barques descendent et montent le fleuve et les
poissons, dans la rivière, bondissent devant ta face ; tes
rayons pénètrent dans la mer.

« C'est toi qui crées l'enfant dans le sein maternel... quand
il sort du sein maternel au jour de sa naissance, tu ouvres
sa bouche à la parole et tu pourvois à ses besoins. Le pous-

sin dans l'œuf pépie déjà dans la coquille et là, tu lui donnes le souffle afin qu'il reste en vie ; quand tu lui as donné la force de la briser, il sort et court sur ses pattes.

« Combien multiples sont toutes tes œuvres..., ô seul dieu, à côté de qui n'en existe point d'autre ! Tu as créé la terre suivant ton désir, toi seul, avec ses hommes, ses troupeaux et tous ses animaux.

« Les territoires étrangers, la Syrie et la Nubie, et le pays d'Égypte, — tu établis chacun à sa place et tu fais ce qui leur est nécessaire ; chacun a sa nourriture et ses jours sont calculés. Leurs langues parlent diversement comme est divers leur aspect. Leur peau est différente, car tu as distingué les peuples.

« Tu crées le Nil dans le monde inférieur et tu l'amènes à ton gré pour nourrir les peuples.

« Tous les pays éloignés, tu prends soin d'eux. Tu as placé un Nil (c'est-à-dire la pluie) dans le ciel afin qu'il tombe pour eux. Il produit des vagues sur les montagnes, pour arroser leurs champs. Que tes pensées sont excellentes, ô seigneur de l'éternité ! Le Nil au ciel, tu le donnes aux peuples étrangers, mais le (vrai) Nil, il jaillit du monde inférieur pour l'Égypte.

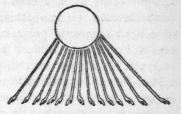

Fig. 47. — La nouvelle figuration du dieu du soleil.

« Tu as le ciel éloigné pour y monter et pour contempler tout ce que tu as créé.

« Tu crées des millions d'êtres de toi seul.

« Villes, localités, champs, chemin et fleuve — chaque œil te voit en face en tant que soleil du jour sur la terre. »

Ainsi donc, c'est le soleil qui a tout créé et qui fait tout subsister ; il pourvoit à tout avec une égale bonté et pour lui tous les hommes sont semblables, si divers que soient leur aspect et si différentes les langues qu'ils parlent. Cette

idée est étrangère à l'Égypte des temps anciens qui considérait hautainement les barbares. La raison est que nous
sommes alors en des temps « modernes » ; mais autre chose
encore, dans ces hymnes, est moderne : la langue. On s'était
efforcé jusque-là, dans toutes les inscriptions, d'employer
la langue en usage plusieurs siècles auparavant ; mais on
utilise maintenant sans arrière-pensée la langue servant à
l'usage journalier. C'est comme si, dans un livre de l'Italie
médiévale, le latin traditionnel était subitement remplacé
par l'italien.

Cette croyance à un créateur plein de bonté, telle qu'elle
apparaît dans ce mouvement religieux, éveille en nous
compréhension et sympathie, et il semblerait naturel
qu'elle ait supplanté progressivement l'ancienne religion
depuis longtemps vieillie ; mais, pour le malheur de
l'Égypte, elle n'y parvint pas. Cette réforme de la religion
échoua devant l'opposition légitime du peuple, qui ne voulait pas se laisser ravir ses anciens dieux. Elle ne se heurta
pas moins à la résistance du clergé ; celui-ci tenait à son
culte, avec ses temples et ses offrandes, et à l'existence
paisible que lui valait son rôle de gardien de la tradition.
Mais le jeune roi Aménophis IV lui-même, qui s'était constitué l'enthousiaste défenseur de la nouvelle croyance, sans
doute aussi a contribué, par son zèle même, à l'échec de la
réforme. Son enthousiasme pour ce qu'il appelait la « vérité »
ne connaissait point de bornes. C'était un fanatique et l'on
ne s'étonne pas de lire sur son visage un caractère morbide.

C'est auprès du clergé d'Amon qu'il rencontra la plus
forte résistance, car c'est lui qui, en cas de réforme de la
religion, avait aussi le plus à perdre. Par conséquent, la
haine du souverain se porte avec plus de véhémence contre
Amon que contre les autres dieux. Et cette haine se manifeste de la manière insensée dont on persécutait de tout
temps des rois exécrés ou des hommes en disgrâce, en mar-
telant leurs noms dans les inscriptions. Aussi la guerre est-

elle déclarée aux trois signes ⌇ composant le nom d'Amon et on les efface même dans des mots où il n'est nullement question d'Amon. La haine vouée à Amon conduit à d'autres folies. Le dieu n'a-t-il pas une épouse en la personne de la grande déesse Mout ? Le nom de cette divinité s'écrit au moyen du signe 𓅐, qui doit ainsi disparaître également. Il devient déplaisant et même intolé-

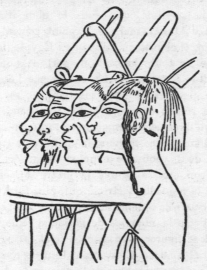

Fig. 48. — Les peuples étrangers.

rable, en conséquence, d'écrire au moyen du même signe le nom habituel désignant « la mère » et un partisan de la nouvelle doctrine renonce dorénavant à cette graphie et écrit le mot mère au moyen des signes 𓄿 𓂝 𓀀. Mais ce n'est pas tout ; il y avait quelque chose de beaucoup plus fâcheux ; le jeune roi s'appelait Amen·hotep (Aménophis), ce qui signifie : « Amon est content ». Un pareil nom n'était

plus tolérable. Le roi n'eut d'autre ressource que de changer
de nom ; il se nomma dorénavant d'après son nouveau dieu,
Aton, le soleil : Akh·en·aton, « Il plaît à Aton ». C'est le nom
qui nous sert à le désigner encore aujourd'hui.

Mais le souverain pouvait-il encore habiter la ville de ses
pères ? Tout ne proclamait-il pas le nom d'Amon dans
Thèbes, les grands temples de Karnak et de Louxor et
l'imposant sanctuaire que le propre père du roi avait élevé
sur la rive occidentale ? Akh·en·aton se résout à fonder
une nouvelle capitale, qui, sous le nom d'Akhet·aton
« l'Horizon d'Aton », marque le point central du nouvel
empire divin. Il choisit, au milieu de l'Égypte, un emplace-
ment vierge de toute habitation, portant aujourd'hui le
nom de Tell el Amarna, et il y commence l'établissement
d'une ville gigantesque avec ses temples, ses palais, ses
jardins, son réseau de routes et ses tombeaux. C'est dans
cette ville qu'il réside désormais avec son épouse et ses filles
et plus tard aussi avec sa mère, la vieille reine Tii. Les hauts
dignitaires de la nouvelle cour viennent également s'y
établir. Parmi eux se trouve le prêtre Aï, enthousiaste
partisan de la nouvelle doctrine, qui, plus tard (cf. p. 207)
devait jouer un rôle si néfaste. Son épouse avait eu autrefois
l'honneur d'être la nourrice de la jeune reine Nefert·iti.
On ne peut se figurer avec assez d'éclat la vie qui s'épa-
nouit à Tell el Amarna. C'est avant tout un nouvel art qui
se développe, dégagé des liens de l'ancienne tradition. Tout,
à Tell el Amarna, respire un air nouveau et joyeux ; même
les inscriptions perdent leur ton déclamatoire. On souhaite
au roi de vivre à Tell el Amarna « jusqu'à ce que le cygne
devienne noir et le corbeau blanc, que les montagnes se
dressent et s'éloignent et que l'eau coule en amont ». Il
faut qu'il célèbre autant de jubilés que les oiseaux ont de
plumes et posséder autant de trésors que les poissons ont
d'écailles et les bœufs de poils. Et avec quel plaisir repré-
sente-t-on maintenant le roi et la reine, non plus comme

d'inabordables divinités ainsi que l'avaient été jusqu'ici les rois d'Égypte, mais comme d'heureux humains. Le roi tient la reine sur ses genoux et lui donne un baiser, ou bien c'est elle qui lui verse à boire du vin, ou encore ils jouent avec leurs fillettes. Il semblerait que le paradis se fût installé sur terre à Tell el Amarna. Malheureusement, non loin du palais se trouve « la maison de l'épistolographe », c'est-à-dire le bureau des archives, et c'est là que sont rassemblées les tablettes d'argile reçues de Syrie et de Palestine et portant des messages qui ne parlent que d'insurrections et des appels au secours désespérés. Déjà sous Aménophis III, en effet, la Syrie et la Palestine avaient été le théâtre de profondes transformations. Une fois de plus, les Bédouins du désert syro-arabe s'avisèrent de faire irruption dans des régions fertiles. Mais, cette fois, il n'y eut pas que des tribus isolées pour tenter l'entreprise, mais il s'agit d'une grande invasion. Ces Khabiri, pour employer le nom qui les désigne sur les lettres de Tell el Amarna auxquelles il vient d'être fait allusion, sont, de toute évidence, les mêmes peuples qui, par la suite, établis à demeure, s'appellent Araméens et Hébreux. La tribu d'Israël à qui les Égyptiens firent la guerre plus de cent ans plus tard a peut-être pénétré en Palestine à ce moment-là. Même les villes fortifiées de Phénicie ne purent résister à l'assaut des Khabiri. C'est en ces termes, par exemple, que Rib-addi, prince de la vieille place fidèle de Byblos, s'adresse au pharaon : « Le roi sait que Byblos, la fidèle servante du roi, se portait bien, mais à présent le roi a laissé échapper sa fidèle ville de sa main. Toutes mes villes situées dans la montagne et sur le rivage sont tombées aux mains des Khabiri. Mes champs restent incultes, car on n'a pas de quoi les labourer. » La misère est si grande à Byblos en ces années-là que les habitants vendent leurs enfants comme esclaves en échange de blé. C'est ce qui explique les incessants appels de détresse du prince : « Envoie des troupes

égyptiennes, envoie de l'aide sitôt que possible. » Une autre
fois le même prince écrit : « Si le roi m'ordonne : défends-
toi toi-même et défends la ville du roi qui t'est confiée, —
à l'aide de qui pourrai-je bien défendre la ville ? N'avais-je
pas, autrefois, à ma disposition des troupes de garnison du
roi et le roi ne fournissait-il pas du blé de Iarimouta pour
leur entretien ? Aujourd'hui je n'ai pour moi ni bœufs ni
vivres et nos sujets gagnent les régions où il existe encore
du blé pour leur subsistance. » — Pour comble de misère,
plusieurs princes locaux font cause commune avec les Khabiri et espèrent étendre leur propre autorité au moyen d'eux.

La situation n'est pas meilleure en Phénicie qu'en Palestine ; tout est en révolte jusqu'aux confins de l'Égypte.
Ici également des princes locaux semblent vouloir livrer
le pays du roi aux Khabiri. C'est ainsi, qu'Abd·khiba,
prince d'Ourousalim, la ville que nous appelons aujourd'hui
Jérusalem, écrit que le roi l'a établi autrefois par faveur
spéciale en qualité d'officier et de fonctionnaire dans la
ville de ses pères : « Par la vie du roi, les fonctionnaires du
roi se sont ralliés aux Khabiri et ils ont fait tort aux princes
indigènes. Ils me calomnient auprès du roi, parce que je
prétends que les territoires du roi vont s'anéantissant.
Veuille donc le roi prendre soin de son pays. Je voudrais
me rendre à la cour et voir le visage de mon maître, mais
les ennemis sont puissants et je ne puis aller à la
cour ; que le roi envoie donc des troupes... Si des troupes
arrivent ici encore cette année, le roi, mon maître, conser-
vera ses territoires ; mais s'il n'arrive point de troupes, les
possessions de mon roi et maître sont perdues. » Abd·khiba
fait ensuite le récit de toute sorte de crimes commis : « Les
princes Tourbasa et Sapti·addi ont été assassinés et le roi
reste inactif. » Il finit en ces termes : « S'il n'y a pas de
troupes cette année, que le roi envoie donc l'un de ses fonctionnaires pour qu'il vienne me chercher avec ma famille et
que nous puissions mourir auprès du roi, notre maître. »

Un nouveau malheur vient s'ajouter à tous les autres. Désormais, l'Égypte n'a plus à se préoccuper seulement des royaumes voisins de l'Euphrate ; un puissant rival a surgi pour elle : les Khatti (Hittites) habitant le nord de l'Asie mineure. Ceux-ci prennent part aux querelles de Syrie et ils deviennent peu à peu l'adversaire principal de l'Égypte.

L'inertie dont fit preuve le gouvernement égyptien devant tous ces troubles a certainement pour cause les difficultés d'ordre intérieur qui menaçaient le royaume divin de Tell el Amarna. Le peuple et le clergé n'acceptèrent pas sans résistance de se voir privés des anciens dieux et de toute la pompe du culte. Les conseillers du jeune roi, qui s'étaient aménagé de belles tombes à Tell el Amarna, n'étaient plus les mêmes que ceux qui dirigeaient auparavant le gouvernement. Une nouvelle société s'était imposée, qui devait sa prépondérance avant tout à son exacte interprétation de la « nouvelle doctrine ». Car le roi s'élève contre celui qui ignore tout de sa doctrine, et il récompense celui qui la connaît. Aussi chacun se vante-t-il d'avoir entendu « la doctrine », la « belle doctrine de vie ». L'un d'eux a même été instruit chaque matin par le roi en personne. Ce détail montre suffisamment déjà que les hauts personnages nouvellement créés constituaient une société assez curieuse. Déjà leurs inscriptions en témoignent ; ils se vantent surtout d'être des créatures de leur souverain, qui les a élevés et nourris. L'un dit que le roi a fait de lui un homme ; jamais il n'avait espéré lui-même se mêler aux conseillers et aux loués du roi. Et maintenant, il était même devenu un confident du roi et celui-ci le rendit riche, car il avait été pauvre auparavant. Un autre dit même qu'il était de petite condition de par son père et sa mère, un qui n'avait rien, il était « de l'extrémité du peuple » et il demandait son pain. Et de ce mendiant, le roi fit quelque chose. Il lui permit de se mêler aux courtisans et tous ses gens portent maintenant leurs regards sur lui. Des fonctionnaires de cette

taille n'étaient pas faits pour sauver le royaume en ces
temps critiques ; d'ailleurs la nouvelle croyance était vouée
à l'anéantissement. Ce fut encore un bien grand malheur
pour le pays lorsque le roi mourut, en 1358 av. J.-C., dans
la dix-neuvième année de son règne, sans laisser de fils.
Son successeur immédiat fut l'époux de sa fille aînée ; puis
vint au pouvoir un autre gendre, Tout-ânkh-aton, l'époux
de sa troisième fille. Les hommes qui placèrent sur le trône
ce jeune prince se rendaient déjà nettement compte que
la cause de la nouvelle croyance était perdue. Il ne restait
qu'une seule solution, faire la paix avec Amon et avec les
anciens dieux et retourner à Thèbes pour y faire amende
honorable. Mais pour cela, il fallait que le jeune couple
royal changeât ses noms hérétiques en noms orthodoxes.
Tout-ânkh-aton, « L'image vivante d'Aton » devint
Tout-ânkh-amon, « L'image vivante d'Amon » ; de même,
la jeune reine ne s'appela plus désormais Ânkhes-en-aton,
mais Ânkhes-en-amon, « Sa vie est celle d'Amon ».

Nous ignorons comment s'est effectué le retour à l'ancienne croyance, mais on conçoit que le clergé et le peuple
donnèrent à cette occasion libre cours à leur haine et à leur
fureur. La ville du roi hérétique fut rasée jusqu'au sol et
ses temples et palais détruits de façon systématique comme
sans doute aucun autre édifice d'Égypte. Les tombeaux
de la famille royale semblent n'avoir pas subi de meilleur
sort ; ils nous ont livré pourtant bien des objets ou documents précieux, peut-être même la momie de l'hérétique.
On a découvert dans une tombe thébaine des objets qui,
selon toute apparence, proviennent des tombeaux royaux
de Tell el Amarna. Parmi eux se trouve une momie qui,
d'après l'inscription du cercueil qui la contenait, devait
être celle d'un « fils d'Aton », autrement dit d'un souverain
hérétique. Le cadavre du roi exécré n'a-t-il pas été caché
là par le jeune couple royal ?

CHAPITRE XXI

TOUT·ANKH·AMON ET HOR·EM·HEB

Le roi Tout·ânkh·amon, à peine sorti de l'enfance, n'agit pas, il va de soi, sur sa propre initiative, lorsqu'il abjura la nouvelle doctrine. Il était sous la tutelle des gens qui l'avaient placé sur le trône. Au nombre de ceux-ci se trouvait certainement le prêtre Aï, ancien partisan enthousiaste de la foi atonienne et probablement aussi le très influent général Hor·em·heb, qui résidait à Memphis. Ce sont précisément les deux personnages qui portèrent la couronne par la suite.

Ce n'est pas sans rancœur que nous lisons encore aujourd'hui le décret par lequel le jeune roi fut obligé de faire sa soumission à Amon et aux autres dieux. Ce document assure que pendant la période hérétique les temples du pays tout entier furent détruits et que, pour cette raison, les dieux se détournèrent du pays et que l'armée ne remporta plus aucun succès. Mais à présent les dieux placent sur le trône de ses pères un nouveau roi, le péché est banni du pays, la vérité triomphe et le mensonge est devenu une infamie. — Avec quelle rapidité tout était changé ! Ce qui, hier encore passait pour le péché et le mensonge était, aujourd'hui, redevenu la vérité.

Naturellement la piété du roi s'exprime principalement en présents merveilleux offerts aux dieux : statues d'Amon et de Ptah en or pur, splendides bateaux si brillants d'or qu'ils éclairent le fleuve, esclaves hommes et femmes de la maison du roi, tout cela est maintenant livré aux temples. On veille aussi à ce que le clergé possède dorénavant la bonne croyance : on institue des prêtres de rang supérieur et de rang inférieur, choisis parmi les familles notables, des fils de la classe cultivée que l'on paie largement.

Le jeune roi mourut après quelques années de règne.

On a trouvé récemment dans les archives du royaume
hittite une lettre d'un contenu surprenant, émanant vraisemblablement de sa jeune veuve. En effet, une reine
d'Égypte devenue veuve y supplie le roi des Khatti (Hittites) de lui envoyer un prince de sa maison, afin qu'elle
puisse le prendre pour époux et l'élever sur le trône
d'Égypte. Ceci n'arriva pas ; Aï gravit le dernier échelon
et monta lui-même sur le trône. Devenu roi, il ordonna
pour Tout·ânkh·amon des funérailles dignes de son rang
et fit déposer auprès de lui tous les trésors que le jeune
souverain avait préparés pour sa sépulture. Toutefois,
il est certain que son tombeau n'est pas celui que Tout·
ânkh·amon s'était fait aménager lui-même, lequel devait
être un tombeau de grandes dimensions. Aï fit enterrer le
jeune roi dans une petite tombe inachevée et si étroite
que le sarcophage et les offrandes y trouvèrent à peine place.
Ce n'est pas faire tort à Aï que de le soupçonner de s'être
approprié lui-même, en sa qualité de nouveau roi, la
grande sépulture de Tout·ânkh·amon. S'il en est ainsi,
cette action ne lui a pas porté bonheur, car ce tombeau fut
déjà dévasté sous le règne de son successeur. Par contre,
l'insignifiant tombeau de Tout·ânkh·amon. a conservé
jusqu'à nos jours la momie du roi et ses trésors ; seule,
parmi toutes les sépultures royales, elle échappa au pillage.
Lorsque, le 26 novembre 1922, ses portes enfouies et scellées
s'ouvrirent pour la première fois, un monde de splendeur
apparut qu'on aurait à peine pu soupçonner. Si fréquentes
que soient les inscriptions du Nouvel-Empire évoquant
l'éclat de la royauté, on avait néanmoins toujours tendance
à n'y voir qu'une phraséologie traditionnelle. Mais ici, dans
la tombe de Tout·ânkh·amon se sont révélés en effet le
faste incroyable et l'art raffiné de cette époque. L'or y est
répandu partout avec une prodigalité fabuleuse. Les im-
menses coffres qui contiennent le sarcophage sont plaqués
d'or, de même que les cercueils intérieurs. Le dernier cer-

cueil, dans lequel la momie était déposée, est tout entier
en or et ne pèse pas moins de deux cent vingt-cinq kilo-
grammes. Tous les ustensiles et tous les meubles resplen-
dissent d'or et sont incrustés de pierres précieuses et de
pâtes de verre multicolores. L'ivoire, l'ébène et l'albâtre
le plus fin sont ici matières courantes. Et quel art admirable a présidé à la confection de tout : sièges, lits, coffres,
chars, lampes, arcs, cannes, parures et vêtements ! On a
porté une attention particulière jusqu'aux ornements. Si
par exemple les extrémités de l'arc se terminent par des
têtes de Nègres ou d'Asiatiques, cela signifie que l'arme
doit servir contre ces ennemis. Et si nous voyons sur le char
de combat du roi comment, sous l'aspect d'un lion, il abat
ses ennemis, la signification est la même. Une lampe d'albâtre allumée laisse apercevoir en transparence l'image du
couple royal. Un bassin en même pierre, destiné à recevoir
des fleurs fraîches, est conçu, pour cette raison, sous forme
d'un lac sur lequel navigue une barque gracieuse. On ne
saurait ici décrire toute la splendeur et toute la beauté des
scènes qui décorent sièges et coffrets. Qu'il nous suffise
de noter le sujet de ces tableaux, reflétant la vie que le
jeune couple royal menait ou désirait mener. Voici le roi,
richement paré, assis sur un fauteuil ; devant lui se tient
la reine, répandant des parfums sur le large collier de son
époux ; là, c'est lui qui honore semblablement la reine
assise à ses pieds en lui versant d'un flacon quelque essence
odoriférante dans la main. Elle accompagne le roi à la
chasse aux canards, lui tend la flèche et lui montre le plus
bel oiseau ; un jeune lion suit le roi comme chien de chasse.
Mais lorsqu'il chasse au désert, le roi monte seul sur son
char, accompagné de sa suite. Tantôt il vise l'autruche,
dont les plumes servent à la confection de grands éven-
tails ; c'est ce que montre précisément le décor d'un tel
éventail. Tantôt il chasse le lion et l'auteur de ce tableau
a illustré de façon saisissante comment les bêtes atteintes

se tordent de douleur. Sans doute le jeune souverain n'a-t-il pas abattu lui-même les lions comme le montre l'image. L'artiste a vraisemblablement usé ici de quelque liberté, et c'est ce qu'il a fait certainement dans les scènes représentant le roi à la bataille, où le roi, debout sur son char de combat, s'élance au milieu des ennemis et les abat de ses traits. Qu'on ait fait cela pour ses ancêtres Touthmosis Ier et Touthmôsis III, la chose est admissible, mais on conçoit difficilement que le jeune roi ait jamais accompli de tels exploits guerriers, même au cas où il aurait un jour accompagné son général à la guerre. N'est-il pas, en effet, arrivé au pouvoir, ainsi que nous l'apprend une jolie statuette, environ dans sa douzième année ? Aurait-il pu, durant les cinq années de son règne, devenir un si grand héros. Il est vrai qu'on déposa dans sa tombe toutes sortes d'armes et que sa momie portait deux poignards. Mais d'autres objets ensevelis·auprès de lui montrent suffisamment que ce roi n'avait pas dépassé depuis longtemps l'âge de l'enfance. Voici par exemple une petite chaise d'enfant ; voilà un arc qu'il s'est lui-même taillé un jour, ainsi qu'en témoigne une inscription ; voilà encore un coffret contenant toutes sortes d'objets chers à un garçon.

Le sort de ce roi enfant, qui n'était assurément qu'une marionnette dans les mains de quelques hauts personnages, n'est-il pas étrange ? Aujourd'hui, trois mille trois cents ans après, il jouit d'une notoriété universelle. On parle de Tout·ânkh·amon même en des milieux où le nom d'aucun autre roi égyptien n'a jamais été prononcé.

HOR·EM·HEB

Le roi Aï ne profita que peu d'années du trône usurpé. Un autre lui succéda qui fut plus puissant que lui et qui ne s'appuyait pas sur le clergé, mais sur l'armée. C'était Hor·em·heb, commandant en chef de l'armée égyptienne.

Il ne résidait pas à Thèbes comme Aï, mais à Memphis, le
centre du pays, et il était certainement depuis longtemps
le véritable chef de l'État, « le plus grand parmi les grands,
placé par le roi à la tête de l'Égypte toute entière ». Il
semble qu'en cette qualité il ait rétabli l'ordre en Palestine. Les bas-reliefs de son beau tombeau de Memphis
montrent de façon plaisante dans quel esprit de soumission
les rebelles de cette région se comportent maintenant.
Hor·em·heb finit par intervenir également à Thèbes et
par écarter Aï du pouvoir, ou, pour s'exprimer en style
égyptien, Horus, qu'adorait la famille d'Hor·em·heb, a
envoyé ce dernier à Thèbes auprès d'Amon, qui le couronna
roi. On fit disparaître les derniers vestiges de l'époque du
roi hérétique, ce vil « criminel de Tell el Amarna », ainsi
qu'on le nommait maintenant officiellement. On démolit
tout ce qu'Akh·en·aton avait construit à Thèbes et on
utilisa les blocs récupérés à l'édification de portes monu-
mentales élevées par Hor·em·heb en l'honneur d'Amon.
Cependant, Hor·em·heb fit, au cours de son long règne,
œuvre plus utile et plus importante. De même qu'il avait
rétabli l'ordre dans les relations extérieures de l'Égypte,
il s'efforça aussi, en sa qualité de roi, de réorganiser la situation intérieure du pays, qui avait également bien souffert
en cette période instable. Un long décret nous est parvenu,
que le roi dicta à son scribe et dans lequel il énumère toutes
les tyrannies que fonctionnaires et soldats se permettaient
à l'égard du peuple. Ceux-ci, par exemple, prélèvent tout
bonnement les redevances que les pauvres sont tenus
de verser au roi pour la cuisine et la brasserie. Ou bien, ils
ôtent aux bourgeois leurs esclaves pour les occuper aux
champs des jours durant. Pire encore est l'attitude des
soldats en Haute comme en Basse-Égypte ; ils s'emparent
de peaux de bœufs qui ne portent même pas le sceau du
roi. Tous ces abus seront punis avec la plus grande rigueur,
soit en coupant le nez du coupable soit en le frappant de

cent gros coups de bâton. Le prélèvement des redevances
ne se fait pas non plus loyalement et les hauts fonctionnaires chargés du contrôle partagent le bénéfice de la
fraude avec les employés subalternes. Hor·em·heb a signalé tous ces délits de la même manière que l'avait fait
autrefois Touthmosis III. Ce dernier s'était arrêté partout
sur son passage, en se rendant à la fête de Thèbes, et avait
interrogé lui-même le peuple ; le roi Hor·em·heb parcourt
maintenant à son tour tout le pays et fait éclater au grand
jour tous les abus. Il crée en outre deux postes de juge suprême et vizir, l'un à Memphis, l'autre à Thèbes. Il institue
encore dans chaque ville une cour de justice, dans laquelle
des prêtres et des personnages de haut rang sont appelés
à juger les habitants.

Ainsi donc, Hor·em·heb fut l'un de ces souverains auxquels incomba la tâche d'empêcher la chute d'un royaume
en décadence et de raffermir ses assises au dedans comme
au dehors. C'est donc un solide patrimoine qu'il laissa à ses
successeurs, les souverains que nous avons coutume de
désigner sous le nom de XIXe dynastie. Avec Hor·em·heb
commence vraiment une époque nouvelle. L'hérésie est
définitivement bannie et les anciens dieux ont été réinté-
grés de leurs droits. Cependant, un examen plus approfondi
révèle, aussi dans le domaine religieux, bien des changements. Les grands dieux de Thèbes, d'Héliopolis et de
Memphis tendent à devenir toujours plus une divinité
suprême, le dieu du soleil, que l'on se représente le plus
volontiers sous la forme du roi des dieux Amon-Rê de
Thèbes. Un hymne proclame que ce dieu a tout créé et
qu'il contient toutes choses. Les veuves l'appellent leur
époux ; pour les orphelins, il est un père et une mère. Le
prisonnier s'adresse à lui et le malade l'implore. Il est un
berger qui aime son troupeau, il est bon pour chacun. Il
prend soin aussi du bétail et toutes les plantes se tournent
vers sa beauté. Les mêmes idées nous avaient déjà réjouis

dans les hymnes en l'honneur de l'Aton, le dieu du soleil
de la période hérétique (p. 198). Une autre innovation
heureuse de l'époque amarnienne subsiste. On continue
à se servir de la langue vulgaire et l'on ne se fait point scru-
pule de l'utiliser en poésie et dans les inscriptions royales.
En art également subsiste quelque chose de la spontanéité
propre aux temps d'Akh·en·aton et de son père. Cependant la perfection de l'art de cette époque ne devait pas
durer ; elle disparut lorsqu'on se mit à construire les monuments gigantesques dus à l'initiative des rois de la
XIXe dynastie. Car il n'est guère de famille régnante qui
ait créé de si nombreux et de si impressionnants ouvrages
d'architecture. C'est évidemment à Thèbes, la ville d'Amon,
que sont édifiés les plus grands temples, constructions gigantesques qui répandirent dans le monde entier, déjà dans
l'antiquité, la gloire de la « Cité d'Amon ». Quelle que fût la
splendeur de ce lieu saint, il avait toutefois perdu un trait
essentiel de sa gloire, qu'il ne devait jamais plus retrouver
par la suite : depuis le règne d'Hor·em·heb, Thèbes ne fut
plus la capitale du royaume. Dorénavant c'est à Memphis,
située au centre du pays, ou dans quelque ville importante
du Delta, que siégea le gouvernement. Thèbes ne fut plus
que la ville sainte, où trône le plus grand de tous les dieux.
Les rois s'y rendent pour les grandes solennités, ils y pos-
sèdent des palais et ils y reposent après leur mort dans les
tombeaux qu'ils se sont fait creuser dans le roc à côté de
leurs prédécesseurs.

CHAPITRE XXII

RAMESSÈS II

L'œuvre entreprise par Hor·em·heb fut poursuivie par
le roi Sethi Ier, qui monta sur le trône après le règne
de courte durée de son père Ramessès Ier. Ce fut un
souverain plein d'autorité qui s'efforça de rendre à l'Égypte
son rang de puissance mondiale. Il s'agissait avant tout de
rétablir l'ordre en Palestine, où triomphait de nouveau
l'anarchie et dont les Bédouins harcelaient de nouveau les
habitants. Il intervint dès la première année de son règne,
battit les Bédouins et emmena en Égypte un grand nombre
d'entre eux en captivité. Il soumit également des princes
indigènes qui avaient fait jusque-là cause commune avec
les Bédouins. Le riche butin rapporté de cette expédition
fut consacré à Amon. Tout cela est décrit en de grands tableaux sur la face extérieure du plus grand de tous les monuments, la fameuse salle hypostyle de Karnak, dont
Sethi Ier entreprit la construction. Il n'acheva pas cet
étonnant ouvrage d'architecture, que son fils Ramessès II,
dont la renommée universelle relégua dans l'ombre celle de
son père, mena à bonne fin. Ramessès II fut entouré d'une
haute vénération déjà dans l'antiquité, car les dieux lui
avaient accordé un règne de soixante-sept ans, et les souverains qui lui succédèrent se flattèrent de porter son nom
et de se composer une titulature semblable à la sienne,
comme si son temps avait été particulièrement béni. La
lecture des hiéroglyphes devait révéler aux modernes, à
leur étonnement, que peu de temples, en Égypte et en
Nubie, ne portent pas le nom de Ramessès II. Partout, ce
roi rénova ou agrandit considérablement les édifices déjà
existants ; il en construisit lui-même de nouveaux et acheva
ceux que son père Sethi Ier avait commencés. C'est à lui

que, avant tout, nous devons l'immense salle hypostyle
de Karnak qui passe à juste titre pour l'une des merveilles du monde. Cent trente-quatre colonnes en supportent la toiture ; celles de la double rangée du milieu
s'élèvent à vingt-quatre mètres et ont un diamètre de
trois mètres et demi. Au temple de Louxor, Ramessès II
ajouta une vaste cour à colonnades, dont l'entrée monumentale était ornée de colosses représentant le roi et
d'obélisques. Le même souverain éleva encore une troisième
merveille d'architecture sur le sol de Thèbes : le Ramesseum.
De même que les autres temples de la rive occidentale du
fleuve, celui-ci n'était pas seulement consacré à Amon,
mais était destiné à servir de temple funéraire du roi lui-
même. En Nubie, où l'étroite vallée n'offrait pas l'espace
suffisant pour de si grandes constructions, Ramessès II
fit creuser dans le rocher le merveilleux sanctuaire qu'est
le temple d'Abou-Simbel, dont les salles se succèdent
jusqu'à une profondeur de cinquante-cinq mètres. L'entrée
est flanquée de quatre statues colossales du roi siégeant
sur son trône, atteignant vingt mètres de haut ; elles aussi
sont taillées à vif dans le roc.

Cependant, le roi ne se contenta pas d'honorer partout
les dieux d'une manière aussi grandiose. L'une de ses plus
grandes entreprises accuse des préoccupations d'ordre purement pratique et politique. Il fonda une nouvelle capitale,
ville à laquelle il donna son propre nom. Elle est située,
comme le dit un hymne, entre la Palestine et l'Égypte et
elle regorge de nourriture et de vivres. « Tous les hommes
quittent leur ville pour s'établir dans l'enceinte de cette
ville. » Cette ville, à l'édification de laquelle les Juifs furent
utilisés, ainsi que le veut la légende, était située au nord-
est du Delta, à l'endroit où les Hyksos possédaient autrefois
leur capitale, Avaris (p. 166). Après l'expulsion de ces derniers, elle demeura déserte pendant des siècles. Mais Ramessès II, dont la famille était originaire de cette région,

la fit ressusciter et donna ainsi à son empire, qui comprenait aussi la Palestine, une métropole bien située.

Mais Ramessès II ne doit pas sa célébrité seulement à sa grande œuvre pacifique ; il est aussi connu pour ses exploits guerriers, ainsi qu'en témoignent aujourd'hui encore les grands bas-reliefs des temples. Ces tableaux et les inscriptions qui les accompagnent nous renseignent également avec précision sur la technique de la guerre au Nouvel-Empire. La grande armée que Ramessès mena en Syrie comprend quatre divisions nommées d'après les quatre dieux principaux, Amon, Rê, Ptah et Soutekh. A côté de ces corps d'armée existe une troupe spéciale, qui se recrute sans doute en Palestine, car son nom de « Nearouna » signifie en langue cananéenne « les adolescents ». Une autre troupe, celle de « Shardana », frappe déjà par son aspect extérieur et par son armement particulier. Les hommes qui la composent portent la lance et le poignard, le bouclier rond ; leur casque est orné d'une demi-lune. Ils ne viennent ni d'Égypte ni d'Asie, mais de Sardaigne ; ce sont « les guerriers de la grande mer du nord ». Le roi les fit prisonniers lorsqu'ils envahirent l'Égypte avec d'autres peuples pirates et il les obligea à faire la guerre dans l'armée égyptienne. Mais au-dessus de toutes ces troupes d'infanterie vient celle des guerriers montés sur chars de combat (fig. 43). A chaque équipage sont attachés non seulement le guerrier proprement dit et son conducteur, mais encore un groupe de palefreniers ; des ânes chargés de vivres et de fourrages pour les hommes et les bêtes accompagnent aussi le char de combat.

Quand l'armée fait une halte, les soldats dressent leurs grands boucliers en guise d'enceinte. Cette clôture n'a qu'une entrée, protégée au moyen d'abattis d'arbres et par une troupe de garnison spécialement consignée à cet effet. Au centre du camp se dressent la tente du roi et celles des officiers. Le grand espace qui reste abrite les soldats, les chevaux et les chars de combat, avec tout le train de l'armée. Voici les chariots à bœufs, les ânes servant de bêtes de somme et tous les jeunes gens qui accompagnent l'armée, et l'on voit que les artistes ont pris plaisir à représenter ce monde dans tous ses faits et gestes. Voyez cet âne indocile affaissé au sol : il se refuse à porter son fardeau. Voyez cet autre se rouler dans la poussière à côté de sa charge. Quant aux jeunes gens chargés de fixer les ânes à leur pieu d'attache, ils se querellent et se bourrent de coups au moyen de ces piquets. D'autres jeunes gens apportent aux soldats leur nourriture et l'outre pleine d'eau ; mais à cette occasion encore, on se querelle et on se bat.

La guerre hittite

Telle apparaissait l'armée avec laquelle Ramessès II marcha sur la Syrie en l'an V de son règne. L'ennemi qui l'attendait là était le roi des Hittites, Mouwattal. Cet État d'Asie Mineure (p. 205) avait profité de la période de décadence égyptienne pour agrandir son territoire et pour étendre sa domination aussi sur la Syrie septentrionale. Le jeune pharaon s'étant décidé à mettre un terme à cet envahissement, le roi des Hittites leva une grande armée dans tous les pays qui lui étaient alliés ou soumis, « jusqu'aux extrémités de la grande mer ». Il avait distribué à ses alliés tout l'argent de son pays, afin qu'ils prissent part à la guerre.

D'après les nouvelles parvenues à Ramessès, Mouwattal devait se trouver avec sa grande armée dans la région de Kharebou (aujourd'hui Alep). Ramessès remonta tranquillement avec l'armée d'Amon la vallée de l'Oronte (aujourd'hui le Litani), qui sépare les deux chaînes du Liban. Il traversa encore ce fleuve sans être inquiété, deux Bédouins lui ayant confirmé que Mouwattal se trouvait loin de là, près d'Alep. Mais ces Bédouins, qui se faisaient passer pour transfuges, étaient en réalité des émissaires du roi des Hittites, chargés de tromper Ramessès. Mouwattal ne campait pas dans les parages d'Alep, mais il était prêt à engager la bataille dans la vallée de l'Oronte, s'étant dissimulé derrière la ville de Kadesh. Ramessès ne se rendit compte véritablement de la situation qu'en forçant des espions ennemis à parler. Les Hittites ne tardèrent pas à attaquer, ils écrasèrent l'avant-garde égyptienne et firent irruption dans le camp. Le danger fut grand ; au surplus, les autres armées, appelées d'urgence par le pharaon, se trouvaient loin du champ de bataille. Le roi d'Égypte résista héroïquement jusqu'à l'arrivée inattendue d'une troupe accourue à son secours, et lorsqu'une deuxième armée le rejoignit, la défaite imminente se transforma en une victoire décisive. Les Hittites périrent en grand nombre dans les flots de l'Oronte et parmi eux des frères du souverain asiatique.

Un poète a longuement célébré la bataille de Kadesh et s'il a, dans son hymne, traité les événements avec une certaine liberté, son épopée rend bien le drame vécu par le roi en cette journée mémorable (1).

Le roi fond courageusement sur l'ennemi, mais se voyant encerclé par les chars de combat de l'adversaire, il s'écrie : « Aucun prince n'est auprès de moi, aucun automédon, aucun officier des troupes d'infanterie ou de chars ! Mon infanterie et mes troupes de chars m'ont abandonné à l'ennemi et personne n'a tenu jusqu'au bout dans la lutte. » Mais le roi a confiance en son dieu : « Qu'arrive-t-il, ô mon père Amon, un père a-t-il jamais oublié son fils ? Ai-je donc fait quelque chose sans toi ? Si je marchais ou si je m'arrêtais, c'était sur ton ordre. Oh ! combien grand est le seigneur de Thèbes ! Quelle importance ont pour toi, ô Amon, ces misérables qui ne connaissent pas Dieu ?

(1) Traduction littérale dans : Erman, *Die Literatur der Ægypter*, p. 325 et suiv.

Fig. 49. — Les Hittites envahissent le camp égyptien.

Ne t'ai-je pas élevé de nombreux monuments et n'ai-je
pas rempli ton temple de prisonniers ? Je t'ai bâti un temple
pour l'éternité. Je fais sacrifier pour toi dix mille bœufs,
et j'envoie des bateaux pour te ramener les trésors des
pays étrangers.

Je t'invoque, ô mon père Amon. Me voici au milieu
d'ennemis qui ne te connaissent pas ; toutes les nations
se sont unies contre moi, et je suis tout seul et personne
n'est avec moi. Mes soldats m'ont abandonné, aucun de
mes combattants sur chars ne s'est soucié de mon sort.
Quand je les appelais, pas un n'a entendu. Mais je crie à
Amon et alors je sens qu'il compte davantage pour moi
que des millions de soldats à pied et des centaines de mille
sur chars. Et bien que ma prière s'élève dans un pays
éloigné, ma voix retentit jusqu'à Hermonthis. » A partir
de ce moment, le roi se sent comme conduit par la main du
dieu. Amon l'exhorte : « En avant, en avant ! Je suis avec
toi, moi, ton père, qui accorde la victoire. » Le roi reprend
courage : « J'ai retrouvé mon cœur, mon cœur se dilate de
joie, et ce que je veux accomplir se réalise. Je suis pareil à
Montou, dieu de la guerre : à droite, je lance mes traits ;
à gauche, je combats. Je suis comme le dieu Baal, quand
il est en colère. — Je vois que les deux mille cinq cents
chars de combat au milieu desquels je me trouvais
sont réduits en pièces, jonchant le sol devant mes chevaux. De tous les ennemis, aucun homme n'a su combattre ; leurs cœurs sont épuisés et leurs bras sont sans
force. Ils ne tirent pas et n'ont pas le courage de saisir
leurs javelots. Je les laisse tomber à l'eau comme des crocodiles ; ils roulent l'un par-dessus l'autre et je tue parmi
eux qui me plaît. »

Affolés, les Hittites s'écrient : « Ce n'est pas un homme
qui est au milieu de nous, c'est le dieu Soutekh en personne, fort entre tous. C'est Baal qui anime ses membres.
Ce ne sont pas des actions humaines qu'il fait. Accourez ;

fuyons-le et sauvons notre vie ! Voyez, celui qui s'approche
de lui, sa main et tous ses membres se paralysent. »

Quand enfin les soldats se furent de nouveau rassemblés
autour du roi, celui-ci leur reprocha en termes amers de

Fig. 50. — Assaut d'une forteresse.

l'avoir ainsi abandonné, bien qu'il leur eût fait tant de
bien : « J'ai combattu seul et j'ai vaincu des millions de
nations et je n'avais avec moi que mes deux chevaux « Vic-
toire-à-Thèbes » et « Mout-est-satisfaite », que je continuerai

à faire manger devant moi une fois de retour en mon palais. Menna aussi, mon automédon, m'a été d'un grand
secours, de même que les serviteurs du palais. » Le lendemain, le roi poursuit la bataille à la tête de son armée. Les
Hittites font leur soumission, baisant le sol devant lui. Leur
roi adresse au pharaon un message pour lui demander
grâce : « Est-il bien que tu extermines tes serviteurs ? Hier,
tu en as tué des centaines de mille et aujourd'hui tu viens
et n'épargnes aucun de nos héritiers. Ne sois pas sévère
envers nous. La clémence vaut mieux que la violence.
Laisse-nous le souffle. » Ramessès donne connaissance de
cette lettre à ses généraux ; eux d'ajouter aussi : « La clémence est très bonne, ô roi ; vouloir la paix n'est jamais
blâmable. » Alors, Sa Majesté ordonne qu'on exauce la
prière du roi des Hittites et il lui tend la main en signe de
paix.

Il est évident que les événements ne se sont pas déroulés
tels que les expose le poète. Si la bataille de Kadesh fut
une victoire, elle ne fut pas un succès durable. Chaque
année, la lutte recommençait et même les grandes villes de
Palestine se soulevèrent contre l'Égypte. Ce sont encore les
bas-reliefs des temples qui nous décrivent l'assaut qu'elles
eurent à subir. Les troupes ennemies, rangées devant la
ville dans l'attente des Égyptiens, sont mises en déroute par
les chars de combat et se retirent précipitamment dans la
ville. L'infanterie, dont font partie aussi les fils du roi, se
lancent dans la bataille. Ils se protègent, en tenant leurs
boucliers au-dessus d'eux, contre les traits et les pierres
qui pleuvent sur eux, ils escaladent les murs et forcent les
portes. Il va de soi que le roi figure en personne sur ces
tableaux et nous voulons bien le croire lorsqu'il affirme
qu'il sauta de son char et combattit pendant deux heures
sans cuirasse.

Au bout de vingt ans cependant s'établit une paix définitive, après laquelle soupiraient certainement les deux

États. Il se trouve qu'en ces années précisément, le pays
des Hittites fut éprouvé par une sécheresse tenace. Le
traité de paix stipule l'égalité de droit des deux États,
avec engagement d'assistance réciproque. — Ce curieux
document nous est parvenu en deux versions, la première
en égyptien dans les temples de Karnak et du Ramesseum,
la seconde en cunéiformes hittites, sur une tablette d'argile,
dans les archives de Boghazkeui. Les familles royales des
deux pays saluèrent avec joie la conclusion de la paix ; les
reines Nefert·ari et Putukhépa échangèrent des lettres
pleines d'amabilités. Et à la mort de Nefert·ari, Khattusil,
qui régnait alors sur les Hittites, accorda sa propre fille
en mariage à Ramessès. Un fait plus étonnant encore
advint : le roi Khattusil fit alors une visite à son nouveau
gendre et allié. Dans divers temples, on perpétua le souvenir de cette visite comme un grand événement. Combien
le monde dans lequel on vivait était différent de celui
d'autrefois ! Une princesse étrangère était devenue officiellement reine d'Égypte et un roi étranger, que l'on avait
l'habitude d'appeler autrefois « le misérable prince des
Hittites », était l'hôte fêté de Pharaon. Ramessès eut encore
plus de quarante ans de règne paisible. Mais il dut assister
à la mort de ses douze fils aînés ; et ce fut son treizième fils,
Mer·en·ptah, qui lui succéda sur le trône.

MER·EN·PTAH

Mer·en·ptah eut à reprendre la lutte en Palestine et c'est
dans un hymne célébrant les victoires de ce roi qu'apparaît pour la première et la seule fois le nom du peuple
d'Israël, mentionné comme une race que le pharaon a
détruite et dont il n'a laissé subsister aucun rejeton. Il
n'est donc guère étonnant que la tradition juive place
précisément à ce moment-là les hostilités entre Israël et
l'Égypte. Cette tradition veut que ce soit à la construction

des villes de Ramessès et de Pithom que les Juifs furent
utilisés ; ces deux villes, en effet, ont été édifiées par
Ramessès II, père de Mer·en·ptah. Il se pourrait que la
tribu d'Israël ait été emmenée en captivité pendant les
guerres de la XIXᵉ dynastie en Égypte, où, suivant la coutume, elle aurait été employée aux grandes constructions.
Il se pourrait en outre que cette tribu ait finalement secoué
le joug de la servitude et qu'elle se soit sauvée par le désert
en Palestine. C'est ici que Mer·en·ptah l'aurait attaquée
et « anéantie », pour autant que l'on peut anéantir dans son
désert une tribu de Bédouins. A vrai dire, tous les détails
bien connus de la légende, l'histoire de Joseph et de Poti-
phar, celle de Moïse enfant et de la fille de Pharaon, celle
du passage de la Mer Rouge et des quarante années passées
par Israël dans le désert, sont certainement de pures créations. Et quoique bien des traits y rappellent fidèlement
l'Égypte, il est hors de doute que ces récits n'ont été écrits
que plusieurs siècles plus tard. C'est ce que prouve avec certitude les noms égyptiens qui y figurent ; le nom de Poti-
phar et celui de Zaphnatpaneakh que porte Joseph dans le
texte hébreu, sont des noms datant d'une époque beaucoup
plus tardive. Ils se rapportent aussi peu au temps de Ramessès II que si une histoire, remontant à Auguste, présentait des noms tels que Constantin et Théodose.

Mais ce ne sont pas ces luttes engagées contre la tribu
d'Israël et contre les villes de Palestine qui valurent à
Mer·en·ptah d'avoir bien mérité de son royaume. Il
s'acquit un titre de gloire beaucoup plus grand en préser-
vant son État d'un grave danger qui le menaçait. Les
peuples libyens habitant les pays et les déserts situés à
l'ouest de l'Égypte furent de tout temps des voisins dan-
gereux, toujours prêts à envahir les plaines du Delta. Une
grave agitation régnait de nouveau parmi eux, mais cette
fois ils ne se livraient pas seulement, suivant leur habitude.
à des razzias localisées, mais leur roi Mouroayou s'apprê-

tait à déclencher une grande guerre. Il s'était assuré à cet
effet le concours d'alliés, à savoir les peuples pirates qui
infestaient en ces temps-là les côtes de la mer Méditerranée.
On a suggéré non sans fondement, d'après leurs noms
d'Akaïvasha, Toursha, Shakalousha et Shardana qu'il
s'agissait d'Achéens, d'Etrusques, de Siciliens et de Sardes.
Une grande armée, par conséquent, menaçait l'Égypte
et déjà la ville de Memphis se trouvait en danger. Mais
Ptah, dieu de la ville, apparut en songe au roi ; il ranima
son courage, lui promit la victoire et lui tendit le coutelas-
faucille des rois. En effet, Mer·en·ptah réussit à rassembler
son armée en quinze jours seulement. La bataille ne dura
que six jours et dut être un carnage effroyable. Les annales
égyptiennes donnent les détails suivants : 6.200 Libyens et
2.370 hommes des peuples de la mer périrent, 9.376 furent
faits prisonniers, parmi lesquels se trouvaient notamment
les femmes et les enfants du roi de Libye ; on fit un important butin de troupeaux, d'armes et de vases d'argent.
Quant au roi Mouroayou, il avait pu prendre la fuite et
seul le commandant d'une forteresse de la frontière fut à
même de donner de ses nouvelles. Il signala que Mouroayou
avait passé dans son voisinage à la faveur de la nuit. On
ignorait s'il était encore vivant, mais de toutes façons il ne
régnerait plus, car son peuple l'avait remplacé par son
frère, et celui-ci engagerait la lutte contre lui, en quel
temps et quel lieu que ce fût. Son attitude arrogante avait
trouvé un terme et tout ce qu'il avait proféré était maintenant retombé sur sa propre tête. — Le danger se trouva
ainsi écarté ; mais on ne pouvait soupçonner qu'il surgirait
à nouveau quelques dizaines d'années plus tard.

CHAPITRE XXIII

RAMESSÈS III

Une époque de trouble intérieur succéda au règne de Mer·en·ptah. Les inscriptions, il est vrai, ne nous renseignent pas à ce sujet, car elles ignorent toujours des événements de ce genre. Par bonheur nous est parvenu cependant le long récit dans lequel le roi Ramessès III (1200-1168 av. J.-C.) a retracé sa vie. Il s'exprime en ces termes : Le pays d'Égypte était à l'abandon ; chacun agissait pour son propre compte et il n'y avait point de chef. Cet état de choses dura des années. Le pays était aux mains de quelques princes, qui s'entretuaient. Puis vinrent d'autres temps, lorsqu'Arsou, certain prince syrien, exerça son hégémonie sur le pays tout entier et en fit une province tributaire. On se volait l'un l'autre ; on ne traitait pas mieux les dieux que les hommes et l'on n'apportait point d'offrandes dans les temples. Puis, les dieux accordèrent de nouveau leurs faveurs et remirent le pays sur la bonne voie ; car ils placèrent leur fils, le fils de leur chair, sur leur grand trône en qualité de souverain de tous les pays, lui, le roi Seth·nekht. Celui-ci rétablit l'ordre en Égypte, fit mourir tous les malfaiteurs et permit de nouveau aux hommes de se connaître.

Le roi Seth·nekht semble ne pas avoir régné longtemps et c'est son fils Ramessès III qui lui succéda. Son nom déjà devait évoquer le temps de Ramessès II, mais il était accompagné en outre d'épithètes qui permettaient de le confondre avec celui de son illustre prédécesseur. De plus, il donna à ses fils les noms que portaient ceux de Ramessès II et il leur confia les mêmes charges que ceux-ci. Ainsi, un autre Khâ·em·hat fut grand prêtre de Memphis et un autre Meri·atoum grand prêtre d'Héliopolis, comme si la cour de Ramessès II était ressuscitée.

Les édifices somptueux datant de Ramessès III suffi-
raient à témoigner de l'éclat de son règne. Mais cette période fut aussi marquée par des luttes sévères. Tout d'abord
à l'ouest ; la grande victoire remportée autrefois par Mer-
en-ptah sur les Libyens n'avait fait qu'écarter provisoi-
rement le danger qui menaçait constamment l'Égypte de
ce côté. Une fois de plus, les Libyens et la tribu parente des
Mashawasha s'étaient installés à la limite occidentale du
Delta sur toute sa longueur, pour s'y livrer au pillage. Par
deux fois, au cours de la cinquième et de la onzième année
de son règne, le roi les vainquit et les extermina : « ils
gisaient dans leur sang comme des monceaux de cadavres ».
On ne compta pas moins de 12.530 morts après la première
bataille.—Et le roi dit : « Ceux que le glaive a épargnés, je
les ai faits prisonniers et je les ai liés devant mes chevaux
comme des oiseaux ; le nombre de leurs femmes et de leurs
enfants s'élevait à des dizaines de mille et le bétail à des centaines de mille. » L'immense masse de prisonniers dut se
fixer en Égypte et fut incorporée comme soldats à l'armée,
sous le commandement d'officiers égyptiens. Qui eût soup-
çonné que de ces barbares sortiraient un jour les familles
princières de Bubastis et de Saïs, dont les chefs devaient
régner avec tant d'éclat sur l'Égypte ?

Un autre danger non moins sérieux menaça ensuite
l'Égypte, par le nord ; ce n'est pas un peuple isolé qu'on
eut alors à combattre, mais il fallut se défendre contre une
véritable invasion venue d'Europe et déferlant sur l'Orient.
Nous ignorons ce qui se passait à cette époque en Europe.
Les peuples qui habitaient les côtes de la Méditerranée
furent pourchassés et ils cherchèrent de nouveaux territoires pour s'y établir. Nous savons seulement qu'ils envahirent le royaume des Hittites et d'autres pays d'Asie
Mineure et que Chypre était aussi devenue leur proie. Ils
se trouvaient maintenant en Syrie septentrionale où ils
dévastaient tout sur leur passage. Déjà s'approchait de

l'Égypte la horde sanguinaire des « Barbares », les uns montés avec femmes et enfants sur des chariots à bœufs, les autres sur des bateaux. Mais ni les uns ni les autres ne réussirent à pénétrer en Égypte. « Ceux qui vinrent par voie de terre, Amon-Rê les attaqua et les anéantit, et ceux qui pénétrèrent dans les embouchures du Nil furent pris au filet comme des oiseaux. » Non seulement les embouchures étaient fermées par les bateaux qu'on avait coulés, mais la flotte égyptienne était bien équipée et l'emportait sur celle des « Barbares ». Les Égyptiens réussirent à faire chavirer les bateaux ennemis ou à déchirer leurs voiles au moyen de crochets. Sur la rive se tenait le roi à la tête de son armée et les archers criblaient de leurs traits les ennemis. Tel fut le terme affreux de cette migration de peuples. Deux d'entre eux, les Zakkari et les Pelesti, s'assurèrent néanmoins une nouvelle patrie et s'établirent sur la côte de Palestine. Les Pelesti notamment nous sont bien connus par la suite ; ce sont en effet les Philistins de l'Ancien Testament. La Palestine actuelle leur doit encore son nom. Et si, dans notre propre langue, nous traitons quelqu'un de Philistin, nous faisons survivre, quelque impropre que soit cet usage, le nom de cet ancien peuple de pirates.

Ramessès III se couvrit encore de gloire, en faisant, à côté de ces grandes guerres, des campagnes pacifiques en pays étranger. Il envoya entre autres une expédition par terre et par mer, en vue de rétablir l'exploitation des mines de cuivre abandonnées d'Atika, vraisemblablement au Sinaï. La quantité de métal que l'on put extraire et charger sur les bateaux fut considérable. Lorsqu'on entassa les lingots devant le palais, ils étincelaient comme de l'or véritable et tous les admirèrent. Mais plus étonnante encore fut l'expédition aux pays de l'encens, vers lesquels la reine Hat·shepsout avait autrefois envoyé sa flotte. Le roi précise que ses bateaux ont atteint « la grande mer de l'eau à l'envers », c'est-à-dire jusqu'au Golfe Persique dans lequel se jette

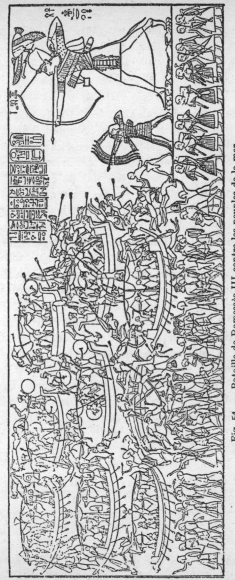

Fig. 51. — Bataille de Ramessès III contre les peuples de la mer.

« l'eau à l'envers », à savoir l'Euphrate. Si l'Euphrate porte
ce nom bizarre, c'est que les Égyptiens ne pouvaient concevoir qu'un fleuve raisonnable, tel leur Nil, pût couler autrement que du sud au nord. L'expédition rapporta les trésors
« du Pays du Dieu » et « la myrrhe de Pount ». A côté de ce
butin furent ramenés également les enfants princiers « du
Pays du Dieu », lesquels firent leur soumission au roi et baisèrent le sol devant lui. De telles entreprises n'avaient aucun
caractère belliqueux et le roi put déclarer que, dans la dernière partie de son règne, il n'y eut de guerre ni avec la
Nubie ni avec la Syrie ; les troupes d'infanterie et les combattants sur chars étaient au repos et les Barbares devenus soldats de Pharaon « restaient étendus », leurs arcs
et leurs armes serrés dans les magasins. Ils étaient rassasiés
et heureux, eux et leurs femmes.

Ainsi donc, l'Égypte était devenue une terre de paix ;
le roi prenait plaisir à y planter des arbres verdoyants, à
l'ombre desquels les hommes pouvaient s'asseoir. Il déclare
avec fierté que de son temps une femme pouvait parcourir
le pays sans être inquiétée ni attaquée. Cependant, Ramessès ne se contenta pas de se soucier du bien-être des
hommes, mais il songea également aux dieux et prit soin
de leurs temples, ce dont témoigne un document conservé
au British Museum. Ce grand papyrus, de soixante-dix-neuf
pages de très grand format, décrit dans le détail ce que le
souverain fit pour les dieux, quels temples il leur érigea,
quels domaines il leur donna, tous les précieux cadeaux,
toutes les offrandes et tous les dons qu'il leur fit.

Le dieu qui fut le plus favorisé par ces donations fut,
bien entendu, celui que l'on considérait alors comme le
dieu suprême, Amon-Rê, roi des dieux. On comprendrait
aisément que le souverain eût achevé l'œuvre colossale
entreprise par son illustre prédécesseur Ramessès II. Ce
pharaon et son père avaient élevé la gigantesque salle
hypostyle de Karnak (p. 214), sans toutefois la faire pré-

céder, comme il était dans leurs intentions, de la grande
cour. Ramessès III n'osa pas non plus s'attaquer à cette
tâche, qui ne fut menée à bien que quelques siècles plus
tard. D'ailleurs, un fait certain prouve qu'il n'eut aucunement l'intention d'entreprendre la construction de cette
cour : il fit édifier lui-même un petit temple dont la moitié
du plan eût empiété sur l'espace réservé à la cour en question. Du reste, ce temple ne peut soutenir la comparaison,
au point de vue de ses dimensions, avec d'autres constructions gigantesques de Karnak, car il ne mesure que
cinquante-deux mètres de long. Mais il présente un intérêt
particulier : il est l'un des très rares temples anciens dont
le plan primitif n'a subi ni transformation ni adjonction.
Il se présente donc à nous tel que l'a conçu son architecte
et il illustre parfaitement à nos yeux l'aspect que devait
offrir un temple égyptien du Nouvel-Empire. Son entrée
est une porte monumentale flanquée de deux tours imposantes ; c'est ce que l'on appelle le pylône. De hauts mâts,
au sommet desquels flottaient des banderoles multicolores,
étaient encastrés sur sa façade extérieure et s'élançaient
dans le ciel. Deux statues colossales du roi se dressent
encore de part et d'autre de l'entrée. Sur les parois extérieures du pylône, de vastes bas-reliefs montrent le roi
tenant par les cheveux un groupe compact d'ennemis qu'il
menace de sa massue levée, tandis que devant lui se tient
le dieu qui lui tend le coutelas-faucille. La cour à laquelle
on accède est entourée de portiques dont le toit est soutenu par des piliers, auxquels s'adossent des statues
colossales du roi. A cette cour fait suite le temple proprement dit, dont le sol est légèrement surélevé. On pénètre
premièrement dans un vestibule ouvert, où une porte donne
accès à la pièce principale du temple, la salle hypostyle.
Cette salle, dont le toit est supporté par de puissantes colonnes, servait aux cérémonies du culte ; les bas-reliefs
peints qui la décorent représentent le roi faisant des of-

frandes aux dieux. Derrière la salle hypostyle se trouve le
saint des saints ; il se compose de trois chambres servant
d'habitation aux dieux du temple : Amon, son épouse Mout
et leur enfant, le dieu de la lune Khonsou. Chacun d'eux
possédait sa chapelle ; le matin, le prêtre s'en approchait
pour y réveiller le dieu, pour l'habiller et lui remettre
des parfums et des aliments, ainsi que nous l'avons vu au
chapitre vi. Ces temples ne manquaient pas de faire une
très forte impression sur quiconque les visitait, par les
vives couleurs de leurs tableaux, la beauté de leurs colonnes
et la splendeur de leur aménagement intérieur. A ce sentiment venait s'ajouter encore l'impression de profonde reli-
giosité qui se dégageait du sanctuaire. Dans la cour, la
foule des fidèles recevait encore dans tout leur éclat les
rayons du soleil ; en la salle hypostyle ne régnait plus qu'une
lumière adoucie que laissait filtrer de petites ouvertures
réservées dans le plafond, tandis que dans les chambres où
habitaient les dieux ne régnait qu'une obscurité pleine de
mystère.

Tel était, dans ses grandes lignes, le plan d'un temple
égyptien, « la maison du dieu ». Le saint des saints était
réservé aux dieux, dans la salle hypostyle se déroulait le
culte et dans la cour avaient lieu des cérémonies auxquelles
participaient un plus grand nombre de fidèles. Mais,
ainsi qu'il a été relevé déjà, on se contenta rarement
de cette disposition simple et logique; on ajouta toutes
sortes de pièces aux temples, ainsi que l'exigeait un
culte plus riche. Les rois avaient toujours tendance à vouloir surpasser, dans leurs constructions, leurs prédécesseurs.
A force de transformations et d'adjonctions, les sanctuaires
égyptiens présentent souvent un plan d'une lecture assez
malaisée ; ainsi, par exemple, le grand temple d'Amon de
Karnak.

Le temple élevé par Ramessès III à Karnak ne pouvait
être comparé au monument gigantesque que Ramessès II

y avait fait construire. C'eût été un bien faible témoignage de reconnaissance pour toutes les faveurs que le roi des dieux lui avait accordées. Aussi éleva-t-il à Thèbes encore un autre sanctuaire, beaucoup plus grand, « la splendide maison, qui durera des millions d'années », au dieu Amon. Ce temple se dresse sur la montagne Neb·ânkh et nous tous l'appelons aujourd'hui Médinet-Habou. Comme les grands temples de la rive occidentale, il avait une double destination ; consacré à Amon, il était destiné en même temps à glorifier le roi, dont il était le temple funéraire. Non loin de Médinet-Habou se trouvait aussi le Ramesseum, temple funéraire de Ramessès II. Ce n'est pas par hasard que le plus récent de ces deux temples imite jusque dans le détail le plus ancien ; nous avons vu que Ramessès III s'efforçait d'être l'émule de son illustre homonyme. Le temple de Médinet-Habou présente, à l'exemple du Ramesseum, deux vastes cours, dont chacune est précédée d'un pylône. Derrière elles vient, un peu plus haut, la salle hypostyle, dont vingt-quatre colonnes supportaient autrefois le toit ; ensuite viennent trois salles plus petites, consacrées à différents dieux. Parmi les autres chambres donnant sur la salle hypostyle, quelques-unes servaient à la garde du trésor. Les bas-reliefs et les inscriptions des temples présentent ceci de particulier qu'ils ne montrent pas seulement, suivant la coutume, la manière dont le roi adorait les dieux, mais aussi ses hauts faits, ses victoires et le déroulement des fêtes auxquelles il prenait part. Mais, ce qu'il y a de plus curieux à Médinet-Habou, c'est que le temple y est, comme au Ramesseum, relié à un palais destiné au roi. Comme les rois n'avaient plus, à cette époque, leur résidence à Thèbes, mais dans le Delta, il fallait qu'ils eussent un palais dans la cité d'Amon lorsqu'ils y venaient participer aux grandes fêtes religieuses. Le côté gauche de la première cour était en même temps la façade du palais ; le reste de l'édifice était en briques comme toutes

les habitations égyptiennes et non pas en pierres de taille,
que l'on utilisait uniquement dans les monuments religieux
ou funéraires. La plus grande splendeur régnait néanmoins
dans le palais. Les colonnes et les encadrements de portes
étaient en or clair et la « grande fenêtre d'apparition » était
en or pur. C'est à cette fenêtre, qui s'ouvrait sur la première
cour du temple, que le roi se montrait au peuple ; c'est là
qu'il recevait le tribut, tenait audience et récompensait
ses hommes de confiance. A l'intérieur du palais, il y avait
une salle du trône au siège surélevé pour le roi, des salles de
bains et une fontaine. Nous ne savons évidemment rien de
la vie qui se déroulait dans cette résidence royale. Mais,
un curieux édifice est orné de scènes où le roi apparaît au
milieu de son harem. Il s'agit de la porte monumentale
à plusieurs étages et en forme de tour qui, au lieu
d'un pylône ou d'un grand portail, marque l'entrée
de toute l'enceinte sacrée. Une chambre y est décorée d'une
série de tableaux charmants. Le roi est assis parmi ses
jeunes femmes. Les unes font de la musique devant lui,
d'autres lui tendent des fleurs. Ailleurs, le souverain est
installé devant un damier et joue avec une jeune fille.

LE COMPLOT DU HAREM

A lire tout cela, on éprouve le sentiment que le règne de
Ramessès III, les périodes de guerres mises à part, fut une
époque de bonheur et de prospérité, et l'on s'imaginerait
volontiers que le roi, lorsqu'il mourut, dans la trente-
deuxième année de son règne, eût pu s'endormir en toute
tranquillité. Il existe malheureusement une feuille de papyrus au Musée de Turin dont le texte apporte un démenti
formel à de telles apparences. Ce document nous apprend
que le roi fut victime d'un complot ourdi par ses proches.
N'est-il pas surprenant déjà que sur les bas-reliefs de Médinet-Habou les représentations de la reine ct des princes

ne soient jamais accompagnées de leurs noms, comme si le
roi n'avait point su laquelle de ses femmes il dût élever au
rang de reine et auquel de ses fils il voulût transmettre le
pouvoir ? D'après le papyrus de Turin, l'une des femmes,
nommée Tii, aurait tenté de faire monter sur le trône son
fils Pa·en·taour (ce nom n'est qu'un pseudonyme). Mais le
dieu du soleil « ne permit point que ces choses méchantes
réussissent » et c'est un autre prince qui devint roi, celui
que l'on nomme aujourd'hui Ramessès IV. Mais, si le
complot avait échoué, il est néanmoins évident que le roi
était mort lorsque ce document fut rédigé. Il était déjà « un

Fig. 52. — Ramessès III au milieu de son harem.

grand dieu » et séjournait dans l'autre monde parmi les rois
justes qui vivent auprès d'Amon et d'Osiris. Il se peut qu'il
ait été assassiné, mais avant de mourir il avait pourtant
pu exprimer ses dernières volontés, lesquelles exigeaient
le châtiment des criminels. Ainsi fut fait et notre papyrus
nous informe sur le développement de l'enquête. Celle-ci
fut menée par des fonctionnaires du palais, et non pas par
un tribunal. Ordre avait été donné — c'était soi-disant
l'ancien roi qui l'avait voulu, mais en réalité c'était certainement le nouveau — que tout se déroulât dans le secret. Le roi ne voulut pas savoir ce qui était arrivé et les
conspirateurs devaient périr, sans que rien y parût, en se

donnant eux-mêmes la mort. Les coupables ne sont pas
nommés, mais désignés seulement par des noms intention-
nellement déformés. Ainsi, l'un d'entre eux porte le nom
impossible de « Cet-aveugle-serviteur », un autre s'appelle
« Mauvais-dans-Thèbes », et un troisième, qui se nommait
à coup sûr Meri·rê « Aimé-de-Rê », s'appelle « Haï-de-Rê ».
Aucune mention n'est faite du sort réservé à Tii, âme du
complot. Quant à son fils Pa·en·taour, qui, en tant que
prince, portait ce deuxième nom, il nous est dit de lui : Il
fut arrêté comme complice de sa mère, lorsque celle-ci
ourdit un complot avec les femmes du harem, et comme
ennemi de son maître. On l'amena devant les fonctionnaires
du palais, ils le livrèrent à lui-même et il se donna la mort.
D'autres coupables eurent le privilège de mourir de la
même manière : « Ils se donnèrent la mort et ils ne subirent
aucun châtiment. » Ce ne fut pourtant pas le cas pour le
principal complice désigné sous le nom fictif de « Mauvais-
dans-Thèbes ». Alors qu'il commandait les troupes en Nubie,
sa sœur lui écrivit de susciter une rébellion parmi ses
hommes contre le roi et de s'insurger lui-même contre le
roi. Il fut condamné et les juges lui firent subir sa peine. Le
même sort advint à « Cet-aveugle-serviteur », haut fonctionnaire du palais qui avait joué le rôle d'agent intermédiaire
entre les dames du harem et leurs familles. Il avait dit à
leurs mères et à leurs frères d'inciter la population à se révolter contre le souverain. Lui aussi fut déclaré coupable
et reçut son châtiment. D'autres fonctionnaires attachés
au harem furent punis, parce qu'ils n'avaient pas dévoilé
ce qu'ils savaient de la conspiration ; les femmes de certains gardiens de portes se trouvaient parmi eux.

On avait eu recours jusqu'à la magie pour faire périr le
roi. Un personnage de haut rang, l'intendant des troupeaux de bœufs, s'était procuré à la bibliothèque du roi un
livre de magie, suivant les recettes duquel il avait confec-
tionné des figurines magiques en cire. Celles-ci furent intro-

duites secrètement dans le palais et étaient censées y répandre la maladie et la paralysie. Même les hommes de
confiance qui durent instruire l'affaire ne se montrèrent
pas tous irréprochables. Les femmes inculpées avaient
organisé avec eux et avec l'un des coupables une brasserie.
c'est-à-dire un festin ; pour les punir, on leur coupa le nez
et les oreilles.

Triste tableau que celui dont ce document nous apporte
la révélation ; il nous montre que, malgré tout son éclat,
le pouvoir royal était ébranlé. La même impression se
dégage aussi de tout ce que nous savons des époques subsé-
quentes. De Ramessès IV à Ramessès XI se succèdent
huit rois, dont nous ne savons pour ainsi dire rien. Avec
eux, appelés généralement les Ramessides, prend fin le
Nouvel-Empire et commence la longue période de décadence. Mais avant de parcourir ces derniers siècles de l'histoire de l'Égypte ancienne, nous nous attarderons encore
un peu à un domaine plus édifiant : la vie de l'esprit au
Nouvel-Empire.

CHAPITRE XXIV

L'ÉCOLE ET LE GENRE ÉPISTOLAIRE
SOUS LE NOUVEL-EMPIRE

En se forgeant leur écriture, à une époque des plus reculées, les Égyptiens devaient inévitablement voir s'établir
parmi le peuple, par cette possession même, deux classes
bien distinctes. A côté de la classe des paysans et des arti-
sans apparut celle des gens qui savaient lire, écrire et calculer. Cette connaissance valut à cette nouvelle couche so-
ciale une supériorité qui grandit de siècle en siècle. Les
Égyptiens sentaient eux-mêmes cette différence et ils l'ex-
primaient d'une manière pittoresque par cette image :
l'illettré ressemble à un âne qui est chargé ; quant au
scribe, c'est lui qui dirige et fait marcher l'animal patient.
Il est donc indispensable pour l'homme qui veut progresser
dans la vie de connaître avant tout l'écriture, et l'école,
grâce à laquelle s'acquiert cette connaissance, est la porte
du bonheur et de la prospérité. Lorsque Kheti, fils de
Douaouf (1), sage du début du Moyen-Empire se rend avec
son fils à la résidence pour le mettre à l'école, il l'exhorte
à « mieux aimer les livres que sa propre mère » puisque l'art
d'écrire surpasse toute autre profession. Il décrit ensuite à
son garçon tous les autres métiers et leurs inconvénients.
« J'ai vu, dit-il, l'ouvrier en bronze à son travail, à la gueule
de son four ; ses doigts étaient plus rugueux que la peau
du crocodile et il sentait plus mauvais que les déchets de
poisson. Le tailleur de pierre cherche du travail en toutes
sortes de pierres dures. Quand il a terminé son ouvrage, il
a les bras brisés. Quand il s'assied au crépuscule, son échine
et ses cuisses sont rompues. — Le barbier va de rue en rue
et cherche client. Il s'applique fortement en travaillant de

(1) Pour une traduction plus littérale, cf. Erman, *Die Literatur der
Ægypter*, p. 100.

ses bras pour se rassasier, comme une abeille qui se nourrit de son travail. — Le jardinier porte de lourds fardeaux ; le matin, il arrose le poireau et le soir la vigne. — Le pêcheur est plus misérable que n'importe quel artisan : il travaille sur le fleuve, à côté des crocodiles. — L'oiseleur a un sort bien malheureux. Voit-il les oiseaux traverser le ciel, il dit : « Que n'ai-je ici un filet ! », mais le dieu ne lui accorde aucun succès.

Le sage passe ainsi en revue tous les métiers et seule la profession de scribe trouve grâce à ses yeux : Il est le seul homme qui ne dépende de personne.

Les avertissements exprimés ici par le sage Kheti, les maîtres du Nouvel-Empire les adressent mille ans plus tard à leurs élèves, car encore à cette époque les autres professions paraissent plus engageantes aux garçons que celle de scribe. Les jeunes gens doivent être mis en garde même contre le plus rude des métiers, celui de laboureur. « Ne penses-tu pas, dit le maître, à ce qui arrive au cultivateur, lorsqu'on fait rentrer l'impôt sur la moisson ? » Le ver a enlevé la moitié du grain, et le reste, l'hippopotame l'a mangé. Les souris pullulent dans le champ et les sauterelles se sont abattues ; le bétail a mangé et les moineaux ont pillé. Quelle calamité pour le cultivateur ! Le reste, qui était sur l'aire, les voleurs lui ont fait un sort. — Quand le scribe aborde à la digue, accompagné de ses policiers et de ses nègres armés de bâtons, on lui dit : « Donne du blé » et le malheureux de répondre : « Il n'y en a pas. » Alors on l'étend sur le sol, on le frappe et on le jette dans le fossé. Deviens donc scribe ; il est au-dessus des travaux de tous les hommes.

Mais à cette époque de guerres multiples existe un métier qui séduit la jeunesse plus qu'aucun autre : celui d'officier. Sans cesse les maîtres doivent mettre en garde les écoliers contre une telle vocation, source d'un bonheur bien minime. Une foule de supérieurs tourmentent et maltraitent

le jeune officier et, pour finir, quand il est en campagne,
son sort est misérable : « Viens, que je te dise comment il marche à travers les montagnes vers la Syrie. Son
pain et son eau, il doit les porter sur l'épaule et son cou en
est raide comme celui d'un âne. Il est forcé de boire de
l'eau corrompue et, lorsqu'il arrive en face de l'ennemi, il
n'a plus de force dans ses membres. Revient-il ensuite en
Égypte, il est semblable à un morceau de bois que les vers
ont rongé. Le voilà malade ; on le ramène sur un âne, mais
ses vêtements lui ont été volés et son serviteur s'est enfui.
Détourne-toi donc de cette pensée que l'officier est plus
heureux que le scribe. »

D'autres garçons s'imaginent que leur origine noble leur
permet d'aspirer à la carrière de guerrier royal sur char de
combat et que ce sera là une belle vie. Mais, le maître sait
que cette condition n'est rien moins qu'heureuse. Il est
vrai que le garçon a le privilège, grâce au père de sa mère,
d'être envoyé aux écuries du roi et d'avoir cinq esclaves à
son service. Il se rend en hâte au haras de Sa Majesté pour
s'y choisir des chevaux. Il est joyeux, il jubile de galoper
avec eux dans sa propre ville. Mais il ne soupçonne pas
ce qui l'attend. L'achat d'un char va lui coûter beaucoup
d'argent Quand plus tard il devra courir au combat, trop
souvent il sera obligé d'abandonner son char au milieu des
montagnes de Palestine. A la marche, péniblement, il pour-
suivra sa route, ses pieds et ses jambes déchirés par les
épines. A l'inspection des troupes, sa situation est au pire
et on le fustigera affreusement.

Mais le maître n'a pas à se préoccuper seulement de
l'avenir de ses élèves ; il lui faut avant tout lutter contre
la paresse et les vices des écoliers. Il les avertit : « O scribe,
ne sois point désœuvré, sinon on te châtiera d'importance.
Ne mets pas ton cœur à la poursuite du plaisir, ou tu
courras à ta perte. Écris de ta main, lis de ta bouche et
prends avis de ceux qui en savent plus long que toi. Ne

passe pas un seul jour dans l'oisiveté, sinon tu seras battu, car le jeune homme a ses oreilles sur le dos et il écoute quand on le frappe. »

Voici l'instruction que reçoit un autre écolier : « Ne te conduis pas comme un insensé qui n'a point d'éducation. La nuit on t'instruit, le jour on t'éduque ; mais tu n'écoutes aucune instruction et tu agis comme tu l'entends. L'animal *kaïry* obéit aux ordres qu'on lui donne lorsqu'on l'amène d'Éthiopie. On peut dresser les lions et dompter les chevaux, mais ton pareil n'existe pas dans tout le pays. Tiens-toi pour averti. »

Une autre fois, le maître s'exprime en ces termes : « Je suis dégoûté de continuer à t'instruire. A quoi bon te donner cent coups de bâton, ils ne portent aucun fruit chez toi. Tu es semblable à un âne rétif qui reçoit la bastonnade, tu es comme un Nègre bégayant amené avec le tribut..., mais je ferai néanmoins de toi un homme, sache-le ! »

Cependant, le maître n'a pas à combattre seulement la paresse, il doit encore blâmer la conduite de l'écolier : « On me dit que tu abandonnes l'écriture pour t'adonner au plaisir, que tu vas de rue en rue, là où cela sent la bière. La bière chasse les hommes de toi. Tu es comme un gouvernail de bateau qui n'obéit plus, ni dans un sens ni dans l'autre, tu es comme une chapelle sans dieu ou comme une maison sans pain. On te trouve en train de grimper sur un mur et les gens s'enfuient loin de toi en courant, car tu leur fais des blessures. — Ah ! que ne sais-tu que le vin est une abomination et que ne fais-tu un serment touchant les boissons fortes ! »

Le maître cependant ne prend pas trop au tragique ces mauvais penchants ; il sait fort bien qu'il ne valait pas mieux lorsqu'il était jeune. Il ne craint pas d'avouer : « Ah ! si tu regardes à moi ! Étant jeune comme toi, on m'a ligoté et les liens serraient mes membres. Trois mois durant, je suis resté lié et enfermé au temple, tandis que mon père,

ma mère et mes frères étaient à la campagne. Rendu à la
liberté, je fis mieux que dans le passé et je devins premier
parmi mes condisciples. »

Mais quelque bien fondés que fussent les sentiments d'ir-
ritation des maîtres à l'égard de leurs élèves, il faut bien
reconnaître que ceux-ci n'avaient pas une tâche aisée :
apprendre l'écriture égyptienne n'était pas une petite
affaire. Il fallait tout d'abord apprendre un demi-millier
d'hiéroglyphes avec leur signification. Il fallait ensuite
savoir comment combiner signes-mots et signes phonétiques et quel déterminatif ajouter à chaque mot (cf. p. 39).
Une fois cet art bien acquis, le jeune homme était à même
de lire les inscriptions des temples et des tombeaux, mais
il lui restait à apprendre autre chose encore, l'écriture
hiératique (p. 42), forme abrégée des hiéroglyphes utilisée
dans les livres et pour l'usage courant. Pour connaître cette
écriture hiératique, il fallait apprendre une même quantité
de signes et savoir la manière de lier ces signes et de les
disposer. Ce n'est pas tout : il ne suffisait pas d'être maître
dans l'art de la calligraphie des livres, mais avoir la pratique de l'écriture cursive des affaires, où les fins de mots
se réduisent à quelques traits et quelques points (p. 44).
L'orthographe aussi devait être apprise, car au Nouvel-
Empire il y avait abondance de mots étrangers ou rares.
L'écolier devait naturellement connaître la littérature
ancienne et les textes classiques, connaissance qui ne
s'acquérait que par la copie de ces écrits.

Nous connaissons aujourd'hui quelques-unes des écoles
où les futurs scribes recevaient leur formation. Tout comme
les écoles du Moyen-Âge dépendaient d'abbayes, elles se
rattachaient la plupart du temps elles aussi, semble-t-il,
à de grands sanctuaires. Bak·en·khensou, qui fut grand
prêtre d'Amon sous Ramessès II, nous dit formellement
avoir fréquenté l'école du temple de Mout à Karnak. Nous
sommes mieux renseignés sur une autre école de temple,

celle du Ramesseum. On a découvert à côté des magasins, sur un tas d'ordures ancien, une quantité de tessons de poterie et d'éclats de pierre. Les écoliers d'autrefois les avaient utilisés pour leurs exercices d'écriture et on les avait ensuite jetés, comme nous jetons de vieux papiers à la corbeille. Ils ont été retrouvés récemment et les jeunes élèves doivent endurer, après trois mille ans, de nous voir encore une fois corriger, dans leurs beaux exercices d'écriture, les fautes d'orthographe.

Ce que les petits Égyptiens copiaient en classe, c'étaient des morceaux choisis d'œuvres littéraires du Moyen-Empire : Hymne au Nil, Enseignements du roi Amen·em·hat Ier, Conte de Si·nouhé, Instructions de Kheti. Doit-on s'étonner que cet écrit, de portée pédagogique (p. 238), ait été particulièrement apprécié ?

Quand les jeunes gens avaient ainsi achevé leur instruction scolaire, on les détachait, pour les perfectionner, à l'une des nombreuses branches de l'administration. On les confiait à quelque haut fonctionnaire à titre de stagiaires ; à côté de lui, ils s'initiaient aux affaires courantes et particulièrement à la rédaction de lettres en style correct. Rédiger des messages capables de satisfaire aux plus hautes exigences n'était, en effet, pas une mince affaire, car une bonne lettre devait briller par des tournures élégantes et des formules de politesse. On y invoque les dieux pour qu'ils se montrent bons à l'égard du destinataire et lui procurent la faveur du roi. On lui souhaite de recevoir la lettre « en vie, bien-être et santé ». Enfin, il sied de caractériser chaque communication contenue dans la lettre comme « quelque chose de·réjouissant pour mon maître », même quand cela n'a rien d'agréable.

Voici, par exemple, ce que dit une lettre :

« En vie, bien-être et santé, — ceci est écrit pour que mon maître le sache. Autre chose pour réjouir mon maître. J'ai reçu le message envoyé par mon maître m'ordonnant

de donner du fourrage pour les chevaux de la grande écurie
de Ramessès. — Autre chose pour réjouir mon maître. Les
ouvriers agricoles du domaine de Pharaon, domaine qui est
sous les ordres de mon maître, trois d'entre eux se sont
enfuis parce que l'intendant des écuries Nefer·hotep les
avait battus. Les champs se trouvent depuis lors délaissés
et il n'est personne pour les cultiver. Ceci est écrit pour que
mon maître en soit informé. »

Si par hasard de telles phrases font défaut dans une
lettre, celle-ci émane assurément d'un supérieur, qui n'a
pas de ménagements à prendre à l'égard de ses subordonnés.

Même une lettre de famille se rédige au moyen de phrases
protocolaires. Ainsi, lorsque le scribe Amen·mosé s'enquiert de la santé de son père : « En vie, bien-être et santé
et dans la faveur d'Amon-Rê, roi des dieux. Je dis à Rê-
Hor·akhti et à Atoum et à son Ennéade : « Puisses-tu être
bien portant. » Donne-moi de tes nouvelles par écrit au
sujet de ta santé par toutes les personnes qui viennent ici
de chez toi, car je désire chaque jour savoir comment tu
vas. Tu ne m'écris rien, ni de bon ni de mauvais, et aucun
de ceux que tu envoies ne passe auprès de moi pour me dire
comment tu vas. »

Son stage terminé, le jeune scribe est encore tenu de
subir devant son maître un examen particulier. Sur une
grande feuille de papyrus (hélas ! arrachée parfois à d'anciens documents). il écrit chaque jour trois pages de calligraphie. Le maître corrige en marge les signes mal réussis,
sans toutefois se soucier beaucoup du contenu du texte.
Pour un tel examen peut servir n'importe quel ouvrage,
mais on donne souvent à cette épreuve la forme d'un
échange de lettres entre élève et maître, et généralement le
ton laisse à penser que l'élève est encore un jeune garçon. Le
jeune candidat reconnaissant termine son travail d'examen
par une dédicace à son maître, mais il se permet aussi quel-

quefois des imprécations contre quiconque jugerait défavorablement son travail. Ainsi prenait fin l'apprentissage du jeune scribe, qui appartenait désormais à ceux qui « avaient légitimement reçu le matériel de scribe » (1).

Nul autre fonctionnaire ne pouvait dorénavant le juger avec dédain parce qu'il n'était qu'un « petit scribe ». Mais il va de soi qu'il ne manquait pas de collègues pour se permettre par la suite de douter de la bonne préparation du scribe.

LE PAMPHLET D'HORI

C'est ce qui arriva à Hori, attaché aux écuries royales au temps de Ramessès II. Il était déjà passé maître dans l'art d'écrire et un instructeur pour ses subordonnés. Il était capable de déchiffrer les passages épineux des livres, comme s'il les avait rédigés lui-même. Et pourtant, Amen·em·opé, scribe des ordres royaux à l'armée, l'attaqua dans une lettre grossière ; il est vrai, ce n'est pas sans raison qu'il le fit, car Hori l'avait blessé par ses propos railleurs. Le pamphlet d'Amen·em·opé ne nous est point parvenu, mais par contre nous possédons la longue réplique dans laquelle Hori règle son compte avec son adversaire. C'est un écrit plein d'ironie, dont nous pouvons, — encore que beaucoup de traits d'esprit nous y échappent —, goûter l'humour subtil qui l'agrémente. L'épître d'Hori, dont nous donnons ici une traduction libre (2), débute, ainsi que le voulait la coutume pour les lettres, par une foule de compliments. Hori s'informe de l'état de santé de son ami et excellent frère et lui souhaite tout le bien imaginable dans la vie comme dans la mort. Il dit ensuite : « J'ai reçu ta lettre tandis que j'étais

(1) Nous tenons à préciser que nous n'avons pas ignoré, en traduisant ce chapitre, la traduction parue dans le nº 24 de la *Chronique d'Egypte*, pp. 195-198 (N. d. T.).

(2) Traduction intégrale de ce texte — ici très réduit — dans : Erman, *Die Literatur der Ægypter*, p. 270 et suiv.

assis content et joyeux à côté de mon cheval. Mais quand je
suis rentré dans mon écurie et que je l'ai lue, j'ai constaté
qu'elle ne contient ni louange, ni injure ; tu mélanges les
deux. Toutes tes paroles sont à rebours et sans lien. — Je
pensais que tu répondrais du moins seul à ma lettre, mais
manifestement tu as dû avoir recours à des aides. Tu étais
sûrement entouré de six de tes employés et tu leur as donné
à chacun deux paragraphes à rédiger ; l'un était chargé
d'écrire les louanges, l'autre les injures. Au contraire,
l'épître que je t'adresse sera nouvelle du commencement
à la fin et je ne demande l'aide de personne. Je répondrai
personnellement à chaque paragraphe de ta lettre. Prends
donc en mains mon papyrus et laisse-toi inonder d'un flot
de belles paroles. Moi, j'écris comme il se doit, et non pas
comme toi qui commences ta lettre par des injures et ne
t'informes même pas de ma santé. D'ailleurs, tes injures
ne me touchent pas du tout ; quel mal ai-je donc commis
contre toi ? N'ai-je pas écrit simplement une chose plaisante
qui a mis tout le monde en joie ?

« Tu me dis que je suis faible et paresseux et tu m'as
avili en tant que scribe, disant : « Il ne sait rien. » Pourtant,
j'en connais assez d'autres qui sont faibles et paresseux et
qui néanmoins vivent dans l'opulence. Songe donc au
scribe Roy, surnommé « brasier de fenil » ; depuis qu'il est
né il n'a pas encore bougé. Et songe à tant d'autres, contre
qui, je l'espère, tu séviras.

« Tu te vantes d'être un savant et tu me cites une parole
de Her·djedef (fils du roi Khéops) ; sais-tu au moins où elle
se trouve et si elle est bonne ou mauvaise ?

« Tu as prétendu que je n'étais point scribe, ni même
officier et que je ne figurais pas sur la liste. Rien n'est plus
facile pour toi, en vertu de ta charge, de consulter les listes :
tu y trouveras mon nom en ma qualité d'officier de la
grande écurie de Ramessès et tu verras en même temps

quelles rations sont consignées sous mon nom. Si, je suis
officier ; si, je suis scribe.

« Tu as dit en outre que je n'étais point scribe et que je
n'avais nul droit à porter l'attirail de scribe. Tu commets là
par tes paroles une injustice à mon égard. Qu'on soumette
donc tes lettres au dieu Onouris, et que son oracle juge entre
toi et moi.

« Et maintenant, si nous parlions un peu de toi et de ta
situation, toi le scribe des ordres de l'armée ? Te charge-
t-on de creuser un lac, tu dois tout d'abord me consulter et
me faire évaluer la quantité de provisions qu'il te faudra
pour tes soldats. Les montagnes ont-elle fourni de gros
blocs de pierre et le roi te demande-t-il d'en assurer le
transport, tu te trouves de nouveau embarrassé, bien que
tu sois le scribe expérimenté (que tu dis). Va-t-on construire
une grande rampe de briques, longue de sept cent trente
coudées et large de cinquante-cinq, on aimerait que tu dises
combien l'ouvrage nécessitera de briques. Tous se fient à
toi, car tu es un scribe éprouvé et tu as un nom fameux.
Comment prétendre après cela qu'il est des choses que tu
ignores ? Cependant, si l'héritier du trône te signale par
écrit qu'un obélisque d'une hauteur de cent dix coudées,
taillé et achevé, gît sur la Montagne Rouge (à proximité du
Caire) et que tu doives calculer combien de soldats son
transport exige, je t'offre (humblement) mes services ! »

Jusqu'ici, tous les reproches formulés par Hori à l'adresse
de son adversaire se rapportent aux travaux incombant,
suivant la coutume égyptienne, aux soldats ; bien qu'il fût
scribe, Amen·em·opé y manquait des connaissances re-
quises. Mais par malheur, Amen·em·opé s'était également
vanté de ses hauts faits et de ses aventures en campagne, et
il l'avait fait en termes si redondants — n'alla-t-il pas
jusqu'à se qualifier lui-même en cananéen de *mahir*, c'est-
à-dire de héros ? — que Hori eut beau jeu de le tourner en
ridicule. Le voici donnant libre cours à son ironie : « O flam-

beau à la tête de l'armée, lumière qui précèdes l'armée dans
l'obscurité ! Tu as été envoyé en Phénicie avec une vaillante
armée pour réprimer une révolte des Nearouna (les troupes
locales, cf. p. 216). Tu disposes d'une armée de cinq mille
hommes, au nombre desquels se trouvent aussi toutes sortes
de troupes étrangères, mais les provisions de pain, de bétail
et de vin que l'on te livre sont insuffisantes. Les provisions
sont dans le camp, l'armée est prête et équipée ; procède
donc rapidement à la répartition des vivres et donne à
chacun ce qui lui revient. Les Bédouins qui accompagnent
l'armée épient et disent en leur langue : « *sopher yode* »,
un scribe intelligent. C'est midi et l'ordre du départ est
donné. Ne t'emporte pas, commandant, nous avons une
grande marche devant nous. — « Pourquoi n'y a-t-il pas
de pain encore ? Notre camp nocturne est encore bien
éloigné, — à quoi sert-il de nous battre, puisque tu es un
scribe intelligent ? Donne-nous plutôt des vivres : Si le
souverain apprend que tu nous bats, il enverra quelqu'un
pour te faire périr. »

« Ta lettre est remplie de grands mots ; tu te nommes
scribe et *mahir*. C'est bien vrai ce que tu dis ; sors donc
qu'on t'éprouve. Qu'on te harnache un cheval, aussi rapide
que le chacal et semblable à une bourrasque. Saisis ton arc
que nous voyions de quoi est capable ta main. Je te dirai
alors ce qu'est un *mahir*. »

Hori accable ensuite son adversaire de questions, pour
savoir s'il connaît tel ou tel endroit de Palestine, le plus
souvent, bien entendu, avec l'arrière-pensée qu'il ne la
connaît pas. Il demande : « N'es-tu pas allé au pays de
Khatti ? N'as-tu pas vu le pays d'Oupé ? N'as-tu point
parcouru Meger, où le ciel est sombre pendant le jour, où
poussent des cèdres, des chênes et des cyprès qui atteignent
le ciel ? Les lions y sont plus nombreux que les panthères
et les hyènes et, de tous côtés, les Bédouins sont aux aguets.»

Parlant d'une montagne, il dit : « Tu as peur de l'escalader et tu préfères passer le fleuve. Tu vois quelle joie c'est d'être *mahir*, quand tu dois porter ton char sur l'épaule. Parviens-tu à faire halte le soir, ton corps est comme moulu. Puis, tu t'éveilles pendant la nuit, lorsqu'il est temps de plier bagage, et personne ne t'aide à harnacher. Des fuyards ont pénétré dans le camp ; ils ont détaché le cheval, pillé tes affaires et volé tes vêtements. Ton valet d'écurie s'est éveillé pendant la nuit ; il a vu ce qui s'était passé ; il a pris ce qui restait et s'en est allé chez les méchants ; il s'est mélangé aux Bédouins et s'est fait Asiatique. Te voilà un *mahir* bien équipé ; tu peux te prendre l'oreille !

« Que je te parle aussi d'une ville mystérieuse, dont le nom est Byblos ; à quoi ressemble-t-elle ? De sa déesse, — une autre fois ! N'es-tu pas entré dans la ville ? Renseigne-moi donc sur Béryte, Sidon et Sarepta. On parle aussi d'une autre ville, située en mer ; elle s'appelle Tyr-le-Port et l'on est obligé d'y amener l'eau par bateaux. »

Le ton ne change pas par la suite ; l'auteur ne se lasse pas de mettre en demeure le *mahir* de prouver qu'il connaît réellement les nombreuses villes de Palestine. Il ajoute : « O *mahir*, toi qui es rompu aux entreprises de bravoure, allons, montre ce que tu vaux au tir ! Voici un gouffre rempli de rocs et de cailloux ; tu en fais le pourtour, tu prends ton arc et les princes voient tes exploits. « *Abala kemo ari mahir naem* », disent-ils en leur langue (ce qui signifie à peu près : tu combats comme un lion, aimable *mahir*). Tu reçois le nom de *mahir* parmi les officiers d'Égypte. On célèbre ton nom comme celui de Kazardi, prince d'Eser, quand l'hyène le trouva dans le térébinthe (allusion à quelque légende).

« Regarde, voici le défilé où les Bédouins se cachent sous les buissons ; ils regardent sauvagement et ne prêtent pas l'oreille aux flatteries. — Tu es seul ; aucun aide ne se trouve près de toi. Tu te décides à aller de l'avant, bien que tu ignores la route. Tu frissonnes et tes cheveux se hérissent.

Le chemin est plein de rocs et de cailloux et envahi de plantes épineuses. D'un côté, tu as l'abîme ; de l'autre, la montagne, et tu avances avec ton char. L'un de tes chevaux s'élance et ton char est endommagé ; tu déharnaches le cheval, mais tu ne parviens pas à réparer le char. Tu es écœuré et tu te mets en route à pied. Il fait chaud et tu crois que l'ennemi est à tes trousses. Tu es pris de frissons ; tu apprends le goût de la souffrance.

« Parvenu enfin à Joppé, dans la plus belle saison de l'année, tu trouves dans le vignoble une belle jeune fille qui y en a la garde et tu te prends d'amitié pour elle. Cela te coûte ton vêtement de meilleur lin d'Égypte ; pendant la nuit, on te vole ton arc et ton carquois et l'on coupe tes brides. — Ton char se brise sur la route glissante et tu perds tes armes dans le sable. — Parvenu à destination, tu vas à la forge et fais réparer ton char ; les ouvriers s'affairent et font tout ce que tu veux. Vite, tu quittes la place pour te distinguer par tes actes de bravoure sur le champ de bataille.

« Voilà, bon *mahir*, scribe distingué, commandant des *Nearouna* et chef de *zaba* (mot cananéen signifiant « armée »), je t'ai cité tous les pays étrangers jusqu'aux confins de Canaan. Je vais pourtant te demander encore quelque chose. »

Il interroge alors Amen·em·opé sur toutes sortes d'endroits et de villes situés à la frontière ou déjà à l'intérieur de l'Égypte. Assurément, ces questions sont en partie ironiques (il lui demande par exemple s'il s'est baigné en tel ou tel endroit), mais pour bien comprendre les intentions d'Hori, nous devrions connaître la lettre d'Amen·em·opé, qui se trouve ici parodiée.

« Je gage que tu m'en veux de t'avoir dit tout cela. Mais, vois-tu, j'ai été formé par mon père et je sais mieux conduire un char que toi ; je suis habile au service du dieu de la guerre. Aussi tes calomnies ne me touchent-elles point et, pour comble, elles sont pleines de confusion.

« Ainsi, j'ai répondu à ta lettre et je t'ai rapporté tous tes propos confus. Ils sont aussi incompréhensibles que lorsqu'un homme du Delta parle à un homme d'Eléphantine. Il est vrai que toi, en ta qualité de grand scribe, tu n'as nul besoin d'écrire plus clairement.

« Ne prétends surtout pas que j'ai voulu que ton nom sente mauvais auprès d'autrui ; je n'ai fait que te dire ce qu'est un *mahir*, j'ai parcouru toute la Palestine pour toi et je t'ai amené tous les pays et toutes les villes. Prends la chose en bonne part et considère-la dans le calme, de manière qu'à l'avenir on te trouve à même de parler de ces pays. »

Nous ignorons si cette controverse littéraire se poursuivit ; mais une chose est sûre, c'est qu'elle réjouit des personnes cultivées qui n'étaient point mêlées à la polémique. Le texte du pamphlet fut mis au programme des écoles et, comme les jeunes élèves ne pouvaient retirer grand chose de son contenu, c'est à coup sûr pour son style satirique qu'il leur fut proposé comme modèle.

CHAPITRE XXV

CONTES DU NOUVEL-EMPIRE

Le pamphlet d'Hori, dont il a été question au chapitre précédent, fut certainement goûté de tous ceux qui, comme son auteur et son antagoniste, étaient scribes ou fonctionnaires. Mais les autres Égyptiens prirent sans doute plus de plaisir à des productions littéraires plus simples, légendes ou récits, charmants livres de sapience et chants de toutes sortes.

Le peuple égyptien est, aujourd'hui encore, amateur de contes, et il l'a toujours été. Nous avons déjà vu plusieurs histoires au cours de ce livre ; les deux qui vont suivre sont particulièrement dans le goût populaire.

Le conte des Deux Frères (1)

Il y avait une fois deux frères d'une seule mère et d'un seul père ; l'aîné se nommait Anubis et le cadet s'appelait Bata. Anubis possédait maison et femme, et son jeune frère vivait auprès de lui comme son fils. C'était lui qui faisait les vêtements pour Anubis ; il gardait ses troupeaux aux champs, il labourait et moissonnait pour lui et il exécutait tous les travaux des champs. C'était un bon cultivateur, qui n'avait pas son semblable dans tout le pays, plein de force comme un dieu.

Tous les jours il gardait le bétail et chaque soir il rentrait à la maison, chargé de toutes sortes d'herbes des champs, de lait et de bois, qu'il déposait devant le frère aîné, assis auprès de sa femme. Puis, il buvait et mangeait, il s'installait dans l'étable et surveillait le bétail. Le matin, il cuisait les aliments et les apportait à son frère aîné ; celui-

(1) Cf. Erman, *Die Literatur der Ægypter*, p. 197 et suiv.

ci lui donnait des pains pour aller aux champs ; il faisait alors sortir les bœufs, pour les faire paître aux champs. Tandis qu'il allait derrière ses bœufs, ceux-ci lui disaient : « L'herbe est bonne en tel ou tel endroit » et il écoutait tout ce qu'ils disaient et les menait à l'endroit où l'herbe était bonne. Aussi les bœufs prospéraient-ils à souhait et multipliaient-ils énormément.

Or, quand ce fut la saison du labourage, le frère aîné lui dit : « Prépare-nous une paire de bœufs pour labourer, car la terre est déjà sortie de l'eau et bonne à labourer ; viens ensuite sur le champ avec des semences, car nous commencerons sérieusement les labours dès demain à l'aube. » Le cadet fit tout ce que l'aîné avait ordonné. Le lendemain, ils allèrent au champ, labourèrent avec zèle et furent très joyeux à leur travail. Il se trouva qu'ils avaient besoin de grain ; l'aîné envoya son frère au village pour y chercher des semences. Le jeune homme trouva la femme de son frère, assise, en train de se natter les cheveux. Il lui dit : « Lève-toi, donne-moi du grain que je retourne au champ, car mon frère m'attend ; fais vite. » Elle lui dit : « Va, ouvre toi-même le grenier, sinon ma frisure restera en plan. » Le jeune homme se rendit à son étable et prit une grande jarre, car son intention était d'emporter beaucoup de grain. Il se chargea d'une grande quantité d'orge et de blé et lorsqu'il sortit, elle lui dit : « Combien est-ce, ce que tu portes là ? » Il répondit : « Trois sacs de blé et deux sacs d'orge, ce qui fait cinq sacs que je porte sur l'épaule. » Elle lui dit alors : « Quelle force tu as ! chaque jour, je constate combien tu es fort. » Elle voulut le séduire, mais cette bassesse le rendit furieux comme un léopard et elle eut grand peur. Il lui adressa la parole en ces termes : « Voici, tu es certes pour moi comme une mère et ton mari est pour moi comme un père, puisqu'il m'a élevé. Que signifie cette grande horreur que tu as dite ? Ne me la dis pas de nouveau. Je ne la répéterai à personne et elle ne sera pas

divulguée à d'autres par ma bouche. » Il chargea son fardeau
et s'en alla au champ. Il arriva auprès de son frère et ils
travaillèrent ferme. Le soir venu, le frère aîné retourna à
la maison, tandis que le cadet gardait encore le bétail. La
femme du grand avait peur à cause des propos qu'elle
avait tenus. Elle feignit d'avoir été honteusement frappée,
car elle voulait dire à son mari : « Ton frère m'a battue. »
Quand son mari revint, le soir, à la maison, suivant son
habitude de tous les jours, il trouva sa femme couchée
comme si elle avait été brutalisée. Elle ne versa point d'eau
sur sa main, ainsi qu'il y était accoutumé ; elle n'avait
point allumé de lampe auparavant et sa maison était dans
l'obscurité. Son mari lui dit : « Qui donc a parlé avec toi ? »
Elle répondit : « Personne ne m'a parlé, excepté ton jeune
frère. Lorsqu'il est venu chercher du grain, il a voulu me
séduire. Mais je ne l'ai point écouté. « Ne suis-je pas ta mère,
et ton frère aîné n'est-il pas un père pour toi ?» lui ai-je dit.
Il a pris peur et m'a battue, pour que je ne te fasse part de
rien. Si tu lui laisses la vie, je me donnerai la mort. Car,
lorsqu'il reviendra à la maison ce soir, il trouvera certainement moyen de se disculper. » A ces mots, le frère aîné devint furieux comme un léopard. Il aiguisa son arme et, la
tenant en main, attendit derrière la porte de l'étable, afin
de tuer son frère lorsqu'il ramènerait son troupeau le soir.

   Au coucher du soleil, le jeune homme se chargea de
l'herbe du champ et ramena son troupeau à la maison.
Lorsqu'il arriva à l'étable et que la première vache y entra,
elle dit à son berger : « Attention, ton frère se tient là avec
son javelot, il va te tuer. Sauve-toi ! » Il entendit ce que lui
dit la première vache. La suivante entra et lui parla de
même. Il regarda par-dessous la porte de son étable et vit
les pieds de son frère, debout derrière la porte, le javelot
dans la main. Il jeta son fardeau à terre et s'enfuit à toutes
jambes ; son grand frère courut à sa poursuite avec son
javelot. Le frère cadet cria vers Rê-Hor·akhti et lui dit :

« Mon bon maître, toi seul peux juger entre le criminel
et l'innocent. » Rê entendit sa prière et fit surgir entre eux
une eau immense, pleine de crocodiles, et chacun des frères
se trouva sur l'un des bords. L'aîné devint furieux, parce
qu'il ne pouvait tuer son frère. Et le plus jeune cria de
l'autre rive : « Reste là jusqu'à l'aube. Lorsque le soleil
se lèvera, je plaiderai contre toi devant lui, et le (dieu du)
soleil décidera qui est coupable et qui est innocent. Car
plus jamais je ne demeurerai avec toi et plus jamais je ne
serai à un endroit où tu te trouves. J'irai au Val du Cèdre. »
Le lendemain, lorsque Rê·Hor·akhti (le soleil) se leva,
ils se regardèrent l'un l'autre, et le plus jeune dit : « Pourquoi viens-tu à ma poursuite pour me tuer sans même avoir
entendu ce que j'avais à te dire ? Ne suis-je pas ton frère
cadet, et n'es-tu pas pour moi comme mon père et ta femme
n'est-elle pas pour moi comme une mère ? N'est-ce pas
ainsi ? Quand tu m'as envoyé chercher du grain, ta femme
a voulu me séduire. Mais, vois-tu, elle a tout dénaturé pour
toi. » Il jura par Rê-Hor·akhti et dit : « A quoi bon vouloir
me tuer sur le témoignage d'une sale femelle ? » Anubis
devint triste et pleura tout haut, mais il ne put passer l'eau
à cause des crocodiles. — Son frère lui cria : « Mais pourquoi donc as-tu immédiatement songé à quelque chose de
mal et non à quelque chose de bon ? Ou encore à quelque
chose que j'aurais fait pour toi. Ah ! va-t'en chez toi,
soigne toi-même ton bétail, car je ne demeurerai plus où
tu seras. Je m'en irai au Val du Cèdre. Or voici, tu feras
une chose pour moi : si tu apprends qu'il m'est arrivé
quelque chose, il faut que tu viennes à ma recherche. Car
voici ce qui adviendra : je prendrai mon cœur et je le
placerai sur le sommet de la fleur du cèdre. Mais si l'on
coupe le cèdre et que mon cœur tombe à terre, tu viendras
pour le chercher, — et si tu devais passer sept années à le
chercher, ne permets pas que ton cœur se décourage. Mais
une fois que tu l'auras trouvé et déposé dans un vase d'eau

fraîche, je vivrai de nouveau et je répondrai du mal que l'on m'a fait. Voici à quoi tu reconnaîtras que quelque chose m'est arrivé : on te tendra un vase de bière et celle-ci bouillonnera. Ne tarde pas un instant : c'est toi que cela concerne. »

Il s'en alla au Val du Cèdre et son frère aîné retourna dans sa maison, plein d'affliction et la tête barbouillée de poussière. Il tua sa femme et la jeta aux chiens, puis il s'assit rempli de tristesse à cause de son jeune frère. Bien des jours plus tard, Bata se trouvait dans le Val du Cèdre et personne n'était auprès de lui. Il passait la journée à chasser le gibier du désert, et le soir il se couchait sous le cèdre, sur lequel était son cœur. Il se construisit aussi au Val du Cèdre un château plein de toute bonne chose, car il désirait s'établir. Comme il sortait un jour de son château, il rencontra les neuf dieux, en tournée d'inspection générale du pays. Les neuf dieux lui dirent d'une seule voix : « Ah ! Bata, taureau des neuf dieux, te voilà seul ici et tu as abandonné ta ville devant la femme d'Anubis, ton frère aîné. Vois, sa femme a été tuée, car tu lui as révélé franchement le mal commis contre toi. » Ils éprouvaient une grande compassion pour lui et Rê-Hor·akhti dit à Khnoum : « Façonne donc une femme à Bata, qu'il ne demeure pas ainsi tout seul ! » Khnoum lui créa une compagne qui possédait des membres plus beaux qu'aucune autre femme dans le pays tout entier et l'essence de chaque dieu était en elle. Quand les sept déesses Hathor vinrent la voir, elles s'écrièrent tout d'une voix : « Elle mourra de mort violente ! »

Il s'éprit fort d'elle et elle habita dans sa maison. Il chassait le gibier du désert et le déposait devant elle. Mais il ne manquait pas de la mettre en garde en ces termes : « Ne sors pas, de peur que la mer ne t'emporte : je ne saurais te délivrer d'elle, car je suis une femme tout comme toi. Mon cœur est posé sur la fleur du cèdre et si quelqu'un la trouve, je serai à sa merci. » Et il lui révéla tout.

Or, beaucoup de jours après cela, Bata étant parti à la chasse, comme il le faisait quotidiennement, la jeune fille sortit se promener sous le cèdre qui se dressait à côté de la maison. La mer la vit et roula ses flots à sa poursuite. Mais la jeune fille prit la fuite et entra dans sa maison. La mer cria alors au cèdre : « Tiens-la-moi ferme ! » et le cèdre rapporta une tresse de ses cheveux. La mer l'apporta à son tour en Égypte et la jeta à l'endroit où les blanchisseurs de Pharaon faisaient la lessive. L'odeur de la tresse se répandit dans les vêtements de Pharaon ; on querella les blanchisseurs et on leur dit : « Les vêtements de Pharaon sentent l'onguent. » Chaque jour, on les querellait et ils ne savaient plus que faire. Le chef des blanchisseurs de Pharaon vint au quai et fut très mécontent de ces disputes quotidiennes. Lorsqu'il fut sur le sable de la berge, il remarqua la tresse dans l'eau, la fit chercher et l'on constata qu'elle avait une odeur très agréable. On la porta à Pharaon. On amena les scribes et les savants de Pharaon et ils lui dirent : « Cette tresse appartient à une fille de Rê-Hor·akhti, en qui se trouve l'essence de tout dieu. C'est un présent pour toi d'un pays étranger. Envoie donc des messagers dans tous les pays pour la chercher. Quant au messager qui ira au Val du Cèdre, qu'il prenne une nombreuse escorte pour la ramener. » Sa Majesté dit : « Ce que vous dites est très bien » et l'on effectua le départ des messagers. Quand les envoyés retournèrent de l'étranger, de ceux qui étaient allés au Val du Cèdre un seul revint ; Bata avait tué tous les autres. Alors Sa Majesté envoya des soldats et des hommes de char en grand nombre pour ramener la femme de Bata. Ils avaient avec eux une femme porteuse de toutes sortes de beaux ornements de femme. La femme de Bata vint avec elle en Égypte et le pays entier acclama sa venue. Le roi lui adressa la parole pour lui faire dire la condition de son

mari. Elle répondit à Sa Majesté : « Qu'on coupe le cèdre
et qu'on le détruise ! » On envoya des soldats avec leurs
armes pour abattre le cèdre. Ils arrivèrent au cèdre, cou-
pèrent la fleur sur laquelle était le cœur de Bata et il tomba
mort à l'instant même.

Le lendemain du jour où le cèdre fut abattu, Anubis, le
frère aîné, entra chez lui, s'assit et se lava les mains (pour
manger). On lui donna une cruche de bière : elle faisait des
bouillons ; on lui en donna une autre de vin : elle se cor-
rompit. Il prit alors ses sandales, ses vêtements, ses armes
et se mit en route pour le Val du Cèdre. En pénétrant dans
le château de son frère cadet, il trouva celui-ci gisant sur
son lit et il était mort. Il pleura quand il le vit ainsi étendu
mort et il s'en alla à la recherche du cœur de son frère sous
le cèdre, où son frère avait coutume de se coucher le soir.
Il passa trois ans à le chercher et ne le trouva point. Mais
lorsqu'il entama la quatrième année, il désira retourner en
Égypte et dit en son cœur : « Demain, je m'en irai. » Le
lendemain, il chercha encore sous le cèdre ; le soir, il trouva
un fruit : c'était le cœur de son frère. Il le mit dans une
écuelle d'eau froide. Quand la nuit fut venue et que le cœur
eut absorbé l'eau, Bata tressaillit de tous ses membres et
se mit à regarder son frère, bien que son cœur fût encore
dans l'écuelle. Alors, Anubis prit l'écuelle d'eau fraîche
dans laquelle était le cœur et la fit boire à son frère, et quand
le cœur fut de nouveau à sa place il redevint tel qu'il avait
été. Ils s'embrassèrent et se parlèrent. Bata dit : « Vois ! je
vais devenir un grand taureau avec toutes les marques dis-
tinctives d'un taureau divin. Toi, assieds-toi sur mon dos et
quand le soleil se lèvera, nous serons à l'endroit où est ma
femme et je lui répondrai. Conduis-moi chez le roi et l'on
te donnera de l'argent et de l'or autant que j'ai de poids,
pour m'avoir amené à Pharaon, car je serai un grand prodige et l'on s'en réjouira dans tout le pays. Ensuite, tu t'en
iras dans ton village. »

Lorsqu'il fit jour et que le lendemain fut là, Bata se
changea en taureau, ainsi qu'il l'avait dit, et Anubis se mit
sur son dos. Le jour suivant, il parvint à l'endroit où était le
roi ; on en fit part au roi. Il regarda le taureau et se réjouit
beaucoup. Il lui apporta de grandes offrandes et dit : « C'est
un grand miracle, ce qui s'est produit ! » L'allégresse régna
dans tout le pays à cause de lui et l'on donna au frère aîné
autant d'argent et d'or que pesait le taureau. Le frère
s'établit ensuite dans son village et le roi lui donna des gens
en grand nombre et des biens en quantité, et il l'aima plus
que tout autre homme dans le pays.

Bien des jours après cela, le taureau entra dans la cuisine
où se trouvait la princesse. Il engagea la conversation avec
elle et dit : « Vois ! je suis encore en vie. » Elle répondit :
« Qui donc es-tu ? » Il lui dit alors : « Je suis Bata. Tu sais
bien que tu as fait abattre le cèdre par Pharaon, pour que
je ne vive plus. Mais tu vois, je vis encore et suis un taureau. » La princesse eut grand peur en entendant ce que
venait de lui dire son mari. En sortant de la cuisine, elle
versa à boire à Sa Majesté ; Sa Majesté fut très aimable à
son égard. Elle dit alors à Sa Majesté : « Jure-moi par Dieu
que tu exauceras le vœu que je vais t'exprimer » et il lui
accorda tout ce qu'elle lui demanda. Elle dit alors :
« Donne-moi à manger du foie de ce bœuf, car on n'en fera
jamais rien. » Le roi s'affligea fort de ce qu'elle disait et
il eut grand pitié de lui.

Le lendemain, on célébra une grande fête d'offrande
en l'honneur du taureau, et le premier boucher du roi
l'égorgea. Le taureau secoua son cou et fit tomber deux
gouttes de sang de chaque côté de la porte du palais. Elles
poussèrent en deux perséas de toute beauté. On alla annoncer au roi : « Un grand miracle s'est produit cette nuit :
deux grands perséas ont poussé à côté de la porte de Sa
Majesté. » On s'en réjouit dans tout le pays et le roi leur
fit des offrandes. Alors le roi monta sur son char d'or et

sortit du palais pour aller voir ces perséas, et la princesse
l'accompagna. Quand le roi s'assit sous l'un des perséas,
Bata dit à sa femme : « Ah ! perfide ! Je suis Bata. Je vis
encore, en dépit de toi. Tu sais bien que tu as fait abattre
le cèdre par Pharaon, qu'ensuite je suis devenu un bœuf et
que tu m'as fait tuer. »

Bien des jours après cela la princesse entra pour verser
à boire à Sa Majesté et le roi fut très aimable à son égard.
Elle lui dit : « Jure-moi par Dieu : ce que la princesse me
dira, je l'exaucerai. » Il acquiesça à sa demande. Elle dit :
« Qu'on coupe ces deux perséas et qu'on en fasse de beaux
meubles. » Le roi accorda tout ce qu'elle demanda.

Sa Majesté envoya donc d'habiles ouvriers et ils abat-
tirent les perséas. Pharaon s'en vint assister à l'opération
avec sa royale épouse, la princesse. Un copeau s'envola et
entra dans la bouche de la princesse ; elle l'avala et conçut.
Beaucoup de jours après, elle donna le jour à un fils. On
alla annoncer au roi : « Il t'est né un fils ! » On l'apporta
et on lui donna une nourrice et des gouvernantes. Tout
le pays fut dans la joie ; l'on s'assit et prit son plaisir. On
l'éleva et Sa Majesté l'aima beaucoup. Le roi le proclama
vice-roi de Nubie et, plus tard, on le nomma prince héritier
du pays tout entier.

Et après qu'il eut été prince héritier pendant bien des
années, Sa Majesté monta au ciel.

Le nouveau roi dit alors : « Qu'on fasse venir mes grands
conseillers royaux, que je les instruise de tout ce qui m'est
arrivé. » Lorsqu'on lui amena sa femme, il plaida contre
elle par devant eux et ils lui donnèrent gain de cause. On
lui amena son grand frère et on le fit prince héritier du pays
tout entier. Trente ans durant, Bata régna sur l'Égypte,
et lorsqu'il quitta cette vie, son frère aîné prit sa place le
jour de sa mort.

Un conte comme celui des « Deux Frères » est fait pour
plaire et distraire ; il ne faut donc pas que le lecteur se

demande longtemps si tel détail est raisonnable ou non.
Et s'il arrive que le narrateur passe quelque chose sous
silence, il faut savoir s'accommoder de semblables lacunes.

LE CONTE DU PRINCE (1)

La charmante « Histoire du Prince qui ne put échapper
à son sort » offre un caractère bien différent du « Conte
des Deux Frères » : Il y avait une fois un roi, qui n'avait
point de fils. Il demanda un fils aux dieux qu'il servait et
ceux-ci ordonnèrent qu'il lui en naquît un. Et sa femme
donna le jour à un fils. — Lorsque les déesses Hathor
vinrent pour lui fixer son destin, elles dirent : « Il mourra
par le crocodile ou par le serpent ou encore par le chien. »
Les gens qui se trouvaient auprès de l'enfant entendirent
ces mots et les répétèrent au roi. Le roi devint triste ex-
cessivement. Alors, il fit construire pour son fils une maison
de pierre au désert ; elle était pourvue de toute bonne
chose, comme il convient à une demeure royale ; l'enfant
n'en sortait jamais. Or, quand le garçon fut devenu grand,
il monta un jour sur le toit de la maison. Il vit un lévrier,
qui suivait un homme sur la route. Il dit à un serviteur qui
se tenait près de lui : « Qu'est-ce donc, ce qui marche derrière l'homme qui s'avance sur la route ? » Le serviteur
répondit : « C'est un lévrier. » Le garçon dit : « Qu'on m'en
amène un pareil. » Le serviteur alla rapporter ces paroles
à Sa Majesté. Le roi dit alors: « Qu'on lui amène un tout
petit chien, afin qu'il ne s'afflige pas » et on lui amena un
lévrier.

Or, après que les jours se furent écoulés là-dessus et que
le garçon eut grandi, il envoya (un messager) à son père et
lui fit dire : « A quoi sert-il que je demeure ici ? Vois, je
suis asservi aux trois destins. Qu'on me laisse donc agir

(1) Cf. Erman, *Die Literatur der Ægypter*, p. 209 et suiv.

à mon gré, Dieu fera toujours ce qu'il voudra. » On lui
donna char et attelage et son serviteur comme écuyer.
Puis on le fit passer sur la rive orientale et on lui dit : « Eh
bien, va-t'en selon ton désir »; mais son chien était avec lui.

Il alla donc à son gré vers le nord, à l'étranger, et se
nourrissait du meilleur gibier. Il arriva chez le prince de
Naharina (Mésopotamie). Or, le prince de Naharina n'avait
point d'enfants, excepté une fille. Il avait bâti pour elle
une maison, dont la fenêtre était à une hauteur de soixante-
dix coudées du sol, puis il avait fait venir tous les fils des
princes du pays de Kharou (Palestine) et leur avait dit :
« Celui qui atteindra la fenêtre aura ma fille pour femme. »

Bien des jours après cela, les enfants princiers essayaient
comme tous les jours d'escalader la fenêtre. Le jeune homme
vint à passer près d'eux. Ils le conduisirent dans leur maison, ils le lavèrent, l'oignirent, ils donnèrent du fourrage
à ses chevaux et du pain à son serviteur et ils firent pour
lui toutes sortes de choses agréables. Au cours de la conversation, ils lui dirent : « D'où viens-tu donc, beau garçon?»
Il répondit : « Je suis le fils d'un officier du pays d'Égypte.
Ma mère est morte et mon père a pris une autre femme, qui
s'est mise à me haïr et je me suis enfui loin d'elle. » Ils le
prirent dans leurs bras et couvrirent son corps de baisers.

Alors, il dit aux jeunes gens : « Que faites-vous donc ici ? »
Ils répondirent : « Celui qui atteindra la fenêtre de la fille
du prince de Naharina, il recevra celle-ci pour femme. »
Il leur dit : « Ah ! si je pouvais le faire aussi ! » Ils essayèrent
d'escalader suivant leur habitude de chaque jour, tandis
que le garçon se tenait à l'écart pour regarder. Les yeux de
la fille du prince de Naharina s'arrêtèrent sur lui. Or, quand
le jeune homme se joignit aux fils de princes pour l'escalade,
il atteignit la fenêtre de la fille du prince. Elle lui donna
un baiser et le prit dans ses bras.

On alla apporter à son père la joyeuse nouvelle : « Un
homme a atteint la fenêtre de ta fille. » Le prince interrogea :

« De quel prince est-il le fils ! » On lui répondit : « C'est le
fils d'un officier d'Égypte ; il s'est enfui loin de sa ma-
râtre. » Le prince de Naharina se mit dans une grande colère
et dit : « Moi, donner ma fille à un fugitif du pays d'Égypte ?
Qu'il s'en retourne ! »

Et l'on vint dire au jeune homme de s'en retourner au
lieu d'où il était venu.

La princesse le saisit et jura devant Dieu : « Par Rê-
Hor·akhti, si on me l'arrache, je ne mangerai et ne boirai
plus et je mourrai sur l'heure. »

Fig. 53. — L'hippopotame perché sur un arbre.

Le messager alla annoncer à son père tout ce qu'elle
avait dit.

Mais le prince envoya des gens pour tuer le jeune homme
dans sa maison. La fille leur dit alors : « Par Rê, si on le tue,
au coucher du soleil je serai morte. Je ne lui survivrai pas
d'une heure. » On s'en fut le dire à son père.

Alors le prince fit amener le jeune homme et sa fille.
Il le prit dans ses bras et couvrit son corps de baisers. Puis
il lui dit : « Raconte-moi qui tu es, car tu le vois, tu es maintenant pour moi comme un fils. » Il répondit : « Je suis le
fils d'un officier du pays d'Égypte. Ma mère est morte et
mon père a pris une autre femme, qui se mit à me haïr, et

je me suis enfui loin d'elle. » Alors, le prince lui donna sa
fille pour femme et lui offrit une maison avec des champs,
ainsi que des troupeaux et toutes sortes de bonnes choses.

Or, après que les jours se furent écoulés là-dessus, le
jeune homme dit à sa femme : « Je suis asservi à trois destins, le crocodile, le serpent et le chien. »

Elle lui répondit : « Fais donc tuer ton chien. » Mais il
dit : « Par Rê, je ne ferai pas tuer mon chien, que j'ai élevé
tout petit. »

A partir de ce moment, elle veilla sur son mari sans répit
et ne le laissa plus sortir seul.

Voilà le début du conte. Malheureusement, la suite du
papyrus est fort fragmentaire et nous ne pouvons saisir
le fil du récit. Nous y apprenons cependant que le prince
est retourné en Égypte, accompagné de sa femme. Dans la
ville où il s'arrête, le lac cache un crocodile, mais il y a
« un fort » dans la ville qui empêche le crocodile de sortir.
Deux mois durant, le « fort » monte la garde quotidiennement. Un autre épisode relate les faits suivants : Un jour, le
jeune homme resta chez lui pour se divertir. Pendant la
nuit, il reposait, profondément endormi, sur son lit. Sa
femme emplit une coupe de bière. Un serpent sortit de son
trou pour mordre le jeune homme. Mais sa femme était
assise à côté de lui et ne dormait point. Le serpent but la
bière et s'enivra. La femme le mit en pièces à coups de
hache. On éveilla son époux et elle lui dit : « Vois, ton dieu
a placé dans ta main l'un de tes destins, il te livrera les
autres également. » Le prince fit alors des offrandes au
dieu et il exalta quotidiennement sa puissance.

Les quelques phrases qui subsistent de la fin de l'histoire
nous apprennent que le jeune homme parvint, au cours
d'une promenade où son chien l'accompagnait, au lac où
vivait le crocodile. Celui-ci lui adressa la parole en ces
termes : « Je suis ton destin qui te poursuit ; mais, vois, je
vais te laisser. » Ainsi, le jeune prince échappe au deuxième

Fig. 54. — Animaux musiciens.

Fig. 55. — Le lion et le bouc jouant aux dames.

destin, mais sans doute est-il victime du troisième et son
propre chien est-il cause de sa mort, sans en avoir eu, bien
entendu, l'intention.

Tant de détails, dans cette histoire charmante, éveillent
pour nous un monde qui nous est plus familier et plus
proche que celui des Égyptiens : le jeune homme partant
à l'aventure à l'étranger, accompagné de son chien fidèle,
les fils de roitelets escaladant la muraille pour atteindre
la fenêtre de la princesse, la princesse elle-même faisant du
jeune inconnu l'élu de son cœur et le retenant à tout prix,
— tout cela semble appartenir à notre propre patrimoine
de légendes. Mais, nous ne nous étonnerons pas de cette
analogie : nous verrons au chapitre suivant combien, par
ses chants, cette époque est proche de la nôtre dans le domaine du sentiment. Cependant, avant d'aborder ce genre,
jetons un coup d'œil sur les dessins spirituels au moyen
desquels les scribes de ce temps-là s'amusèrent aux dépens
de leur propre monde.

Il est vrai que l'humour n'a jamais fait défaut au peuple
égyptien. Les amusantes légendes des vieux mastabas (cf.
p. 96) le prouvent déjà. Mais la chose apparaît avec plus
d'évidence dans les multiples petits détails plaisants que
les artistes égyptiens se permettaient d'ajouter à leurs tableaux. L'un d'eux n'a-t-il pas — pour ne citer que cet
exemple assez incongru — représenté dans un tombeau,
autrement dit en un lieu consacré, un banquet où l'une des
dames a bu du vin à l'excès ; elle est pitoyablement assise
sur le sol et vomit.

Dans les dessins satiriques des musées de Turin et de
Londres, les artistes se plaisent au thème inépuisable du
monde renversé. Le monde n'est-il pas, en effet, comme si
l'hippopotame était perché sur un arbre et que l'aigle fût
obligé d'escalader une échelle ? Quel harmonieux concert
font, certes, la harpe, la lyre, le luth et la flûte ! mais hélas,
c'est l'âne qui pince les cordes de la harpe, le lion celles de

la lyre, c'est le crocodile qui joue du luth et le singe de la
flûte ; pour comble de malheur, l'âne et le lion s'accompagnent en chantant de leur plus belle voix ! Et quel ordre
règne dans l'État où le renard mène paître les chèvres et
où les chats gardent les oies ! Et lorsque le lion est paisiblement à jouer aux dames avec le bouc, ne doit-on pas
craindre que ce jeu finira autrement ?

Une scène non moins amusante n'est que la parodie des
grands tableaux de bataille ornant les temples de l'époque
(p. 219). Le combat se livre entre chats et souris. Le roi de
la gent trotte-menu roule sur son char, que tirent deux

Fig. 56. — La guerre des chats et des souris.

chiennes, et il tire de l'arc. Une armée de souris l'entoure
et donne l'assaut à une forteresse défendue par les chats ;
mais les souris dressent les échelles d'escalade et forcent
la porte. — Impossible de deviner pourquoi, sur une autre
vignette, un âne apporte des offrandes au roi des chats !
Une idée, néanmoins, se dégage avec certitude de ces petits
tableaux satiriques : les Égyptiens prenaient plaisir à
railler les actions insensées des hommes au moyen d'animaux, exactement comme dans les fables grecques et dans
notre *Roman de Renart*.

CHAPITRE XXVI

CHANTS DU NOUVEL-EMPIRE

Certes, les chants dont il sera question dans ce chapitre ne sont pas ceux qui glorifient, en termes pompeux, le souverain. Il faut déjà être un loyal Égyptien pour trouver plaisir à des phrases comme : « le roi est un taureau puissant sur le champ de bataille » ou « le glaive, sur le char de combat, emplit sa bouche du pays de Palestine ». Les hymnes aux dieux, pour peu qu'ils n'empruntent pas les tournures livrées par la plus ancienne tradition, nous touchent déjà davantage. N'est-ce pas un charmant tableau que celui où il nous est dit qu'au lever du soleil les arbres s'agitent, que les feuilles se déploient, que les poissons bondissent dans la rivière, que le bétail gambade devant la face du dieu et que les oiseaux dansent avec leurs ailes ? N'est-ce pas une idée charmante aussi que le dieu qui conjure le mal et qui chasse la maladie soit désigné comme un médecin qui n'a besoin d'aucun remède ? (1).

Pourtant, nous sommes plus sensibles, assurément, aux chants qu'entonnent les chanteuses au son de leur luth ; il n'est plus question, dans ces hymnes très simples, de dieux et de rois, mais de deux êtres qui s'aiment, d'un frère et d'une sœur, car c'est ainsi qu'en égyptien l'on désigne les amants (2). Il est question, dans le livre « de la joyeuse, de la beauté sans pareille de la jeune fille ». Ses lèvres sont douces quand elle parle et ne dit rien de superflu, son cou est svelte et sa gorge est blanche, ses cheveux sont foncés comme du lapis-lazuli, ses bras sont plus beaux que l'or ; ses doigts sont comme des boutons de lotus. Elle a pris mon

---

(1) Cf. Erman, *La Religion des Egyptiens*, p. 163.
(2) Pour ce qui suit, cf. mon article dans *Geistige Arbeit*, du 5 juillet 1935, ainsi que dans *Die Literatur der Ægypter*, p. 304.

cœur, elle a fait que les cous de tous les hommes se tour-
nassent, parce qu'ils voulaient la voir.

Voici ce que pense de lui la jeune fille : Le frère a enchanté
mon cœur de sa voix et m'a rendue malade ; il est le voisin
de la maison de ma mère, mais je ne puis aller auprès de
lui. Mon cœur est mécontent si l'on se souvient de lui. —
Son amour m'a conquise. Il est un insensé, et je suis comme
lui ; ne sait-il donc pas que je voudrais l'embrasser ? Ah !
que n'écrit-il à ma mère ! — Je te suis consacré par la
Dorée (la déesse de l'amour), viens à moi, que je contemple
ta beauté. Père et mère s'en réjouiront et tous les hommes
jubilent à cause de toi.

Lui aussi rêve qu'il est assis dans la chambre de sa bien-
aimée et il est si intimidé qu'il prend la rivière pour la
route et il ignore où il va : Que tu es fou, mon cœur !

La jeune fille ne va pas mieux. Lisez plutôt sa plainte .

> Combien mon cœur bat vite, quand je songe à ton amour.
> Il ne me laisse pas aller à la manière des hommes,
> je ne peux plus mettre mes vêtements,
> et ne sais plus ranger mes éventails ;
> je ne sais plus farder mes yeux
> ni m'enduire d'onguents,
> ... ne t'affole pas, mon cœur,
> sinon les gens diront : c'est une fille qui est folle d'amour.
> Maîtrise-toi, chaque fois que tu te souviendras de lui,
> mon cœur, ne bats point !

Mais le jeune homme s'adresse à la Dorée et la célèbre,
et celle-ci exauce sa prière et lui accorde la belle : Elle
vient spontanément pour le voir ; oh ! combien il se réjouira, lorsqu'on lui dira : La voici !

La jeune fille n'est pas moins favorisée : J'ai passé devant sa maison et j'ai trouvé sa porte ouverte. Le frère se
tenait à côté de sa mère parmi ses frères et sœurs. Qui
passe dans la rue s'éprend de lui, cet excellent garçon qui
n'a pas son pareil ! Quand j'ai passé, il m'a regardée. Oh !
combien jubilait mon cœur, quand je l'ai vu, mon frère.

Ah ! si ma mère connaissait mon cœur ! Elle entrerait.
Dorée, mets-lui cela au cœur ! J'irais auprès du frère et je
l'embrasserais devant ses camarades, je ne rougirais devant
personne ; je me réjouirais de les entendre dire que tu me
connais. Je ferai fête à ma déesse pour que je puisse voir
le frère cette nuit.

Et le frère, dans une dernière strophe, s'exprime en ces
termes : Hier, cela faisait sept jours que je n'avais vu la
sœur et la maladie s'est abattue sur moi. Mes membres
sont pesants, et je ne sais rien de moi. Les médecins
viennent me voir, mais leurs remèdes sont sans effets, et
les magiciens n'y peuvent rien. Ma maladie reste inconnue.
Mais celui qui me dit : « la voici » me fait revivre. Quand un
messager vient à moi de sa part, cele me fait revivre. Ma
sœur, vaut mieux pour moi que tous les remèdes et elle a
plus de prix à mes yeux que tout le livre d'ordonnances.
Elle serait pour moi une amulette, si elle entrait du dehors.

Des sentiments tout semblables ont inspiré un autre
chant. Le jeune homme y dit : Je m'étendrai dans ma maison et je serai malade à cause de l'injustice qui m'est faite.
Mes voisins entreront pour prendre de mes nouvelles. Mais
si ma sœur vient avec eux, elle confondra les médecins, car
elle connaît ma maladie.

Ailleurs se retrouve l'idée que la jeune fille, victime de
l'amour, ne peut achever sa coiffure (cf. p. 253). Et si la
jeune fille avait plaisir déjà à tendre des pièges aux petits
oiseaux dans les champs, cela également ne lui réussira plus :

L'oie prise à son ver (c'est-à-dire à son appât) piaille,
mais mon amour pour toi me retient et je ne puis la libérer.
Je vais enlever mon filet. Mais que dirai-je à ma mère près
de qui je retourne chaque soir, chargée d'oiseaux ? « N'as-tu
pas tendu de piège ? » dira-t-elle. Ton amour m'en a empê-
chée.

Quant au jeune homme, il voudrait être la négresse qui
accompagne sa belle ; il pourrait ainsi voir la couleur de

tous ses membres. Ou encore, il voudrait n'être que son blanchisseur, qui laverait ses vêtements de leurs onguents. Il décrit, en quelques traits pleins de vivacité : dans la maison de la sœur, la porte centrale est ouverte ; la sœur en sort pleine de colère : « Ah ! que ne suis-je son portier pour qu'elle me réprimande ! Ainsi j'entendrais sa voix lorsqu'elle est en colère, comme un garçon rempli d'effroi devant elle. » Et quand la sœur tient sa porte fermée et veut ne point lui accorder l'accès de sa maison, il imagine de suborner les ouvriers pour qu'ils fassent un verrou de jonc et une serrure de roseau. L'a-t-elle fait prisonnier comme une bête du troupeau, ses cheveux étaient le lasso, ses yeux l'amenèrent à elle, son collier lui servit à l'attacher et de sa bague à cachet elle l'a marqué de son sceau.

Si le bien-aimé est loin, la jeune fille souhaite de le voir près d'elle : « Ah ! que ne viens-tu aussi vite qu'un messager du roi, attendu impatiemment par le souverain. Des coursiers harnachés l'attendent à toutes les stations, le char est déjà attelé et il ne fera aucune halte en chemin. Oh ! si tu venais aussi vite qu'un cheval du roi, choisi entre mille ! Son allure est dégagée et lorsqu'il entend claquer le fouet, rien ne l'arrête. »

De tout temps, les Égyptiens aimèrent les fleurs. Ils les apportaient en offrandes aux dieux, ils en ornaient les momies. Aucun festin ne pouvait se concevoir sans guirlandes et sans bouquets. Les objets de parure imitaient les fleurs et pour l'architecte, le motif préféré était celui de la fleur de lotus ou du papyrus. Les Égyptiens vouaient le même amour aux arbres à ombrage, et comme leur pays ne possède pas de forêts, le jardin, avec ses arbres et ses fleurs, constitue pour eux ce qu'il y a de plus beau dans la nature. C'est à lui que s'attachent aussi les sentiments des amants. La jeune fille tresse une guirlande et chaque fleur qu'elle prend la fait penser à son bien-aimé. Le nom de l'une des fleurs ressemble à « Combien magnifiée parmi

elles » ; il n'en faut pas plus pour que la petite amoureuse
s'imagine que son ami la préfère à toutes les autres jeunes
filles : Je suis ta première sœur, je suis pour toi comme un
jardin que j'aurais planté de fleurs et de toute˙ espèce
d'herbes odoriférantes. — Beau est l'étang qui s'y trouve
et que ta main a creusé, quand le vent du nord apporte la
fraîcheur. Oh ! le bel endroit où je me promène, quand ta
main est dans la mienne et que mon cœur déborde de joie
parce que nous sommes ensemble. C'est une joie bien douce
pour moi quand j'entends ta voix et je vis parce que je
l'entends. Pour moi, te voir est mieux que de manger et de
boire.

Les arbres eux-mêmes se mettent à parler à ceux qui
s'aiment. Le figuier agite ses lèvres et ses feuilles mur-
murent. Il dit à la maîtresse : « Y eut-il jamais dame semblable à moi ? — mais si tu n'as point d'esclave, je serai
ton serviteur. On m'a rapporté d'un pays étranger comme
butin pour la bien-aimée ; elle m'a fait planter dans son
verger et je n'y ai rien à faire qu'à boire de l'eau de
fontaine.

Ou bien, c'est le petit sycomore, que l'amante a planté
de sa main, qui prend la parole ; il parle et le murmure de
ses feuilles est doux comme le miel. Combien sont beaux
ses jolis rameaux ! Il est chargé de fruits, plus rouges que le
jaspe. Son feuillage ressemble à la malachite, et son bois
a la couleur de la pierre *neshmet* ; il attire à lui ceux qui ne
sont pas sous lui, car son ombre est fraîche.

Il met un billet dans la main d'une petite, la fille de son
jardinier en chef, et lui dit de se rendre en hâte auprès de
l'amant : « Viens parmi les jeunes filles. Le jardin est en
pleine floraison ; une tonnelle et un pavillon t'attendent ;
mes jardiniers se réjouissent et jubilent quand ils te voient.
Certes, on est déjà ivre quand on se hâte vers toi, avant
que d'avoir bu, et malgré cela, tes serviteurs viennent
t'apporter toute espèce de bières et toute sorte de pains et

beaucoup de fleurs et des fruits rafraîchissants variés.
Viens donc et donne-toi du bon temps aujourd'hui, demain
et après-demain, trois jours durant, et assieds-toi sous mes
ombrages. » Son ami est assis à sa droite, elle l'enivre et
fait tout ce qu'il ordonne. Le festin tourne à la buverie,
mais je suis discret et je ne dis pas ce que je vois. Je ne dirai
pas un mot.

Le festin dont il est question dans ces chants avait aussi
sa poésie propre, inspirée toujours d'ailleurs par la même
pensée : « Jouis de la vie, aussi longtemps qu'elle t'est
accordée. » Les chants qui s'expriment ainsi figurent dans
les tombeaux, où l'on avait coutume d'honorer les morts au
moyen de fêtes et de banquets. On pensait, ce faisant, que
le mort participait lui-même au repas et c'est pourquoi on
l'exhortait hautement à jouir de la vie. Voici ce qu'on lit
dans une tombe du Nouvel-Empire :

Fête joyeusement la journée, ô prêtre ! Couvre-toi d'onguent et d'huile fine et mets des guirlandes et des fleurs de
lotus sur le corps de ta sœur, que tu aimes et qui est assise
à côté de toi. Ordonne qu'on chante et qu'on fasse de la
musique devant toi. Rejette tout mal derrière toi et songe
à te réjouir jusqu'à ce que survienne le jour où l'on aborde
au pays qui aime le silence.

Une version plus ancienne de ce chant, notée dans le
tombeau du roi Antef devant l'image du harpiste, est plus
belle encore : « Fête joyeusement la journée et ne t'en
lasse point. Vois ! personne ne peut emporter ses biens.
Vois ! personne ne revient, qui est parti. » La même idée
est ici développée en ces termes : « Les corps trépassent
et d'autres subsistent — depuis le temps des ancêtres.
Les dieux (les rois) qui étaient auparavant reposent en
leurs pyramides ainsi que les nobles et les bienheureux
enterrés dans leurs pyramides.

« Ceux qui ont bâti des maisons, leurs demeures n'existent plus. Qu'en a-t-on fait ?

« J'ai entendu les paroles d'I·m·hotep et de Her·djedef
(les anciens sages), que l'on cite partout, — que sont aujour-
d'hui leurs demeures ? Leurs murs sont détruits, leurs
demeures n'existent plus ; c'est comme s'ils n'avaient
jamais existé.

« Personne ne revient de là pour nous dire comment ils
se portent et ce qui leur manque, pour calmer notre cœur
jusqu'au moment où nous parviendrons à l'endroit où ils
sont allés.

« C'est pourquoi, sois joyeux et fais que ton cœur oublie
qu'on te glorifiera un jour. Satisfais ton désir tant que tu
vis. Enduis ta tête de myrrhe, revêts-toi de lin fin et oins-
toi d'authentiques onguents miraculeux des choses divines.
Accorde-toi du bien-être et ne tourmente point ton cœur,
jusqu'à ce qu'arrive pour toi le jour des lamentations. Mais
celui dont le cœur s'arrête n'en entend pas la plainte. »

Une idée semblable à celle qui anime ces chants se
retrouve chez Hérodote : les Égyptiens de son temps
auraient eu l'habitude, à l'occasion de leurs banquets, de
faire circuler une figurine imitant un mort, afin qu'en la
voyant on jouisse de la vie.

CHAPITRE XXVII

MAXIMES DU NOUVEL-EMPIRE

Le sage Ptah·hotep enseignait déjà à une haute époque (cf. p. 112) le genre d'existence que devait mener un homme droit, et les siècles suivants continuèrent à se conformer à cet idéal. Certes, cette morale a quelque chose de prosaïque : elle n'exige guère de l'homme que d'être équitable et aimable, de n'être pas fier de sa science, et, chose essentielle, de faire preuve de distinction et de modération. Il doit aussi se conduire en homme vertueux et créer de bonne heure un foyer.

Au Nouvel-Empire, où le sentiment se raffine, cette éthique non dépourvue de sécheresse se fait déjà plus fraîche. Et, sur bien des points, le ton des enseignements du sage Anii (1) à son fils Khensou·hotep diffère sensiblement déjà de ceux de Ptah·hotep.

Anii, à son tour, recommande la discrétion : Si tu pénètres dans la maison d'autrui, ne porte pas tes regards sur ce qui est injuste dans cette maison. Si ton œil le voit, tais-toi. N'en parle à personne au dehors, de peur qu'on t'en fasse un crime lorsqu'on l'entendra.

Garde-toi de dévoiler des secrets : si l'on en dit dans ta maison, fais le sourd. Ne réponds pas à un supérieur en colère, mais éloigne-toi de son chemin. Parle doux lorsqu'il a des propos amers, et apaise son cœur. Il se retournera et te louera de nouveau après son heure de fureur.

Anii conseille ensuite : N'épanche point ton cœur devant n'importe qui : une parole fausse a-t-elle franchi tes lèvres, tu te fais des ennemis quand l'autre la répète. Par sa langue, un homme se ruine. Le corps de l'homme est un grand

(1) Traduction intégrale dans : Erman, *Die Literatur der Ægypter*, p. 294 et suiv.

magasin plein de réponses de toutes sortes ; choisis la bonne et dis-la, et la mauvaise, tiens-la enfermée dans ton corps.

N'entre pas dans le tribunal et n'en sors pas, de peur que ton nom ne sente mauvais et ne te mêle pas à une foule qui est prête à te battre, de peur que tu ne sois blâmé au tribunal devant les conseillers.

Garde-toi de l'immoralité. De même, ne bois pas avec excès, car si tu tombes et que tu brises tes membres, personne n'est là pour te tendre la main. Tes compagnons disent : « Qu'on sorte cet ivrogne ! » Sort-on à ta recherche pour t'interroger, on te trouve étendu sur le sol comme un petit enfant.

Sois respectueux : ne reste pas assis, quand un autre, plus âgé que toi ou qui t'a dépassé dans sa carrière, est debout.

Mais, avant toute chose, honore tes parents : verse de l'eau à ton père et à ta mère, qui reposent dans la vallée désertique. — Donne à ta mère du pain en abondance et porte-la comme elle t'a porté. Elle eut une lourde charge avec toi. Et quand elle t'eut donné le jour, elle te porta encore sur sa nuque, et trois années durant son sein fut dans ta bouche. Elle n'éprouvait pas de dégoût devant tes excréments. Elle te mit à l'école pour qu'on t'enseignât l'écriture et chaque jour elle se tenait là avec du pain et de la bière de sa maison. — Quand toi-même tu prendras femme, songe à ce que ta mère fit pour toi, en sorte qu'elle ne te blâme pas et qu'elle n'élève pas la main vers Dieu et qu'il n'entende pas ses cris. Mais prends une femme quand tu es un jeune homme, afin qu'elle te donne un fils. — Si tu sais que ta femme est diligente dans sa maison, n'exerce point de contrôle sur elle et ne lui dis pas : « Où est ceci ? Apporte-le-nous ! » si elle l'a mis à la bonne place.

Sois dans l'attente de la mort, car un jour viendra ton messager de mort ; alors, ne dis pas : « Ne suis-je pas trop jeune pour que tu viennes me chercher ? » La mort survient

et emporte l'enfant qui se trouve encore sur le sein de sa
mère, aussi bien que l'homme devenu un vieillard. Amé-
nage-toi donc un beau lieu de repos dans la vallée du désert,
qui serve un jour de cachette à ton corps.

Cependant, ce qu'enseigne jusqu'ici Anii ne dépasse guère
ce qu'exigeait la morale habituelle des Égyptiens ; mais
combien plus profond et plus intime nous semble ce qu'il
dit de la relation qui doit exister entre l'homme et Dieu !
Il est vrai qu'un sage du Moyen-Empire avait déjà ensei-
gné (p. 132) qu'aux yeux de Dieu la vertu d'un homme de
bien a plus de prix que le bœuf qu'un malfaiteur lui sacri-
fie. Mais chez Anii, la pensée va plus loin : « Fais des
offrandes à ton dieu, enseigne-t-il, mais garde-toi de te
rendre coupable envers lui. — Ne te préoccupe pas de son
apparence ; ne t'impose pas dans sa procession et ne joue
pas des coudes pour le porter. — Que ton œil voie bien
en quel courroux il se met ; crains son nom. C'est lui qui
prête vie à des millions de créatures et ne grandit que celui
qu'il grandit. — Le dieu de ce pays est le soleil qui est à
l'horizon, mais ses images sont sur terre, auxquelles l'encens
doit être offert chaque jour.

Et n'est-ce pas une bien belle pensée que celle d'Anii sur
la prière ? — La demeure de Dieu, les cris lui sont en abomination. Prie d'un cœur fervent, dont toutes les paroles
restent cachées. Il fera ce dont tu as besoin et exaucera tes
paroles.

Mais plus encore que le livre d'Anii nous touche un autre
écrit paraissant dater d'une époque un peu plus récente.
Ce sont trente préceptes donnés par l'intendant du blé et
du cadastre Amen·em·opé (1) à son fils pour qu'il devienne
lui aussi un jour un fonctionnaire juste et débonnaire. De
l'arrogante fierté qui caractérisait les fonctionnaires et les
scribes des époques antérieures, il ne reste plus trace en ce

(1) Voir mon article dans : *Orient. Literaturztg.*, mai 1924, ainsi que :
Sitzungsberichte der Berliner Akademie, 1924.

livre. Elle a fait place à un esprit d'humilité, qui ne repose
plus sur le mérite personnel, mais qui ne compte que « sur
le dieu ». L'idéal, maintenant, est d'être un « silencieux »,
c'est-à-dire un homme rempli d'humilité, réservé et content de ce que « le dieu lui accorde ». Tout autre est le
« bouillant », c'est-à-dire l'homme plein de passion ; écarte-
toi de sa route et ne suis pas son exemple. Il est comme un
arbre qui a poussé dans la forêt ; on l'abat et l'on en fait
du feu quelque part. Mais le silencieux est semblable à un
arbre fruitier couvert de fruits et ombreux à souhait se
dressant devant son maître.

Ce sage attache un prix tout spécial, comme il convient
à sa profession, à l'honnêteté et à l'exactitude du fonctionnaire : Ne trempe pas ta plume pour faire tort à autrui.
— Ne déplace aucune borne. Ne fausse ni mesure ni poids
et ne te laisse point suborner. — Juge équitablement,
n'opprime pas le faible au profit du riche et ne renvoie pas
celui qui est mal vêtu. — Ne sois pas dur quand tu perçois
les impôts. Et si tu découvres dans les listes un grand
arriéré chez un pauvre, partage-le en trois parts, jettes-en
deux et n'en laisse subsister qu'une seule.

Ce que tu fais de manière injuste ne t'apporte aucune
bénédiction. Mieux vaut un boisseau que Dieu te donne
que cinq mille acquis injustement. Les richesses que tu
amasses ainsi ne restent pas même une nuit auprès de toi.
Quand point le jour, elles ne sont plus dans ta maison ; on
voit bien encore la place où elles étaient, mais le sol a
ouvert sa bouche et les a avalées, ou bien elles se sont fait
des ailes et, comme des oies se sont envolées au ciel. —
Mieux vaut du pain avec un cœur satisfait que la richesse
avec des soucis.

Ne vise surtout pas au gain ! — L'image que le sage choisit pour illustrer ce précepte est typiquement égyptienne :
Ne te fais pas de bac sur le fleuve afin d'en retirer le prix
du passage, ou bien n'exige le prix de la traversée que des

riches. Et s'il te reste de la place dans ton bateau, ne refuse personne qui désire passer le fleuve.

Ne ris pas d'un aveugle et ne ris pas d'un nain ; ne tourmente pas un estropié et ne raille pas celui qui est dans la main de Dieu, car — c'est là le sens — tu n'as aucun mérite à être plus favorisé qu'autrui. L'homme n'est que boue et que paille, et Dieu est son architecte, mais un jour il édifie et l'autre il démolit.

Aussi, sois bon envers la veuve et prends soin de l'étranger. Dieu aime mieux celui qui réjouit le pauvre que celui qui honore l'homme de qualité.

Il n'y a point de perfection devant Dieu. Ne dis pas : « je n'ai point de péchés » ; le péché, c'est l'affaire de Dieu.

La nuit, ne te ronge pas d'inquiétude pour savoir ce que, le jour venu, sera le lendemain. Comment l'homme saurait-il ce que sera le lendemain ?

Dirige donc ta vie jusqu'au jour où, dans le royaume des morts, tu reposeras heureux dans la main de Dieu.

La divinité à laquelle songe ici Amen·em·opé et que toujours à nouveau il cite est moins un dieu particulier bien défini comme le dieu du soleil ou comme Thoth, le dieu des scribes. Il songe bien plutôt, comme cela se produit déjà dans des ouvrages anciens, à un être divin suprême, gouvernant le monde et les hommes. Le livre d'Amen·em·opé n'accuse donc pas un caractère spécifiquement égyptien et il pouvait plaire à un homme qui ne croyait pas aux dieux égyptiens. C'est ainsi que, peut-être à l'époque perse, où beaucoup de Juifs vivaient en Égypte, l'un d'eux prit plaisir à ce livre et le traduisit en hébreu. Il remplaça, bien entendu, le mot « Dieu » d'Amen·em·opé par le nom de son dieu, Yahvé, et il modifia certainement bien des passages qui portaient trop nettement le sceau égyptien. Ce livre hébraïque ne nous est pas parvenu lui-même, mais l'auteur inconnu qui, à une époque plus tardive, réunit les prétendus Proverbes de Salomon, lui emprunta des passages iso-

lés qu'il incorpora à son propre texte, et c'est ainsi que
nous lisons encore dans notre bible toutes sortes de pensées formulées il y a trois mille ans par un intendant du blé
du pays d'Égypte. Quand aujourd'hui nous citons le beau
proverbe : « mieux vaut peu, avec la crainte de l'Éternel,
qu'un grand trésor, avec le trouble » (Prov., XV, 16), nous
ne nous doutons nullement que nous rapportons la maxime
égyptienne : « mieux vaut la pauvreté dans la main de
Dieu, que des richesses dans le grenier ». Autre maxime
égyptienne : « ne fraye pas avec le bouillant et ne t'approche pas de lui pour converser », d'où fut tiré le verset : « ne
fréquente pas l'homme colère, ne va pas avec l'homme
violent » (Prov., XXII, 24). De même, le début des Enseignements d'Amen·em·opé : « prête l'oreille, écoute mes
paroles, incline ton cœur à les comprendre » se retrouve
parmi les Proverbes de Salomon (XXII, 17) : « prête
l'oreille et écoute les paroles du sage ; applique ton cœur à
ma science ». Ailleurs encore, un passage, corrompu dans
nos traductions, stipule même que les préceptes enseignés
par notre sage étaient précisément au nombre de trente.
Dans un autre passage, le traducteur juif embellit le texte
à sa manière. Quand Amen·em·opé, ainsi que nous l'avons
vu ci-dessus, décrit la fragilité de la richesse mal acquise,
engloutie par le sol ou bien se faisant des ailes pour s'envo-
ler au ciel comme des oies, le texte hébraïque dit : « ne te
tourmente pas pour t'enrichir... », et plus loin : « si tu lèves
les yeux, la richesse a disparu, car elle s'est fait des ailes
comme l'aigle et elle s'est envolée vers les cieux (Prov.,
XXIII, 4, 5). Ici, le traducteur, obéissant à son sentiment
poétique personnel, a remplacé les oies, volatiles très com-
muns chez les Égyptiens, par l'aigle.

L'Égypte n'est-elle pas une terre remarquable, de recé-
ler ainsi tant de choses que personne ne songerait à y
chercher ?

CHAPITRE XXVIII

DÉCADENCE ET DOMINATION ÉTRANGÈRE

A la grande époque du Nouvel-Empire, durant laquelle l'Égypte fut la première puissance de son temps, succéda une longue période de déclin. Le moment où l'on déposa dans son tombeau somptueux la dépouille mortelle de Ramessès III marque la fin de l'épopée égyptienne. La décadence devait s'étendre sur plusieurs siècles. De cette période nous sont parvenus des papyrus et des inscriptions en grand nombre, mais il n'est pas surprenant que leur contenu ne fasse que rarement honneur au vieux peuple. Contentons-nous de rapporter ici le récit de voyage d'un fonctionnaire égyptien qui s'était rendu en Syrie (1). Le peu d'estime dont jouissait l'Égypte à l'étranger n'apparaît que d'une manière trop évidente dans ce document.

LE VOYAGE D'OUN·AMON

Vers l'an 1100 avant Jésus-Christ, l'Égypte s'était morcelée en petits Etats ; à Thèbes régnait Heri·hor, grand prêtre d'Amon ; à Tanis, port de l'est du Delta, le pouvoir était aux mains de Smendès et de son épouse Tent·amon ; et il existait dans d'autres villes de nombreux princes locaux. Les conditions avaient changé au point que le roi des dieux lui-même, Amon-Rê, dont la richesse était naguère si fabuleuse, se trouvait être pauvre maintenant. La grande barque d'apparat Ouser·hat, qu'Amon utilisait pour ses déplacements, exigeant réfection, les prêtres de Thèbes se trouvèrent dans un sérieux embarras. Le bois de cèdre du Liban, que l'on devait faire venir de Byblos, manquait, et comment pouvait-on l'obtenir sans argent ?

(1) Traduction intégrale dans : Erman, *Die Literatur der Ægypter*, p. 225 et suiv.

Devant cette dure nécessité, on décida d'organiser une
collecte auprès des différents potentats d'Égypte ; cependant, on ne put se permettre de mettre sur pied une importante délégation, ainsi qu'il était de coutume en des temps
meilleurs. On n'envoya qu'un seul homme, un certain fonctionnaire sacerdotal du nom d'Oun·amon, et on lui confia
une statue d'Amon pour qu'il l'emportât avec lui, dans
l'espoir qu'une visite divine comme celle-là ferait impression sur le prince de Byblos et le disposerait favorablement.
Porteur de lettres de recommandation, Oun·amon fut
envoyé auprès de Smendès et Tent·amon, qui, à partir de
Tanis, devaient lui accorder des facilités pour la poursuite de son voyage. Le couple princier reçut chaleureuse-
ment les messages qui lui étaient adressés, mais ils ne
mirent pas à la disposition du délégué thébain le bateau particulier sur lequel il comptait certainement. Il dut se con-
tenter de voyager sur un bateau quelconque se rendant à
Byblos. En route, ce bateau fit escale dans différents ports,
et le malheur voulut qu'à Dor, ville des Tchakkar (au sud
de l'actuelle Haïfa), un homme s'échappa du bateau en
emportant tout l'argent d'Oun·Amon : 455 grammes d'or
et environ 2.820 grammes d'argent.

« Ce matin-là, raconte Oun·amon, je me levai et me ren-
dis à la maison du prince et je lui dis : « J'ai été volé dans
ton port ; or, tu es le prince de ce pays et son juge, cherche
donc mon argent. En vérité, cet argent appartient à
Amon, maître des pays ; il appartient à Smendès ; il appartient à Heri·hor, mon maître et aux autres grands d'Égypte.»
Il répondit : « Ou tu es fâché, ou tu es bien disposé, — mais
vois-tu, je ne comprends rien à cette affaire. Si c'était un
voleur qui appartienne à mon pays celui qui est descendu
dans le bateau et qui a dérobé ton argent, je te le rembour-
serais de mon trésor, jusqu'à ce qu'on ait trouvé ton
voleur. Mais en vérité le filou qui t'a dévalisé est à toi et il
appartient à ton navire... Reste donc quelques jours ici

près de moi, afin que je le cherche. » Oun·amon passe neuf
jours à Dor, mais le voleur demeura introuvable, et notre
voyageur se décide à repartir. Mais, dans son malheur, il se
laisse persuader par quelqu'un d'agir comme d'autres
feraient en pareil cas. En poursuivant sa route, il rencontre des Tchakkar et leur enlève tout bonnement un sac
d'argent ; il leur explique qu'il le gardera jusqu'au moment
où il sera rentré en possession de son propre argent. Cette
manière de se faire justice à soi-même lui vaut la haine de
cette tribu de pillards et cette haine aggrave sa position.
En effet, à son arrivée à Byblos, Tchekar·baal, le prince de
l'endroit, ne veut rien savoir de lui, sans nul doute par
crainte des Tchakkar. « Éloigne-toi de mon port ! » c'est
tout ce qu'il répond aux déclarations d'Oun·amon. L'envoyé
égyptien, las de tant de malheurs, se décide à retourner
dans son pays avec son dieu qu'il a tenu caché jusque-là en
lieu sûr. Heureusement, le prince change d'avis : au cours
d'une fête, l'un de ses pages est saisi par le dieu et se met
à crier en pleine extase : « Tire le dieu de sa cachette !
Amène le messager qui le porte ! C'est Amon qui l'envoie. »
« J'avais précisément trouvé ce soir-là, poursuit Oun·amon,
un bateau qui devait se rendre en Égypte. Je chargeai
tout ce qui m'appartient et, regardant vers l'obscurité, je
pensai : quand elle descendra, je chargerai le dieu pour
empêcher qu'aucun autre œil le voie. Alors, le capitaine du
port vint à moi et me dit : « Reste ici jusqu'à demain à la
disposition du prince. » Et je lui répondis : « N'est-ce pas toi
qui venais me trouver chaque jour et me disais : « Éloigne-
toi de mon port ! » ? Jamais tu ne m'as dit : « Reste. »
Le prince fera partir le bateau que j'ai trouvé et tu revien-
dras me dire : « Va-t'en ! » » — Il s'en alla répéter ces mots
au prince et le prince fit dire au capitaine du bateau :
« Reste ici jusqu'à demain à la disposition du prince. » Le
prince mande alors Oun·amon ; il l'accueille dans son cabinet de réception « appuyé à la fenêtre », et l'on voit jaillir

derrière lui « les vagues de la grande mer de Syrie ». A la
salutation d'Oun·amon, le prince réplique par la question
peu charitable : « Depuis quand as-tu quitté Thèbes ? »
Oun·amon répond : « Depuis cinq mois », sur quoi le
prince dit : « Dis-tu bien la vérité ? Où donc est le rescrit
d'Amon ? et où as-tu la lettre du grand prêtre ? » Oun·amon
répond qu'il les a réunis à Smendès et à Tent·amon de
Tanis. Le prince s'irrite fort : « Vois, tu n'as ni rescrit ni
lettre ; mais où donc se trouve le bateau en bois de cèdre
que t'a donné Smendès ? T'aurait-il peut-être confié à ce
capitaine, pour qu'il te tue et te jette à la mer ? » Ainsi, le
prince laisse bien entendre à Oun·amon qu'il ne le tient
pas pour beaucoup mieux qu'un charlatan. Mais Oun·amon
ne perd pas contenance, il se justifie à chaque nouveau
reproche ; il rappelle enfin au prince que son père et son
grand-père ont également livré du bois pour la barque
d'Amon. Le prince reconnaît que les siens ont, en effet,
livré du bois dans ce but, « mais », ajoute-t-il, « Pharaon
envoyait six navires chargés de produits de l'Égypte et on
les déchargeait dans leurs magasins. Toi, apporte-moi donc
aussi quelque chose. » Il fait chercher les registres journa-
liers de ses pères et ordonne qu'on en fasse lecture devant
Oun·amon ; et voici ce qui était noté : « mille *deben* d'argent » (c'est-à-dire 91.000 grammes d'argent), et, très
imbu de lui-même, le prince remarque : « Je ne suis pas ton
serviteur, ni le serviteur de celui qui t'a envoyé. — Il me
suffit de crier au Liban, et le ciel s'ouvre, les arbres sont
ici et gisent sur le bord de la mer. » Il expose ensuite au
pauvre Oun·amon qu'il n'est pas du tout équipé pour transporter de grandes poutres de bois et que son bateau se
rompra sous leur poids en cas de tempête ; et ce n'est pas
sans dédain qu'il compare l'Égypte d'alors avec l'Égypte
dont autrefois tous les peuples tiraient leur science :
« Amon a formé tous les pays, et le pays d'Égypte d'où tu
viens, il l'a formé le tout premier, car la perfection est sortie

de lui et elle est parvenue jusqu'au lieu où je suis, et l'enseignement aussi est sorti de lui et il est parvenu jusqu'au
lieu où je suis, — que signifient donc les pitoyables dé-
marches qu'on te fait faire ? » Oun·amon se défend en
termes emphatiques : « Il n'est point de bateau sur l'eau
qui n'appartienne à Amon. A lui appartient la mer, à lui
appartient le Liban, dont tu dis qu'il est à toi ; il constitue
bien plutôt un domaine de la barque divine Ouser·hat,
souveraine de toutes les barques. En vérité, Amon-Rê, roi
des dieux, parla ainsi à Heri·hor, mon maître : « Envoie-
moi ! » et il m'a fait voyager avec ce dieu. Or, vois, tu as
laissé ce grand dieu passer vingt-neuf jours depuis qu'il est
abordé dans ton port, sachant bien qu'il était là. Il est celui
qui a toujours été et toi, tu te tiens là à vouloir traiter
affaire au sujet du Liban avec Amon qui en est le maître.
Et si tu te targues de ce que les rois précédents envoyaient
de l'argent et de l'or, je t'apporte, moi, quelque chose de
meilleur ; je t'apporte vie et santé, comme seul Amon peut
te les dispenser, lui que tes pères adorèrent autrefois et
dont tu es aussi le serviteur... Si tu dis à Amon : « Oui, je
le ferai », et que tu exécutes son ordre, tu vivras et tu seras
en bonne santé et tu seras agréable à ton pays tout entier
et à tes sujets. » A partir de ce moment, Tchekar·baal
devient plus accommodant et tous deux se mettent d'accord.
On envoie immédiatement une petite partie du bois à
Tanis, à l'adresse de Smendès, et Oun·amon demande
par lettre à ce dernier une avance. Cette avance, qui ne
comporte pas seulement de l'or et de l'argent, mais aussi des
vêtements, du papier et toutes sortes de denrées, arrive
à Byblos ; là-dessus, le prince envoie trois cents hommes
pour abattre du bois dans les montagnes. Cinq mois après,
les arbres sont sur la côte et le prince peut déclarer avoir
fait son possible, malgré la médiocre rémunération. Mais
qu'Oun·amon fasse en sorte de s'en aller sur-le-champ et de
ne pas, par exemple, hésiter à partir par peur de la mer,

car si la mer est en furie, lui aussi peut le devenir. Qu'il aille donc contempler les tombes de certains émissaires égyptiens, qui passèrent dix-sept ans en prison à Byblos et y moururent. — Nous ne savons quelle méchanceté se cache sous cette invitation, mais Oun·amon en comprend le sens et se contente de répondre qu'il ne veut pas voir les tombes de ces envoyés, car ceux-ci n'étaient qu'une délégation d'hommes, tandis que dans son cas ce n'est en somme pas un homme que l'on a envoyé de Thèbes, mais une statue divine, dont il n'est lui-même que le serviteur. Au lieu de tenir de tels propos, le prince serait mieux inspiré de se réjouir des relations qu'il a maintenant avec Amon ; que ne fait-il dresser une stèle et y inscrire comment Amon lui envoya à titre d'émissaire une statue divine au sujet du bois, et comment il exécuta son ordre, en sorte que le dieu lui accorde dix mille années (1) de vie ? Lorsque, par la suite, un autre messager viendrait du pays d'Égypte et qu'il connût l'écriture, il lui verserait sur sa tombe une libation d'eau. — Le prince se montre satisfait de cette leçon et comme Oun·amon lui promet expressément de lui envoyer encore de l'argent à l'arrivée du bois à Thèbes, tout semble parfaitement en ordre ; malheureusement, ce n'est pas encore le cas. A ce moment apparaissent devant le port onze bateaux appartenant aux Tchakkar, qui, au cours du voyage d'Oun·amon, sont entrés en hostilité avec lui. Leur intention est de le faire prisonnier et de ne laisser partir aucun de ses bateaux en Égypte. Oun·amon poursuit ainsi son récit : « Alors, je m'assis et pleurai. Le scribe des lettres du prince sortit vers moi et me dit : « Qu'as-tu ? » Je lui répondis : « Ne vois-tu pas les oiseaux se diriger pour la seconde fois vers l'Égypte ? Regarde-les, ils vont au marais frais ; mais, moi, jusqu'à quand serai-je aban-

---

(1) Le même signe hiératique peut se lire 10.000 ou 50. Certains savants estiment que ce dernier nombre convient mieux au récit d'Oun·amon, qui n'a rien d'un conte merveilleux (N. d. T.).

donné ici ? Ne vois-tu pas ceux qui viennent pour me saisir ? » Il alla raconter la chose au prince et le prince se mit
à pleurer en entendant ces tristes nouvelles. Il m'envoya
son scribe avec deux cruches de vin et un bélier. Il me fit
aussi amener Tent·niout, une chanteuse égyptienne qui se
trouvait auprès de lui, et il lui dit : « Chante pour lui, et
qu'il ne rumine pas des idées noires. » Et il me fit dire :
« Mange et bois et ne rumine pas des idées ; demain tu
entendras ce que je dirai. » Le lendemain, il fit appeler les
Tchakkar et leur dit : « Que signifie votre venue ? » Ils
répondirent : « Nous sommes venus à la poursuite des
bateaux que tu veux expédier en Égypte. » Et le prince
répliqua : « Pourrais-je laisser faire prisonnier à l'intérieur
de mon pays l'envoyé d'Amon ? Laissez-moi l'expédier, et
vous, filez à sa poursuite et faites-le prisonnier ! »

Oun·amon met à la voile effectivement, mais il échappe
aux mains des Tchakkar, grâce à une tempête qui le pousse
à la terre d'Arsa (Alashia, c'est-à-dire Chypre). Les habitants de la capitale de l'île sortent et menacent de le tuer.
On le traîne jusque devant la princesse, qui passait justement de l'une de ses maisons dans l'autre. Il la salue et dit
aux gens qui l'entourent : « N'y a-t-il pas quelqu'un parmi
vous qui comprenne l'égyptien ? » L'un dit : « Je le comprends. » Et par ce truchement, Oun·amon dit à la princesse : « Jusqu'à Thèbes, jusqu'au siège d'Amon, j'ai
entendu dire : en toute ville, on commet l'injustice, mais on
pratique la justice dans la ville d'Arsa ; et pourtant on pratique aussi l'injustice ici chaque jour. » Elle répondit : « En
vérité, que signifie ce que tu me dis là ? » Il dit : « Si la mer
était en furie et si le vent m'a jeté sur ta terre, tu ne vas
pourtant pas permettre qu'ils me saisissent pour me faire
périr, car je suis un envoyé d'Amon. Fais attention : moi,
on me recherchera tous les jours. Quant à cet équipage du
prince de Byblos, que tes sujets cherchent à tuer, leur

maître se vengera et fera périr dix équipages à toi. » Elle
fit alors appeler ses hommes et me dit : « Couche-toi ! »

Ici s'arrête le papyrus et nous ignorons ce qu'il advint
par la suite au malheureux homme. Le bois parvint-il
jamais à Tanis ? Heri·hor versa-t-il jamais le solde qu'avait
laissé espérer son émissaire ? Il est peut-être permis d'en
douter, car c'est précisément au temps de Heri·hor que se
produisit un fait témoignant, selon les conceptions égyptiennes, de la plus grande déchéance de l'État.

LA MISE EN LIEU SUR DES MOMIES ROYALES

C'est, en effet, sous le règne de Heri·hor que fut aménagée la cachette dans laquelle furent mises à l'abri les momies des anciens rois, par suite de l'incapacité où l'on était
de les protéger contre les pillards. Déjà quelques dizaines
d'années auparavant, sous Ramessès IX, il est question
de voleurs mettant les tombeaux royaux au pillage ; c'est ce
qu'affirme le haut fonctionnaire qui gouverne alors la rive
orientale de Thèbes. Mais son collègue de la rive occidentale peut fournir la preuve que, sur les dix sépultures
royales que l'on prétend violées, une seule d'entre elles,
celle du roi Sebek·em·saf et de son épouse, a été mise à
sac. Mais, sans contredit, le mal est plus étendu dans les
tombes de particuliers. Trois ans plus tard, sous Ramessès X, on arrête une foule de gens soupçonnés du même
délit ; et cette fois il ne s'agit pas seulement de petites
gens, mais aussi de fonctionnaires et de prêtres. Mais,
malgré tous les efforts, la situation demeure inchangée, et
il devient évident que l'on ne peut rien contre les pilleurs
de tombeaux ; il ne reste donc plus que de sauver au
moins les momies. Sont-elles déjà dépouillées de leur
enveloppe et de leur parure, on leur met de nouvelles bandelettes. Et comme leur propre sépulture ne leur garan-
tit plus qu'un abri très incertain, on les transporte dans une

tombe qui semble plus sûre. La momie de Ramessès II, par exemple, est transférée dans le tombeau de son père Sethi Ier, puis, lorsque celui-ci est également violé, on la cache dans la tombe d'une certaine reine Ini·hapi, jusqu'au moment où elle trouve refuge avec d'autres momies arrachées aux mains des violateurs de sépultures, dans celle d'Aménophis Ier. Les prêtres à qui est confié ce travail notent scrupuleusement toutes ces pérégrinations sur les momies elles-mêmes. Mais à la longue, cette fuite de tombeau en tombeau s'avère inefficace, et sous Heri·hor on finit par y renoncer. On cache ce qui reste à sauver des momies royales dans un endroit auquel les voleurs ne peuvent songer. Non loin du temple de Deir el Bahari la pierre de la falaise rocheuse est si mauvaise et si friable, qu'aucune tombe n'y fut jamais aménagée. On creuse là un puits profond de douze mètres, auquel fait suite un couloir de soixante mètres de long et une chambre de huit mètres. Dans cette cachette, on enfouit les momies royales encore existantes, et c'est là qu'elles reposèrent, sans que personne les découvrît, jusqu'en 1875, quand les *fellahîn* de la rive occidentale de l'ancienne Thèbes parvinrent à la dénicher. Les descendants des anciens pilleurs de tombeaux considèrent encore aujourd'hui les tombes de l'endroit comme leur domaine, dont il faut tirer des antiquités pour les vendre ensuite aux touristes. Ils explorent chaque coin de la montagne et se faufilent dans chaque anfractuosité du roc, et c'est ainsi qu'ils tombèrent finalement sur cette cachette des momies royales. Pendant des années ils tinrent leur trouvaille secrète, mais peu à peu apparurent sur le marché de nombreux objets qui, selon toute évidence, avaient appartenu à des momies royales. On dépista les voleurs et, en 1881, les momies purent être transportées au Musée du Caire.

Quelle illustre société que celle qui avait trouvé son dernier lieu de repos en cette cachette de Deir el Bahari !

Il est vrai que le local différait fort, par son aspect, de ceux que ces monarques s'étaient autrefois préparés pour eux-mêmes. Voici les rois Sekenen·rê et Aâh·mosé (Amôsis) (p. 166), qui combattirent les Hyksos ; voici la reine divinisée Nefert·ari et son fils Aménophis Ier, fondateur de la XVIIIe dynastie. Voici la momie d'un vieillard, dont le nom a disparu, mais qui est probablement Touthmosis Ier (p. 170). Voici le fameux Touthmosis III en personne. Voici les grands rois de la XIXe dynastie, Sethi Ier et Ramessès II, et, de la XXe dynastie, Ramessès III. Au temps de Heri·hor et de ses successeurs, les membres de la famille royale ne dédaignèrent pas de se faire enterrer dans cette cachette. Ne savaient-ils pas avec certitude que cette tombe méconnaissable ne recevrait point la visite des voleurs?

D'ailleurs, les momies royales ne furent pas toutes dissimulées à Deir el Bahari ; en 1898 fut découverte une autre cachette, qui paraît avoir été aménagée à la même époque. Lorsque le Service des Antiquités de l'Égypte explora à fond la tombe d'Aménophis II, on se heurta à une chambre murée. Elle abritait neuf momies remontant au temps de la XVIIIe et de la XIXe dynasties, et parmi elles se trouvaient les cadavres de Touthmosis IV et de son illustre fils Aménophis III.

Il est certain que c'est par une triste nécessité que l'on fut amené à cacher ainsi les momies des rois, mais il n'est pas moins certain que pour tout Égyptien bien pensant cette mesure était une abomination. Ne croyait-on pas, depuis des milliers d'années, que les offrandes et les prières étaient indispensables au salut du mort, et qu'en lui apportant des aliments solides et liquides et en accomplissant sur sa tombe les rites nécessaires une existence bienheureuse lui était assurée ? La même sollicitude envers les disparus avait présidé à la construction des chapelles et tem-

ples funéraires et le devoir le plus sacré des survivants était
de prendre soin de leurs morts. Toute négligence dans ce
domaine était un péché grave, et c'en était un plus grave
assurément quand il s'agissait, comme ici, de rois, ces demi-
dieux « assis sur le trône d'Horus », et qu'on les cachait à un
endroit où personne ne pouvait plus prendre soin d'eux. On
en était donc arrivé à ce point que les rois eux-mêmes se
trouvaient privés de sur quoi le plus simple mortel comptait. Ignominie sans bornes ! L'État qui avait laissé les
choses en arriver là se désavouait lui-même.

Certes, l'Égypte vit encore, au cours des siècles qui suivirent, des périodes florissantes, mais, dans son ensemble,
la vieillesse de ce peuple si ancien offre un triste spectacle,
et c'est pourquoi elle ne retiendra que peu notre attention.

Nous avons déjà vu, à propos du récit des mésaventures
d'Oun-amon, qu'à côté du grand prêtre de Thèbes et du
prince de Tanis, de nombreux « grands » exerçaient le pouvoir en Égypte. C'était en bonne partie des descendants
des mercenaires libyens, à qui l'on avait permis autrefois
de s'établir en Égypte (p. 227). L'une de ces familles princières, résidant à Bubastis dans le Delta, parvint à sou-
mettre l'Égypte en sa totalité. Son chef, le roi Sheshonk,
s'était mêlé à la querelle des fils de Salomon ; il fit la guerre
contre Roboam et pilla Jérusalem et son temple (vers 930
avant Jésus-Christ). Lui-même et ses successeurs, souverains de la XXIIᵉ dynastie, élevèrent encore de
grands monuments à Karnak. Cependant, une inscription d'un certain prince Osorkon, qui marcha sur Thèbes
avec son armée aux environs de l'an 800 avant Jésus-
Christ, témoigne éloquemment de la manière dont les
choses se passaient alors en Haute-Égypte. L'envahisseur
fit mourir sur le bûcher les prêtres alors en fonctions et se
fit lui-même grand prêtre. Il accomplit cette atrocité « d'un
cœur plein d'amour, de manière à pouvoir restaurer le
temple plus beau qu'il n'était auparavant ».

A la même époque s'était constitué en Nubie un nouvel
empire que nous appelons éthiopien. Ce pays, devenu
province égyptienne sous le Nouvel Empire, était maintenant puissant et fort. Ses souverains se considéraient
comme les authentiques Égyptiens et ils se croyaient appelés à rétablir l'ordre et à restaurer la vraie croyance en
Égypte. Le roi Piankhi, en faisant irruption en Égypte vers
730 av. J.-C. recommande expressément à son arrivée de
se conduire d'une manière particulièrement digne et res-
pectueuse dans la ville sainte de Thèbes ; mais il rend également honneur aux dieux dans les autres villes conquises.
Et quand les princes vaincus viennent lui faire soumission,
il leur interdit l'accès de sa tente, car ils mangent du poisson, contrairement à la tradition. Au cours des quelques
décades que ces rois éthiopiens règnent sur l'Égypte, ils
affichent la même tendance. Ils se considèrent comme les
vrais Égyptiens ; mais n'y a-t-il pas quelque ironie dans
la manière dont le roi assyrien Assarhaddon, vainqueur
du roi Taharka, fait représenter ce pharaon, à peu
près sous les traits d'un Nègre, sur sa grande stèle
triomphale?

La domination éthiopienne prit fin à son tour, et, en
663 av. J.-C., Psammétique, prince de Saïs, monta sur le
trône d'Égypte. Lui aussi était de descendance libyenne,
et ce furent des étrangers, mercenaires venus d'Ionie et de
Carie, qui lui aidèrent à remporter la victoire. Et cependant
lui-même et sa maison, les Saïtes (XXVIe dynastie), ne
s'en considéraient pas moins comme les authentiques descendants des anciens souverains. L'époque qui, à leurs
yeux, était la plus remarquable et la plus belle était celle
de l'Ancien-Empire, dont les pyramides illustraient la
grandeur ; quiconque regarde attentivement les monuments et inscriptions de cette dynastie saïte constate
avec surprise combien s'y trouvent de traces d'un art très
ancien. Sous le règne des rois saïtes, l'Égypte se remit

de ses longues souffrances, mais cette guérison ne fut
pas de longue durée. En Asie allait surgir une puissance
plus grande que toute autre, les Perses. En l'an 525, Cam-
byse conquit l'Égypte. Et s'il ne manqua pas de tentatives, par la suite, pour secouer le joug des Perses, l'Égypte
n'en demeura pas moins une province perse. C'est à ce
titre qu'Alexandre le Grand en fit la conquête en 332 av.
J.-C., et cette date fatale scelle
le rattachement de l'Égypte au
monde hellénique.

Fig. 57. — Statue d'Isis
à Cologne.

Les Ptolémées, successeurs
d'Alexandre, rendent à l'Égypte
son éclat et sa puissance, et la
nouvelle capitale de l'État,
Alexandrie, devient le centre
du commerce universel et de
la culture hellénique. La civilisation grecque se répand aussi
de plus en plus dans le pays,
mais le peuple conserve ses anciennes croyances et les rois
eux-mêmes, malgré leur éducation grecque, rendent un culte
aux dieux égyptiens. Les mer-
veilleux temples de Dendéra, d'Edfou et de Philae
sont édifiés sous leur règne dans le style ancien.

Quand enfin la puissance ptolémaïque s'effondre à la
suite de luttes intestines, l'ancien royaume pharaonique
est annexé en l'an 31 av. J.-C. à l'empire romain. L'Égypte
n'est plus qu'une province romaine, mais l'une des plus
importantes puisqu'elle assure le ravitaillement de l'Italie
en céréales et qu'elle se trouve sur la route économique de
l'Arabie et de l'Inde. Elle continue cependant à exercer une
influence capitale dans un autre domaine : ses dieux trou-

vent à l'époque gréco-romaine dans l'Europe entière de
fanatiques adorateurs et les enseignements de ses prêtres
passent pour la sagesse la plus profonde. Tout comme de
nos jours, l'Égypte est un pays de merveilles, où les touristes romains demeurent stupéfaits devant les pyramides
et les tombeaux royaux et se réjouissent d'avoir entendu
la voix de Memnon (p. 196).

Cette époque disparaît à son tour, et lorsque le christia-
nisme se répand en Égypte, les temples ne sont plus, dans
la croyance populaire, que le siège de mauvais esprits. Cet
abandon des anciens dieux marque aussi la rupture du dernier lien qui rattache encore le peuple à son passé millénaire.

TABLE DES FIGURES

1. Fourré de papyrus (D'ap. Lepsius, Denkmäler II, 130).. 15
2. Shadouf antique 16
3. Shadouf moderne (fig. 2 et 3, d'ap. Wilkinson, The manners and customs of the ancient Egyptians. New Edition by S. Birch, London, 1898) 17
4. Les quatre races humaines avec le dieu Horus (D'ap. Lepsius, Wandgemälde, Pl. XV, n° 5)............ 19
5. La Pierre de Rosette (D'ap. E. A. W. Budge, The Rosetta Stone, Pl. I, London, 1904) 27
6. J.-François Champollion (1790-1832) (D'ap. Ed. Meyer, Geschichte des alten Ägyptens, Berlin, 1887) 31
7. Spécimen d'écriture hiératique (extrait du papyrus Westcar) (D'ap. Erman-Krebs, Aus d. Papyrus d. Königl. Museen, Pl. V. Handbücher d. Königl Museen, Berlin, 1899) 43
8. Transcription hiéroglyphique du texte précédent (D'ap. Erman-Krebs, op. cit. Pl. IV) 43
9. Passage tiré des fables égyptiennes du Mythe de l'Œil d'Horus. Papyrus démotique de Leyde (D'ap. un dessin de W. Erichsen) 45
10. Le ciel sous les traits d'une vache, soutenue par Shou et d'autres dieux. Sous son ventre les étoiles et les barques solaires (D'ap. Erman, La Religion des Égyptiens, p. 32. Payot, Paris, 1937) 53
11. Le ciel sous l'apparence d'une femme, portée par Shou, avec le soleil représenté sous forme de disque ou de scarabée (D'ap. Erman, op. cit., p. 33) 53
12. La barque solaire, siège du gouvernement de l'univers. (D'ap. Erman, op. cit., p. 35) 53
13. Thoth (D'ap. Erman, op. cit., p. 61) 54
14. Sobek (D'ap. Erman, op. cit., p. 68) 55
15. Bastet (D'ap. Erman, op. cit., p. 55) 55
16. Hathor (D'ap. Erman, op. cit., p. 51) 55
17. Horus en tant que roi (D'ap. Erman, op. cit., p. 101). 56
18. Amon de Thèbes (D'ap. Erman, op. cit., p. 58) 56
19. Barque de procession (D'ap. Description I, Pl. XXXVII) 57
20. Osiris (D'ap. Erman, op. cit., p. 62) 63
21. Isis portant sur sa tête l'hiéroglyphe de son nom (D'ap. Erman, op. cit., p. 53) 63
22. Seth (D'ap. Erman, op. cit., p. 59) 63
23. Momie du Moyen-Empire (D'ap. Erman, op. cit., p. 300) 69
24. L'âme sous l'aspect d'un oiseau (D'ap. Erman, op. cit., p. 246) 71
25. La balance dans le royaume des morts (D'ap. Lepsius, Denkmäler III, 78)................................. 71
26. Oushebti (D'ap. Erman, op. cit., p. 333) 73

27. Stèle d'une reine **77**

28. Stèle d'un nain (fig 27 et 28, d'ap. W. Fl. Petrie, The royal tombs of the earliest Dynasties, London, 1901).. **77**

29. Le sage I·m·hotep (D'ap. Erman, *op. cit.*, p. 372).. **79**

30. Navire rentrant d'une expédition. Temple funéraire de Sahou-rê. (D'ap. L. Borchardt, Das Grabdenkmal des Königs Sahou·rê, vol. II, f. 13. 26. Wiss. Veröff. d. Deutsch. Orientges. Leipzig 1913. Hinrichs'sche Buchhandlung) **83**

31. Fragment d'une scène de chasse (Temple funéraire de Sahou·rê (D'ap. L. Borchardt, *op. cit.*, Pl. XVII) .. **83**

32. Mer·ib et son fil, le petit scribe Mer·ib (D'ap. Lepsius, Denkmäler, II, f. 18) **91**

33. Tombeau de Ptah·hotep : La toilette matinale (D'ap. J. E. Quibell, The Ramesseum, Pl. XXXV. (Egyptian research account 1896), London, 1898 ...... **95**

34. Tombeau de Ptah·hotep : Le ficelage des barques de papyrus (D'ap. J. E. Quibell, *op. cit.* Pl. XXXII).... **95**

35. Tombeau de Ptah·hotep : La chasse au filet (D'ap. J. E. Quibell, *op. cit.* Pl. XXXII) **95**

36. Tombeau de Ptah-hotep : Le sculpteur du tombeau dans sa barque (D'ap. J. E. Quibell, *op. cit.* Pl. XXXII) **97**

37. Statue d'un nain (D'ap. S. Perrot et Ch. Chipiez, Histoire de l'art dans l'antiquité) **111**

38. Esclave à sa meule (D'ap. S. Perrot et Ch. Chipiez, *op. cit*) **113**

39. Transport d'un colosse (D'ap. Lepsius, Denkmäler II, 134) **137**

40. Cortège d'immigrants étrangers (D'ap. Wreszinski, Atlas zur altägyptischen Kultur geschichte II, Pl. VI) **139**

41. Soutekh dieu des Hyksos (D'ap. Erman, *op. cit.* p. 180) **167**

42. La déesse Astarté (D'ap. Erman, *op. cit.*, p. 181) .. **171**

43. Char attelé et son conducteur (D'ap. E. Naville, Ahnas el Medineh, The Tomb of Paheri at el kab. Pl. III. IIth Memoir of The Egypt Exploration Fund, London, 1894).. **171**

44. Chargement d'un bateau avant le départ du pays de Pount (D'ap. J. Dümichen, Die Flotte einer ägyptischen Königin, Pl. II. Leipzig 1868. J. C. Hinrich' sche Buchhandlung) **178**

45. Oiseaux et plantes rassemblés par Touthmosis III au cours de sa troisième campagne (D'ap. Wreszinski, *op. cit.*, pl. XXVII **186**

46. Scarabée commémorant des chasses aux lions (D'ap. Newberry, Scarabs, Pl. XXXII, 2) **191**

47. La nouvelle figuration du dieu du soleil (D'ap. Erman, *op. cit.*, p. 139)................................ **199**

48. Les peuples étrangers (D'ap. Prisse d'Avennes) 201
49. Les Hittites envahissent le camp égyptien (D'ap.
   Wreszinski, *op. cit*. Pl. LXXXII) 219
50. Assaut d'une forteresse (D'ap. Wreszinski, *op. cit*.
   Pl. LVIII) 220
51. Bataille de Ramessès III contre les peuples de la mer
   (D'ap. J. Rosellini, Monumenti storici 131) 228
52. Ramessès III au milieu de son harem (D'ap. Lepsius,
   Denkmäler II, 308) 234
53. L'hippopotame perché sur un arbre (D'ap. Lepsius,
   Pl. XXIII, Satyrischer Papyrus) 263
54. Animaux musiciens (D'ap. Lepsius, *op. cit*.) 265
55. Le lion et le bouc jouant aux dames 265
56. La guerre des chats et des souris (D'ap. Lepsius, *op.
   cit*.).. 267
57. Statue d'Isis à Cologne (D'ap. Erman, *op. cit*., p. 497).. 293
Carte de l'Égypte...................................... 12

A. H. Verrill

L'Inquisition

Destinée d'abord à combattre et réprimer l'hérésie, l'Inquisition fut créée à l'origine par d'authentiques chrétiens ayant avec ardeur fait vœu de pauvreté.

Mais la chasse aux hérétiques se transforme bientôt en un véritable instrument d'administration et de politique, s'exerçant par la peur et la torture contre la magie et la sorcellerie.

Intimement liée aux mœurs du Moyen Age, l'Inquisition se déplace en Espagne et jusqu'au Nouveau Monde où elle ne disparaît qu'en 1813. A travers l'Histoire, de nombreux récits, certains procès (dont celui de Jeanne d'Arc), l'auteur nous donne ici une vision globale de plusieurs siècles qui devaient marquer aussi bien l'Europe qu'une partie du Nouveau Monde.

G. SLOCOMBE

Henri IV
(1553-1610)

Roi de France et de Navarre. Chef du parti huguenot, seule son abjuration solennelle du calvinisme lui permet de mettre un terme à l'opposition de ses nombreux adversaires.

Après ·avoir terminé la guerre contre les Espagnols, Henri IV entreprend de pacifier son royaume, grâce à l'édit de Nantes, et de restaurer l'autorité de sa monarchie. Avec l'aide de Sully, il va organiser le redressement économique et financier du pays.

Son assassinat par Ravaillac met brutalement fin à ces efforts et ouvre une nouvelle période de crise pour la monarchie française.

histoire payot

10

F. ARMITAGE

Lawrence d'Arabie
(1888-1935)

Tour à tour encensé ou décrié, adoré ou méprisé, T. E. Lawrence est resté célèbre sous le nom de Lawrence d'Arabie, dont la littérature et le cinéma ont fait un héros légendaire, sorte d'aventurier des temps modernes, à mi-chemin entre l'espion et le baroudeur.

Aventurier il le fut certainement. Fasciné par le Proche-Orient comme bon nombre de ses compatriotes, il se fait le champion de la cause arabe contre l'Empire Turc lorsqu'éclate la Première Guerre Mondiale.

Soutenu par les Services Secrets britanniques, il conduit une série de raids et de campagnes victorieuses qui le mènent jusqu'en Palestine et enfin à Damas.

Mais Lawrence est déçu par les traités et estime trahie la cause arabe. Il s'enfonce alors dans l'anonymat, comme simple soldat de la R.A.F. et meurt à 47 ans d'un accident de motocyclette.

Il laissait derrière lui un livre superbe, récit de la révolte arabe de 1916-1918, qui devait devenir un monument de la littérature contemporaine : *Les Sept Piliers de la Sagesse*.

M. Prawdin

Genghis Khan

Ce prince tartare (mort en 1227) a été l'un des plus grands conquérants de l'histoire. Il a créé un empire qui allait de l'océan Pacifique à la Méditerranée, de la taïga sibérienne à l'Himalaya.

Sous la conduite de ses fils, les Mongols déferlèrent sur l'Europe. Ce fut l'attaque la plus violente que l'Asie ait jamais lancée contre le continent européen.

La « paix tartare », qui avait coûté la destruction de vingt royaumes et la vie de dizaines de millions d'hommes, avait accompli son destin historique de confronter les civilisations de l'Orient et de l'Occident qui s'étaient jusque-là développées indépendamment l'une de l'autre aux frontières extrêmes de l'Eurasie.

histoire payot

12

H. CARRI

Sully
(1559-1641)

Homme politique français, il est attaché dès sa jeunesse à Henri de Navarre, le futur Henri IV, qu'il va conseiller et appuyer pendant toute la durée de son règne.

Responsable des finances d'Henri IV, surintendant, il développe une politique d'économie et de remise en ordre du royaume. Grâce à sa gestion rigoureuse, les caisses de l'État se remplissent et il peut mettre en œuvre un vaste plan de développement de l'agriculture, des travaux publics et des eaux et forêts.

Il s'illustre également dans le domaine de l'artillerie et des fortifications.

L'assassinat d'Henri IV met pratiquement fin à sa carrière et il ne jouera plus guère de rôle sous Louis XIII.

W. M. WATT

Mahomet
(570/580-632)

Né à La Mecque, mort à Médine, ces deux hauts lieux de l'Islam, Mahomet appartenait à l'une des principales tribus arabes, celle des Karaïchites.

Au terme d'une série d'expériences mystiques, l'archange Gabriel lui apparaît sur le mont Hira, lui révèle la parole divine et lui enjoint de la prêcher. L'échec de ses premières prédications à La Mecque amène Mahomet à quitter la ville en 622 et à se réfugier à Médine. Cet exil, c'est l'hégire, qui marque le point de départ de l'ère musulmane.

La guerre sainte commence par la conquête de La Mecque et la consécration de la Kaaba comme sanctuaire musulman. Elle s'étend bientôt à l'ensemble de la péninsule arabique et se poursuit sous les successeurs du prophète. Ces derniers s'inspirent de l'enseignement de Mahomet contenu dans le Coran, le livre sacré de l'Islam.

Talleyrand
(1754-1838)

Homme politique français. Destiné initialement à l'Église, il devient agent général du clergé de France puis évêque d'Autun. Rendu à l'état laïc, il va connaître une carrière de diplomate et de politicien longue et mouvementée. Aux côtés de Bonaparte tout d'abord, dont il devient le ministre des affaires étrangères.

A la suite de divergences sur les orientations de la politique extérieure de la France, il rompt avec Napoléon et contribue au retour des Bourbons. Ministre des affaires étrangères de Louis XVIII, il joue un rôle essentiel au Congrès de Vienne.

Après l'intermède des Cent Jours, il est nommé président du Conseil, mais ses adversaires le contraignent bientôt à la démission.

Lors de la révolution de Juillet, il se fait cette fois l'avocat des Orléans et Louis Philippe le nomme ambassadeur à Londres, ultime étape d'un itinéraire politique complexe et sinueux qui demeure l'un des plus fascinants de l'histoire de France...

S. GRAHAM

Ivan le Terrible
(1530-1584)

Ivan IV Vassilievitch, très tôt orphelin de père et de mère, décide de régner dès l'âge de seize ans. Sacré tsar à Moscou en 1547, il entreprend aussitôt de réorganiser l'État et tente de réduire le pouvoir des boyards.

Soucieux de s'ouvrir un accès vers l'Ouest, il va se heurter à ses voisins occidentaux. Aux difficultés extérieures viennent s'ajouter des problèmes intérieurs et en particulier l'hostilité des boyards.

Pour y faire face, Ivan entreprend une politique de répression qui lui vaudra son surnom : exécution de milliers d'opposants, destruction de villes rebelles... Ce règne de violence va s'achever par la mort du tsar et l'ouverture d'une période d'anarchie et d'instabilité.

D. B. W. Lewis

Charles-Quint
(1500-1558)

Roi d'Espagne, empereur germanique, descendant par son père des Habsbourg et par sa mère des Rois Catholiques d'Espagne.

Ambitieux, prétendant à la monarchie universelle, il est à la fois le dernier souverain du Moyen Age et un grand prince de la Renaissance. Ses luttes contre François Ier en France, et Henri VIII en Angleterre, contre Luther et les princes protestants en Allemagne, illustrent sa prétention d'unifier l'Europe sous son sceptre et sous celui de Rome.

Déçu dans ses ambitions, n'ayant pu réaliser l'universalité chrétienne à laquelle il rêvait de contribuer, il abdique et passe les deux dernières années de sa vie retiré au monastère de Yuste, en Espagne.

LUTHER OURS DEBOUT

Souvenirs d'un chef sioux

Né en 1868, chef des Sioux Oglala, Luther Ours Debout fut l'un des premiers Indiens à témoigner d'une existence qui l'amena du « tipi » paternel au monde étrange et inquiétant des Blancs.

Son récit nous conduit de son enfance et de son apprentissage de la vie indienne jusqu'au jour où, après avoir participé à la tournée européenne de Buffalo Bill, il devient chef de sa tribu et entreprend d'écrire l'histoire de sa vie.

Document d'une valeur ethnographique et historique indéniable, ce livre est aussi un plaidoyer en faveur d'un peuple injustement méprisé et massacré, en même temps qu'une vision lucide et sans complaisance de la société des hommes blancs.

P. Guériot

Napoléon III
(1808-1873)

Fils de Louis Bonaparte et Hortense de Beauharnais.
Après une jeunesse d'exil et d'aventures, il revient en
France après la révolution de 1848 et entame une carrière politique qui le conduit à la Présidence de la
République, puis, après un coup d'État (2 décembre
1851), à se faire proclamer l'année suivante Empereur
des Français sous le nom de Napoléon III.

Sa politique intérieure, commencée dans la prospérité
due à la Révolution industrielle et l'absolutisme, se
transforme sous la pression d'une opposition républi-
caine de plus en plus forte. A l'extérieur, Napoléon III
veut reprendre la politique napoléonienne de l'hégémonie européenne : guerre de Crimée, Cochinchine,
Algérie et Mexique, qui se termine fort mal pour lui.
Ses maladresses à l'égard de l'Allemagne de Bismarck
aboutissent à la déclaration de guerre en 1870 et à la
capitulation de Sedan.

Déchu, il est quelque temps prisonnier en Allemagne
avant de s'exiler en Angleterre où il meurt en 1873.

histoire payot

19 et 20

M. Soulié

Le Régent
(1674-1723)

Le testament de Louis XIV avait nommé Philippe d'Orléans Président du Conseil de Régence pendant la minorité de Louis XV, mais sans lui donner de pouvoir réel. Au lendemain de la mort de Louis XIV, Philippe fit casser le testament par le Parlement et obtint la Régence sans condition.

Bien qu'influencé par le libéralisme de Saint Simon et Fénelon, le Régent reste malgré tout prisonnier des mœurs décadentes et libertines de l'époque et de l'abbé Dubois, son conseiller. Confronté à une situation financière dramatique, il tente de la redresser en accordant sa confiance à Law dont le fameux « système » se solde finalement par un échec.

Les mœurs, la vie quotidienne et politique d'une époque, l'interminable guerre de succession contre Philippe V d'Espagne, et surtout le caractère ambigu d'un personnage qui a toujours passionné les historiens sont ici restitués dans un grand esprit de vérité.

C.-M. FRANZERO

Néron

Né à Antium (37-68 après J.-C.), empereur romain (54-68).

A la mort de l'empereur Claude, Néron, qu'il avait adopté, lui succède, se substituant à son fils légitime, Britannicus.

Habilement conseillé par le philosophe Sénèque, il commence son règne avec clémence. Mais la tutelle de sa mère, Agrippine, devenant étouffante, il la fait assassiner, ainsi que Britannicus, puis sa femme Octavie.

Dès lors, Néron, se découvrant une âme d'artiste, se consacre entièrement à la musique et à la poésie, se produit en public et entreprend des tournées artistiques. Vie de débauche et luxe insensé le font soupçonner, alors qu'il fait construire sa somptueuse résidence de la Maison d'Or, d'avoir provoqué l'incendie de Rome. Il en rejette la responsabilité sur les chrétiens qu'il fait persécuter.

Une conspiration contre Néron est déjouée, mais le mécontentement grandit malgré l'élimination d'une grande partie de l'opposition sénatoriale. Une révolte militaire le pousse finalement au suicide.

P. RADIN

La civilisation indienne

Une grande fresque où l'un des meilleurs connaisseurs de l'Amérique indienne suit à la trace la permanence de cette culture à travers plusieurs siècles de son histoire.

Prenant pour point de départ les célèbres Mayas et les autres cultures précolombiennes, il suit le rayonnement de leur influence dans l'espace, jusqu'aux limites de la terre américaine, à travers une série de foyers de culture qui dans le temps ont exercé leur action jusqu'à nos jours, parmi les Indiens des plaines et des grands bois de l'Amérique du Nord, comme parmi les ethnies les plus reculées de la forêt amazonienne.

L'un des grands mérites de l'auteur est d'avoir adopté une forme narrative qui rend agréable et facile l'approche des problèmes les plus ardus de l'histoire des Indiens d'Amérique.

A. ELMER

Schulmeister
l'agent secret de Napoléon
(1770-1853)

Apparemment, rien ne prédestinait Charles-Louis Schulmeister, obscur petit commerçant alsacien, à la carrière d'espion, sinon un goût certain pour l'argent, les intrigues et la contrebande.

Ce penchant, où se manifestent ses réelles qualités d'audace et de courage, le mettent bientôt en contact avec le Chef du service des renseignements de Napoléon, Savary. Ce dernier l'utilisera de plus en plus fréquemment jusqu'à ce qu'il devienne l'espion favori de Napoléon.

Le célèbre « Monsieur Charles » connaît alors son apogée en accomplissant des missions très importantes dans les secteurs de l'armée autrichienne et de Vienne.

Ici sont retracées les intrigues géniales de ce légendaire agent secret.

F. A. KIRKPATRICK

Les Conquistadors espagnols

Une épopée extraordinaire d'un demi-siècle, pleine de
traîtrises, d'assassinats, de dangers inouïs, de massacres,
de civilisations qui s'écroulent, de combats épiques,
animés par la foi des découvertes.

Les voyages de Christophe Colomb, la conquête du
Mexique par Cortés, celle du Guatemala par Alvarado,
le voyage de Magellan jusqu'aux îles des épices, enfin
la marée *conquistadore* qui envahit l'Amérique du Sud
de tous les côtés, avec Pizarre, Quesada et bien d'autres...
autant d'étapes d'une Conquête qui finit par établir,
souvent avec brutalité, la « Paix espagnole » sur la
plus grande partie du continent sud-américain.

L. Kehren

Tamerlan
(1336-1405)

Peu d'hommes ont autant contribué que Tamerlan, le « Seigneur de Fer », à infléchir le cours de l'histoire : la terrible défaite qu'il fit subir à Bajazet le Foudre lors de la bataille d'Ankara, en 1402, a retardé d'un demi-siècle la chute de Constantinople, et, par là-même, freiné à un moment décisif, la conquête turque en direction de l'Occident. Les coups sévères qu'il porta à Toktamïck et à la Horde d'Or ont permis aux Russes d'endiguer l'invasion tartare et à la Moscovie de se réorganiser. Ses campagnes au Proche-Orient, en Iran, dans l'Inde du Nord-Ouest ont profondément modifié l'équilibre politique de ces régions.

Babeuf

François-Noël Babeuf dit Gracchus. Révolutionnaire français (1760-1797).

Autodidacte, issu d'une famille pauvre de Picardie, Babeuf fut fortement influencé par J.-J. Rousseau. Il sut utiliser sa connaissance des réalités sociales pour élaborer sa doctrine communiste : l'abolition de la propriété privée et l'instauration de la communauté des biens et des travaux doivent assurer le bonheur de tous dans la société.

Pendant le Directoire, Babeuf expose ses idées dans *Le Tribun du Peuple*. Des assemblées babouvistes se créent à Paris et en province. Le Manifeste des Égaux, rédigé par Sylvain Maréchal, dénonce la révolution trahie et en proclame une nouvelle qui réalisera l'*égalité de fait* pour toute la nation.

Au printemps 1796, les babouvistes forment la Conjuration des Égaux et préparent l'insurrection contre le Directoire.
Mais la Conjuration est trahie et ses membres arrêtés avant d'avoir pu agir. Les conjurés sont jugés à Vendôme et Babeuf guillotiné.

histoire payot

1 – **Christophe Colomb** (H. Houben)
2 – **Grandeur et décadence de la civilisation maya** (E. Thompson)
3 – **Le voyage de Marco Polo** (V. Chklovski)
4 – **Bertrand Du Guesclin** (M. S. Coryn)
5 – **La Reine Victoria** (L. Strachey)
6 – **Bayard** (P. Ballaguy)
7 – **L'invincible Armada** (M. Lewis)
8 – **Saint-Just** (D. Centore-Bineau)
9 – **L'Inquisition** (A. H. Verrill)
10 – **Henri IV** (H. Slocombe)
11 – **Lawrence d'Arabie** (F. Armitage)
12 – **Genghis Khan** (M. Prawdin)
13 – **Sully** (H. Carré)
14 – **Mahomet** (W. M. Watt)
15 – **Talleyrand** (F. Blei)
16 – **Ivan le Terrible** (S. Graham)
17 – **Charles-Quint** (D. B. W. Lewis)
18 – **Souvenirs d'un chef sioux** (Ours Debout)
19 – **Napoléon III (tome 1)** (P. Guériot)
20 – **Napoléon III (tome 2)** (P. Guériot)
21 – **Le Régent** (M. Soulié)
22 – **Néron** (C. M. Franzero)
23 – **La civilisation indienne** (P. Radin)
24 – **Schulmeister : l'agent secret de Napoléon** (A. Elmer)
25 – **Les conquistadors espagnols** (F. A. Kirkpatrick)
26 – **L'Égypte des pharaons** (A. Erman)
27 – **Tamerlan** (L. Kehren)
28 – **Babeuf** (G. Walter)

histoire payot

Si vous vous intéressez à cette collection historique et si vous désirez être tenu au courant de
nos publications, découpez ce bulletin et adressez-
le à :

ÉDITIONS PAYOT

106, boulevard Saint-Germain

75006 PARIS

A découper ici

NOM . . . .
PRÉNOM . . . .
PROFESSION . . . .
ADRESSE . . . .
. . . .

hp 26

Cet ouvrage
reproduit par procédé photomécanique
a été acheve d'imprimer le 3 octobre 1980
sur les presses de l'Imprimerie Bussière
à Saint-Amand (Cher)

— N° d'impression : 1559. —
Dépôt légal : 4ᵉ trimestre 1980.
Imprimé en France